LA GUÍA
DEL
TROTAMUNDOS

Mallorca

Ediciones Gaesa

© **GUÍAS AZULES DE ESPAÑA S.A., 1996**
Marqués de Monteagudo, 29. 28028 MADRID
Reservados todos los derechos
ISBN: 84-8023-130-0
Depósito Legal: M-9873-1996
Imprime: Gráficas Rama, S.A. - Madrid

Esta guía ha sido elaborada por:

MANUEL PÉREZ BUIDE

Sirvan éstas primeras líneas para agradecer la colaboración prestada por Joan Manuel Espinosa, Román (Es Cantó d'en Toni), Leandro Garrido Álvarez, Esteve Cuéllar Pons, Rafael Juan Font, Pau Joan Server i Rotger, y Gabriel Sastre Ferrer.

Agradecimientos que hago extensivos a Ángel Zabala Trueba, José Bedoya Ayuso, Jesús García Marín, Iñigo de Bustos Pardo Manuel de Villena, Luis Fernández Resines, y Borja Vara de Rey.

Quedaría incompleta esta relación sin una mención especial al personal de la Biblioteca de la Fundación March y de la Biblioteca del Ayuntamiento de Palma.

La cartografía corrió a cargo de L. Gloria del Rey.

Esta guía ha sido elaborada por:

MANUEL PÉREZ BUDÍA

LA ISLA DORADA

Lector amigo: Si padeces neurastenia, o te imaginas que la padeces, que ya es padecerla; si estás atolondrado por los ruidos que nos ha traido la civilización, por este afán de ir más de prisa y llegar antes a donde nada tenemos que hacer; si los negocios te han llenado de números el sitio en que deberías tener lo que llamamos inteligencia; si los cines te han estropeado la mecánica de la vista, y aquel baileteo se te ha hecho crónico y el desasosiego ya no te deja vivir, y quieres gozar un poco del reposo que merece en esta vida quien no ha hecho daño a nadie, sígueme a una isla que te diré, a una isla donde siempre reina la calma, donde los hombres nunca llevan prisa, donde las mujeres no envejecen nunca, donde no se malgasta ni palabras, donde el sol se detiene más que en ninguna parte y donde hasta la señora luna camina más despacio, contagiada de pereza.

Esta isla, lector, es Mallorca. Es esta isla más latina que todas las otras; una tierra en la que sin dormir, se puede reposar y soñar.

Santiago Rusiñol.

Mediado el siglo pasado, el alemán Pagenstecher, acompañado de Bunsen -el de los mecheros-, viajó hasta Mallorca para investigar aspectos de la geología y biología de la isla, para pasmo y estupefacción de los payeses, que alucinaban viendo a un señor dedicado a recoger piedras, o peor aún, comprando pescado en el muelle -no para cocinarlo-, sino para aplicarle sus rudimentarios conocimientos de taxidermia.

El relato de sus andanzas por Mallorca no carece de interés, y menos aún la introducción al mismo, que te reproducimos a continuación, respetando la ortografía original, y asumiendo su contenido:

> *"Las relaciones de los viajeros no solo son útiles para aquellos que no conocen el pais descrito, sino que también lo son para los que habitan su suelo.*
>
> *Si á los primeros sirve de guía para estudiar laa region que quieren conocer; á los segundos instruye de lo que ya poseen, aprenden á apreciar debidamente sus riquezas naturales, cuya existencia la mayor parte de ellos ignoran á pesar de residir en ella desde hace largos años. Sirve igualmente para conocer los defectos de que adolece, y como el viajero observa lo que vé bajo su punto de vista, escita cierta curiosidad que tiende á hacer conocer la impresión que causa el aspecto del pais, al mismo tiempo que sirve para corregir los abusos, si la crítica se halla contenida en los límites debidos...."*

H.A. Pagenstecher
Die Insel Mallorca. Leipzig, 1867.

(Confiamos que nuestras críticas estén "contenidas en lo límites debidos", habida cuenta de que a veces, la incómoda aparición en las guías turísticas de alguna desidia paisajística o monumental provoca la actuación de las entidades correspondientes, aunque sólo sea para dejar desfasada esa parte de la guía...).

EL PAÍS

En terminología medieval, constituyen las Baleares el conjunto formado por las Mallorcas (Mallorca y Cabrera), Minorcas (Menorca y sus islotes), y Pitiusas (Ibiza y Formentera).

Situación

La isla de Mallorca está situada en el centro Oeste del Mediterráneo Occidental, entre los paralelos 39° 15' 45" (Ses Salines) y 39° 57' 55" (Formentor) de latitud Norte, y los meridianos 2° 21' 53" (Sant Elm) y 3° 29' 22" (Capdepera) de longitud Este del meridiano de Greenwich.

Está separada de la isla de Menorca por el noroeste por un canal de 37 kilómetros y de Ibiza (al suroeste) por una distancia de 81 km.

De forma romboidal que a algunos les recuerda la cabeza de un caballo o de una cabra, presenta unas distancias máximas de 96 km. de este a oeste y de 78 km. de norte a sur. Ningún punto de la isla se encuentra a más de 40 kilómetros del mar, y sus 554 km. de costa arrojan una media de unos 6'5 km. cuadrados de superficie por cada km. de costa.

Extensión

	km. cuadrados:	Km. de costa:
Baleares:	5.014.	1.238.
Mallorca:	3.640.	554.

¿pero como de grande es?

En 1994 los alemanes aventuraron la posibilidad de comprar Mallorca, e incluso calcularon el precio, millón más, millón menos; de todas formas, de facto una buena parte de la isla ya les pertenece...

Cada organismo oficial da una cifra distinta y nosotros te ofrecemos todas; elige la que más te guste:

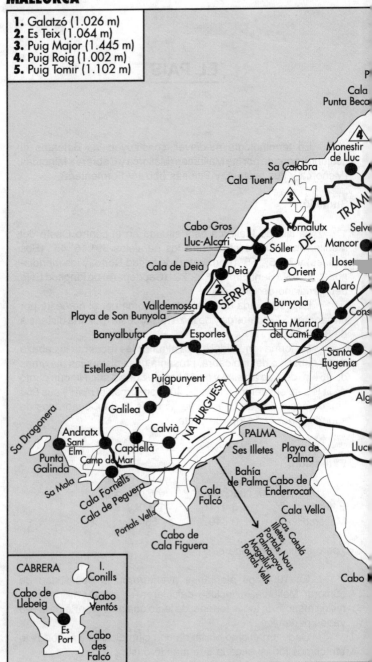

MALLORCA

1. Galatzó (1.026 m)
2. Es Teix (1.064 m)
3. Puig Major (1.445 m)
4. Puig Roig (1.002 m)
5. Puig Tomir (1.102 m)

P'
Cala
Punta Beca

Monestir
de Lluc

Sa Calobra

Cala Tuent

Cabo Gros   Fornalutx   Selve
Lluc-Alcari   Sóller   Mancor
Cala de Deià   Deià   Lloset
                   Orient   Alaró
Valldemossa   Bunyola   Cons
Playa de Son Bunyola
Banyalbufar   Esporles   Santa Maria
                                      del Camí
                                      Santa
Estellencs   Eugenia
          Puigpunyent   Alg

          Galilea

          Calvià   PALMA   Lluc
Andratx
Sant   Ses Illetes   Playa de
Elm   Palma
Capdellà
Punta   Camp de Mar
Galinda   Bahía   Cabo de
Sa Mola   Cala Fornells de Palma   Enderrocat
          Cala de Peguera
                       Cala   Cala Vella
          Portals Vells Falcó
                                       Cas Català
                       Cabo de   Illetes
                       Cala Figuera   Portals Nous
                                      Palmanova
                                      Magalluf
                                      Portals Vells

SERRA DE TRAM
NA BURGUESA

CABRERA   I.
               Conills

Cabo de   Cabo
Llebeig   Ventós
        Es
        Port   Cabo
                des
                Falcó

Cabo

COPOT (Consellería de Obras Públicas y Ordenación del Territorio): 3.626'95 km cuadrados.
IBAE (Instituto Balear de Estadística): 3.631'10 km. cuadrados.
Dades (=*Datos*) **Balears**: 3.609'86 km. en 1988 y 3.615'78 km. en 1992.
INE (Instituto Nacional de Estadística) 3.640'28 km. en 1951 y 3.641'10 en 1981.
URECH: 3.598'88 km.

Visto el precio del suelo en esta isla, cualquier matiz tiene su interés.

Geología

En el geosinclinal profundo -el mismo que dió origen a las Sierras Béticas-, se depositaron materiales del secundario y del terciario dando origen a las Baleares. Así, las islas (excepto Menorca) emergieron en la fase estaírica del plegamiento alpino, entre la sedimentación burdigaliense y la vindobiniense. La estructura cárstica producida por todo lo anterior hace que el suelo absorba inmediatamente las aguas de lluvia, abundantes únicamente en la Sierra de la Tramuntana, y que resultan insuficientes para cubrir las necesidades de abastecimiento, muy altas en época turística.

Además, algunos turistas extranjeros -especialmente los pertenecientes a la clase denominada *turismo de alpargata*, hacen unos usos del agua bastante cuestionables: llenar la bañera para refrescar sus litronas, colgar la camiseta de la ducha abierta e irse a la playa, etc.

El Clima

A Mallorca la caracteriza un clima templado cálido subtropical o mediterráneo puro cuyo carácter continental aumenta de norte a sur, todo ello a excepción de las características especiales de la Sierra de Tramuntana.

Por lo general, temperaturas medias, estaciones bien diferenciadas, casi nunca temperaturas inferiores a 0°, y veranos calurosos con elevada humedad también presente el resto del año.

Los vientos

Algunos inviernos, invasiones de aire polar, y en verano el

viento del sudoeste llamado **Xaloc** (Sirocco), que, procedente del norte de África, llega cargado de calor y de un fino polvo rojizo, el cual, al menos, ocasiona unos atardeceres y crepúsculos dignos de tarjeta postal.

En otoño y primavera, los vientos del norte y suroeste (**Llebeig**), acompañados de lluvia y granizo, y durante gran parte del año, el norteño viento de Tramuntana.

Alturas principales

Puig Major:	1.445 m.
Puig de Masanella:	1.340 m.
Puig des Teix:	1.064 m.
Galatzó:	1.026 m.

Población

En total, algo más de 600.000 personas; más de la mitad viven en Palma, aunque desde hace pocos años algunos residentes de la capital optan por trasladarse a vivir a la *Part Forana*, esto es, a lo que no es la capital. Después de Palma, las dos ciudades más importantes son Manacor y Alcúdia.

El municipio menos habitado -y de los más bonitos- Escorca.

Aguas de interés

Aguas Mineromedicinales: en Binifaldó (Escorca), Na Taconera (Capdepera), y Na Bastida (Alaró).

Aguas Termales: en Son Gall (Llucmajor).

Aguas Potables de Manantial: en Font Sorda (Escorca), Son Teix (Sóller), Font Major (Escorca), y Font de Ca L'Abat (Deiá).

Aguas Potables Preparadas: Monvi-Teix (Inca), y Uyalfas (Sa Pobla).

Playas con Bandera Azul

La Comunidad Europea concedió a España 70 banderas para otras tantas playas; 53 de ellas están en Baleares...

De todas formas, no hay que confundirse: la bandera azul no se otorga a idílicas, solitarias y tranquilas playas.

Fundamentalmente se busca la calidad de las aguas de baño (Directiva Comunitaria 76/160), y los servicios ofrecidos al usuario, la limpieza de la arena, el fácil acceso, servicios sanitarios y de seguridad, etc.

Encontrarás playas con bandera azul en:

Palma: Can Pere Antoni y Playa de Palma.

Calviá: Illetas, Portals Nous, Palma Nova Centro, Palma Nova. Este, Maagalluf, Palmira, Paguera Tora, Paguera Romana.

Alcúdia: Playa de Alcúdia.

Muro: Playa de Muro.

Santa Margalida: Can Picafort.

Capdepera: Cala Agulla, Son Moll, Font de Sa Cala, Cala Mesquida.

Son Servera: Cala Millor.

Sant Llorenç de Cardassar: Cala Millor, Cala Nau, Sa Coma.

S. Llorenç/Manacor: S'Illot, Cala Moreia, Cala Anguila.

Manacor: Cala Murada, Cala Mandía, Estany d'en Mas.

Felanitx: Cala Marçal, Cala Ferrera.

Santanyí: Cala Gran, Cala Santanyí.

Ses Salines: Es Dols.

Puertos Deportivos

Baleares, con unos 1.400 kilómetros de costa, cuenta con unos sesenta puertos deportivos, equivalentes a unos 14.000 amarres... ¿son muchos? En la Provenza, tienen 46.000 amarres y 800 km. de costa...

Puertos deportivos de Mallorca los encontrarás en los municipios de:

Palma

Club de Mar. Tel. 40 36 11.

Real Club Naútico de Palma. Tel. 72 68 48.

Puerto de Palma. Tel. 71 51 00.

Puerto de Portixol. Tel. 71 51 00.

Club Naútico Portixol. Tel. 41 54 66.

Club Marítimo Molinar de Levante. Tel. 27 34 79.

Club Naútico Cala Gamba. Tel. 26 18 49.

Club Marítimo San Aantonio de la Playa. Tel. 26 35 12.

Escuela Nacional de Vela Calanova. Tel. 40 25 12.

Llucmajor
 Club Naútico S'Arenal. Tel. 26 89 11.
 Club Naútico S'Estanyol. Tel. 64 00 85.
Santanyí
 Puerto de Cala Figuera. Tel. 46 62 12.
 Puerto de Porto Petro. Tel. 65 70 12.
 Club de Amigos de Porto Petro. Tel. 65 76 57.
 Marina de Cala Llonga. Tel. 65 70 70.
Campos del Port
 Club Naútico La Rápita. Tel. 65 10 01.
Ses Salines
 Puerto Colonia de Sant Jordi. Tel. 65 51 48.
Felanitx
 Puerto de Porto Colom. Tel. 57 56 83.
 Club Naútico de Porto Colom. Tel. 57 57 58.
Manacor
 Puerto de Porto Cristo. Tel. 46 62 12.
 Club Naútico Porto Cristo. Tel. 57 04 56.
Son Servera
 Puerto de Cala Bona. Tel. 46 62 12.
Capdepera
 Puerto de Cala Ratjada. Tel. 56 30 07.
 Puerto Deportivo de Cala Ratjada. 56 40 19.
Artá
 Club Naútico Colonia de Sant Pere. Tel. 58 91 47.
Santa Margalida
 Club Naútico Serra Nova. Tel. 52 77 81.
 Puerto Deportivo Ca'n Picafort. Tel. 52 74 89.
Alcúdia
 Puerto de Alcúdia. Tel. 71 51 00.
 Club de Amigos Puerto de Alcúdia. Tel. 54 60 00.
 Puerto Deportivo El Cocodrilo. Tel. 54 69 55.
 Puerto Els Barcarets. Tel. 53 18 67.
Pollença
 Puerto Pollença. Tel. 53 18 67.
 Club Naútico Puerto Pollença. Tel. 53 16 48.
Sóller
 Puerto de Sóller. Tel. 63 33 16.
Andraitx
 Puerto de Andraitx. Tel. 46 62 12.
 Club de Vela Puerto de Andraitx. Tel. 67 17 21.

Calviá
    Club Naútico Santa Ponça. Tel. 69 03 11.
    Club Naútico Palma Nova. Tel. 68 10 55.
    Puerto Deportivo Punta Portals. Tel. 68 25 00.

GASTRONOMÍA

Ensaimadas: elaboradas con manteca de cerdo, harina, aceite, huevos y agua; pueden ir rellenas de cabello de ángel, nata, crema, sobrasada, etc.

Aquí va una definición de más de un siglo de antiguedad: *Son estas una especie de bollos planos, de harina flor, amasada con aceite, grasa y huevo, parecidas a lo que en alemania llaman caracol, si bien son algo mas achatadas. Las espolvorean por encima con con azucar finamente molido...*

Aceite: famoso en otros tiempos, posiblemente no encuentres aceite mallorquín ni en pintura; hacen un poco en Caimari, pero no el suficiente, ya que está de moda; muchos de los *aceites mallorquines* que veas han venido de la península.

Los romanos, en sus colonizaciones, siempre aportaban la trilogía trigo-aceite-vid, pero la plantación de olivos a nivel intensivo en Mallorca se produjo allá por tiempos del Califato de Córdoba, cuando por las rencillas de almohádes y almoravides, Mallorca quedó desabastecida del aceite de Al-Andalús.

Pasaron los siglos, llegó el turismo, y una buena parte de la madera de los descuidados olivos viajó hasta lejanos paises bajo la forma de souvenirs de variados gustos, formas y calidades. Así, hoy en día, el olivo es, en Mallorca, un árbol ornamental básicamente, y su aceite, un dato anecdótico.

Aceitunas: se salvan de lo anterior: de aspecto ménos cuidado que las olivas andaluzas, ganan en sabor; te las encontrarás de guarnición en cualquier bocadillo.

Cocas: pasta cubierta de verdura, pescado, pimiento, carne, etc. Se hace al horno.

Reciben también este nombre unos deliciosos bollos de harina y pasta de patata elaborados en Valldemossa.

Si eres goloso, tienes en esta isla abundante variedad de dulces: gató, torró, congrets, greixonera de brossat, coca amb sucre, ensaimadas, ... dulzura por todos lados.

Galletas de Inca: son lo más famoso de Inca, y en la isla hay miles de adictos a ellas; la leyenda dice que las inventó -a mediados del siglo pasado-, un panadero de Inca después de escuchar la añoranza de un marino mallorquín hacia el pan de su tierra...

Duquesas: pastelillos de requesón.

Cocarrois: son una especie de empanadillas; sabrosas y con diferentes rellenos.

Gató: azúcar, almendra, huevos, harina, y leche conforman este delicioso bizcocho, muy usual en los postres, acompañado de helado.

Madritxos: dulces cocidos al horno y elaborados con harina, huevos, y azúcar; Se encuentran en las pastelerías de Palma, pero los más celebrados son los que confeccionan los monjes Jerónimos de Palma (para su consumo y por encargo).

Sopas Mallorquinas: se elaboran a base de verduras variadas, hortalizas, y rebanadas finas de pan; pueden añadírseles setas y lomo de cerdo.

Sobrassada: conservar los frutos de la matanza del cerdo se ha hecho casi desde siempre, pero la sobrassada toma carta de naturaleza a partir del uso del pimentón, glorioso y polifacético condimento traido de las américas y que vió sus primeras luces peninsulares en el monasterio de Santo Domingo de la Calzada, en La Rioja; en el Paseo Marítimo de Palma, bajo el Jonquet, y junto al tradicional Bar Marítimo, tienes una estatua de este santo, aunque suponemos que no se le levantó por cuestiones pimenteriles.

La sobrassada mallorquina, una vez conseguido el título de calidad controlada, lucha por el de Denominación de Origen, que hasta ahora sólo lo tienen los vinos de Binissalem, en el Raiguer (vinos, por otra parte, procedentes en muchos casos, de viñas de otros municipios).

Dejando aparte la literatura y la lírica, en lo referente a la sobrassada lo mejor es probarla, especialmente cuando hace frío, extendida sobre una rebanada de pan bien torradita, al amor de la lumbre....

Arroz: se cocina de todas las maneras acompañando carnes, pescados, etc. Los más conocidos, el arroz Brut, y el Arroz Ceg, llamado así por que lo puede tomar un ciego (los trozos de carne que lo acompañan están deshuesados).

Escaldums: guisado de pollo o pavo, con patata, cebolla, tomate, almendra..

Greixera: guisado de huevos, carne, alcachofas, guisantes, habas tiernas, botifarra, etc.

Espinagada: empanadas de espinaca y anguilas, provenientes estas últimas de la Albufera, aunque últimamente hay que importarlas de la península.

Tumbet: berenjena, pimiento, hortaliza, ajos, patata, calabacín, y tomate.

Frito Mallorquín: patatas, pimientos, riñones, etc.

Y además...

Coca amb trampó, alberginies farcides, sopes de matances, porcella, xot al forn, greixera de carxofes amb ous o amb xot, tords amb col, sa cassola, conill amb ceba, caragols cuinats...

En fauna marina...: arroç a la marinera, escabetx de rajada o de gerret, anfós a la mallorquina, dorada a la sal, caproig a la planxa, raons...

Fonoll: diurético y antiescorbútico, el fonoll marí (hinojo marino), es un encurtido sin apenas comercialización; ideal para acompañar el pamboli. También se usa para encurtir aceitunas, para guisar caracoles, para aderezar la *cassola d'ous*...

Vinos

Destacan los de Felanitx, Binissalem, Consell, Santa María del Camí, etc. La malvasía de Banyalbufar, los nuevos vinos espumosos de algunas bodegas...

Durante el siglo XIX enriqueció algunos municipios, como Felanitx (a la vista está el edificio de su cooperativa), pero llegó la filoxera, y con ella, el fin de una época.

En general, son vinos fuertes y variados, como no puede ser ménos al tener la isla tan diversidad de microclimas; se parecen a los vinos gallegos en su dificultad para viajar, dolorosa penitencia padecida por todos los caldos auténticamente naturales.

Los vinos de Binissalem cuentan con denominación de origen, y por ello, son de los más conocidos.

En Binissalem, aparte de otras, verás las bodegas de Ca'n Cerdó, Ca'n Vinagre, Herederos de Ribas, Nadal, Jaume de Puntiró, y las conocidas Bodegas Ferrer (Franja Roja) de las que te ofrecemos mención aparte:

Bodegas José L. Ferrer

Sus vinos no están nada mal, y además saben viajar. Esto es lo que producen:

Rosado: fruto de una elaboración especial de la variedad Manto Negro macerada 24 horas en sus propios hollejos; fermentación controlada.

Blanc de Blancs: blanco de yema elaborado a partir de la variedad Moll mediante fermentación controlada.

Viña Véritas: blanco producido con las variedades Moll y Parellada con fermentación a 17°.

Tinto de Crianza: elaborado con las variedades Manto Negro y Callet, envejece en roble durante 24 meses, tras lo cual es embotellado procediéndose a su venta al cuarto año.

Tintos de Reserva y Gran Crianza: elaborados con las variedades Manto Negro y Callet, su crianza se efectúa en barricas de roble por un espacio no inferior a dos años.

Y además

En **Petra**, los elaborados por Madrigal, las bodegas Oliver...

En **Manacor**, los de Gelabert, los de Trevín...

En **Biniali**, Ca'n Passim y Ramón Servalls...

En **Consell** Ca'n Ribas...

En **Porreres**, Bodegas Mesquida...

En **Andratx**, las Bodegas Florianópolis (Santa Catarina)...

Cava

En España no puede decirse champán, y en Mallorca no puede decirse cava, ya que la legislación no lo permite (las variedades de uva y el tiempo de fermentación exigido, 9 meses, no son necesarias, o al menos no se emplean aquí).

Así pues, vino espumoso mallorquín. Entre otros sitios, quizás lo encuentres an Santa María del Camí; al igual que otros productos mallorquines, está de moda (hace país), y se agota con prontitud.

Licores

Hay en la isla tradición de jugar con el alambique...

Palo: amargo aperitivo elaborado a partir de la algarroba; casi todas las marcas utilizan unas originals botellas para su envase. El más conocido, Palo Tunel.

Hierbas secas y dulces: la base es el anís, y el complemento una interminable relación de hierbas aromáticas.

Caña: potente e impresionante; La mejor, Caña Valls.

Coñac: algunos tradicionales, elaborados en Llucmajor, etc.

ARTESANÍA

El fenómeno turístico trajo la *neoartesanía*, objetos turísticos de dudoso gusto elaborados en serie (todos conocemos el típico molino-cerillero con un termómetro incrustado de mala manera y la etiqueta "Recuerdo de ...").

La reacción contraria también provoca situaciones de risa: En una reciente relación de artesanos publicada por una Consellería, figuran nada ménos que los peluqueros de todos los pueblos; por supuesto, un artesano se caracteriza -entre otras cosas-, por que su labor se realiza de manera personalizada y manualmente, pero dar este título a todos los peluqueros despista un poco...

Aún así, quedan temas interesantes, y son estos:

Barro: es la muestra más variada y personal de la artesanía mallorquina: Siurels en Marratxí, y todo tipo de recipientes y utensilos en Inca, Manacor, Felanitx, Consell...

Metales: herreros, y latoneros herederos de la tradición árabe. también, excelente cuchillería, como la del maestro Ordinas, en Llucmajor.

Vidrio: garrafas, candelabros, saleros, porrones... Lo tienes en Consell, Campanet, y por supuesto, en Algaida (Vidrios Ca'n Gordiola).

Madera: abundante variedad y producción, demostrada en el hecho de que dentro del gremio existen variados nombres para denominar la especialidad de cada miembro.

Bordados y papel recortado: los encontrarás en variados lugares, por ejemplo en Valldemossa.

Roba de llengues: conocida también como tela de flámules, es algo más que una variedad del tafetán; con ella se hacen cojines, cortinas, etc. La encontrarás en Santa María del Camí, Pollença, Lloseta, Esporles, Sóller...

Fibras vegetales: con el esparto, la caña, y el palmito se hace de todo: comprúebalo en Andratx, Alcúdia, Capdepera, Consell, Artá...

EL PAISAJE

Comarcas y paisaje

Mallorca posee una notable variedad de paisajes, delimitados fundamentalmente por sus sierras; tres serían las áreas fundamentales de la isla, a saber, las sierras de La Tramuntana, El Pla, y las Sierras de Llevant.

La geografía, y posteriormente las administraciones (incluidas las de la CEE) subdividen la anterior clasificación enumerando hasta cinco comarcas, las cuales tomamos como base a la hora de capitular esta guía, incluyendo en la mencionada división comarcal algunos municipios que hasta ahora no aparecían encuadrados en ninguna comarca determinada.

Así, en las páginas siguientes encontrarás la isla clasificada del siguiente modo:

Municipio de Palma, con sus barrios periféricos, y Comarcas de la Tramuntana, Raiguer, Pla, Llevant, y Migjorn.

Castillos

Castell de Bellver (Palma) Castell D'Alaró (Alaró), Castell de Santueri (Felanitx), Castell del Rei (Pollença), Castell de Bendinat (Calviá), Castell de Sant Elm (Andratx), Castell de Capdepera (Capdepera), Fortaleza de Pollença, Castell de Portopetro...

Fortificaciones y torres de defensa

Torres, atalayas, baterías... el Archiduque Luis Salvador, en su libro Torres y Atalayas de Mallorca, afirma que en el siglo XVI se construyeron no ménos de 1.400, y no es de extrañar, pues en aquellos tiempos la isla despertaba golosos afanes tanto en piratas anónimos como en renombrados corsarios berberiscos, cual es el caso del famoso Barbarroja.

Muchas de estas construcciones han desaparecido, y muchas de ellas esperan tu visita; al contrario que con los castillos, no te damos referencia de ellas debido a su abultado número. En las páginas referidas a cada municipio o población encontrarás oportuna mención de ellas.

En los años cuarenta se retomó la labor fortificadora: Franco no las tenía todas consigo, y temía, primero las ansias expansionistas de Mussolini por el mediterráneo, y después, los posibles preparativos de los aliados para desembarcar en el norte de África. Así, en la idílica playa de Es Trenc y en otros lugares, podrás ver nidos de ametralladoras, bunkers, etc.

Una de las cosas que no deben dejar de hacerse durante una estancia en esta isla es visitar algún poblado talayotico, visita que normalmente puede dejar pasmado; así, hemos creido conveniente apuntar unas líneas sobre

Los Talayots y el Pueblo Talayótico

¿Quienes eran?

Realmente no se sabe. los investigadores adpotaron este nombre para referirse a una cultura muy poco conocida que se cree procedente del Mediterráneo oriental, y que se instaló en Mallorca unos quince siglos antes de Cristo.

De caractéres arquitectónicos similares a los de otras culturas del Mediterráneo (Menorca, Córcega, Cerdeña), los estudiosos creen que se trataba de pueblos de origen indoeuropeo que se dispersaron por todo el Mare Nostrum, a los cuales se ha dado en llamar *Pueblos del Mar*.

Aún cuando llegaron a la isla, existía, como prueban algunos vestigios, una cultura precedente denominada pretalayótica, de la que se sabe menos todavía.

Por lo que se especula, la sociedad talayótica estaba fuertemente jerarquizada, y sus construcciones tenían fines tanto religiosos como defensivos. Enterraban a sus muertos, domesticaban el Myotragus, y a finales del siglo V antes de Cristo, coincidiendo con su decadencia, adoraban al toro.

Su construcción más característica es el Talayot: edificaciones troncopiramidales hechas de grandes bloques de piedra unidos sin ningún tipo de argamasa (bloques cuyo volumen puede alcanzar varios metros cúbicos...).

Los talayots, al igual que cualquier castillo que se precie, suelen estar situados en lugares que permitan el dominio visual de una amplia extensión, por lo que te recomendamos su visita.

Posteriormente, en otra fase de la cultura talayótica, aparecen los poblados amurallados, no menos impresionantes que los talayots, y construidos, asimismo, con bloques de piedra de increíble volumen.

Hacia el siglo VIII antes de Cristo conocieron el hierro, y así, han aparecido algunas muestras de su armamento e implementos: grandes espadas, hachas, puntas de lanza, brazaletes, pectorales, figuras de guerrero, cabezas y cuernos de toro, etc.

A partir del siglo IV a.C., los fenicios aparecen en la isla para comerciar, y la cultura talayótica comienza a diluirse; algunos se enrolan como mercenarios para participar en las guerras greco-púnicas, siendo muy estimados por su habilidad en el manejo de la honda, y la cultura indígena inicia un declive que se consumará con la conquista de la isla por las tropas romanas en 123 a.C.

Muchas de estas construcciones fueron destruidas durante la megaurbanización de la isla durante los años sesenta, pero todavía quedan unas cuantas cuya visita te recomendamos.

Notas sobre el turismo en Mallorca

-En 1903 se inaugura el Gran Hotel, actualmente propiedad de la Fundación La Caixa.

-En 1905 se constituye la *Societat Foment del Turisme de Mallorca*, dedicada a la organización de los servicios turísticos y a la proyección europea de Mallorca.

-La guerra del 14 interrumpe casi todo, pero una vez terminada, comienza un lento flujo de europeos que se dedica a alquilar casas en la zona denominada El Terreno a fin de pasar largas temporadas invernales.

-A comienzos de los felices años 20 surgen algunos hoteles como el Victoria (1928), Mediterraneo (1923), Formentor (1926), etc; entre todos no sumaban 3.000 plazas.

-Por las mismas fechas aparecen los primeros proyectos de urbanizaciones: Ciudad Jardín (1920), Cala D'Or (1933), Palma Nova (1935)...

-En 1929, la Cámara de Comercio, acuña en su memoria un nuevo término: la *industria* hotelera.

-La Guerra Civil y la 2ª Guerra Mundial vuelven a paralizar el tema hasta 1951, fecha en que la ONU modifica su posición frente a España: el país se abre al exterior, los trabajadores europeos tienen dinero incluso para veranear en el mediterráneo, y comienza el aluvión, desbordante a partir de 1959, año en el que se simplifican los trámites aduaneros, se libera el control de divisas, etc; además, Mallorca era barata.

-Curiosamente, el turismo se desarrolló en cada isla de manera inversamente proporcional a su grado de evolución económica: a mediados de los setenta, llegaban a Ibiza unos diez turistas por habitante, mientras que la cifra correspondiente a Menorca era de dos.

-Así, por esas fechas se constata un hecho: progresivamente, la economía de las Baleares dependenderá totalmente del turismo. Al mismo tiempo, la población aumenta más de un 40% debido, fundamentalmente, a la inmigración, atraida por el amplio volumen de la oferta de trabajo.

-Las crisis del petroleo, en 1974 y 1980, repercuten -obviamente-, en la economía europea, y por ende, en el flujo de turistas procedentes del continente; la economía Balear se resiente un poco, pero pronto, los europeos vuelven a tener dinero para ir a la playa a tomar el sol.

-Ya desde los setenta, algunas voces prudentes aconsejan frenar el crecimiento turístico y la progresiva degradación del paisaje que conlleva, pero la cosa sigue hacia arriba y cada año hay más plazas hoteleras.

Cuando llegues, eres uno de los nueve millones de turistas que aparecen al año...

La Balearización

Se define con éste adjetivo el urbanismo desaforado y falto de rigor; en Mallorca, su máximo exponente es la zona de Magaluf.

Hace más de veinte años, durante unas jornadas de arquitectura celebradas en Formentera, el polifacético Sert, conocido entre otras cosas por sus murales que decoran la ONU, o su diseño del estudio de Miró, ya se quejaba de la Balearización...

" ...creo que las Islas Baleares están ahora en un momento peligroso. Creo que sólo hay una cosa que puede salvarlas: una depresión económica. Parece terrible, pero el día que esto deje de ser un negocio tan fuerte es posible que se recupere el sentido común y se adquiera conciencia de que los espacios no pueden violentarse porque se estropean. Es una barbaridad, como aquí ocurre, dedicar todo el espacio al desarrollo turístico. Es la manera de cargarse este espacio ".

(Josep Lluis Sert, *La Destrucción del Paisaje*. 1973).

ANEIS, ARIPS...

Son los nombres con que la Ley de Espacios Naturales bautizó algunas zonas del archipiélago balear dignas de protección; Estas son las siglas:

A.N.E.I.: Área Natural de Especial Interés.

A.R.I.P.: Área Rural de Interés Paisajístico.

A.A.P.I.: Área de Asentamiento en paisaje de Interés.

E.N.P.: Espacio Natural Protegido.

En general, a la oposición política no le gustó mucho la ley, pero ménos aún su reforma, en la que veían cosas poco claras...

En las oficinas de turismo de Palma o en la COPOT (Consellería de OO.PP. y Ordenación del Territorio) puedes pedir el mapa donde vienen delimitadas estas polémicas áreas.

EL PAISANAJE

El idioma

Actualmente es fuente de polémica la cuestión: en Mallorca, ¿se habla mallorquín, o se habla catalán?

Sobre este tema los partidarios de cada bando esgrimen datos y razones; nosotros, nos limitamos a citar la opinión que emitía un viajero del siglo pasado:

> *"El dialecto catalán es muy notable, y difiere del mallorquín. Este se halla mas profundamente alterado y mezclado con elementos exóticos. La viciosa construcción de los finales, la mutilación y la dulzura de las vocales, recuerda los patuas ó jergas romanas del pais de Vaud, de los Grisones y del Milanesado. Tiene mas semejanza con el valenciano que con el catalán. Contiene restos del fenicio, del griego, cartaginés, romano, vándalo, lengua del Langüedoc, y por último ha sido alterado con la mezcla del castellano."*

Robert Graves, residente en Deiá durante tantos años, apuntaba lo siguiente sobre el tema:

> *"los mallorquines hablan una lengua que es tan antigua como el inglés y más pura que el catalán o el provenzal, sus parientes más cercanos"*

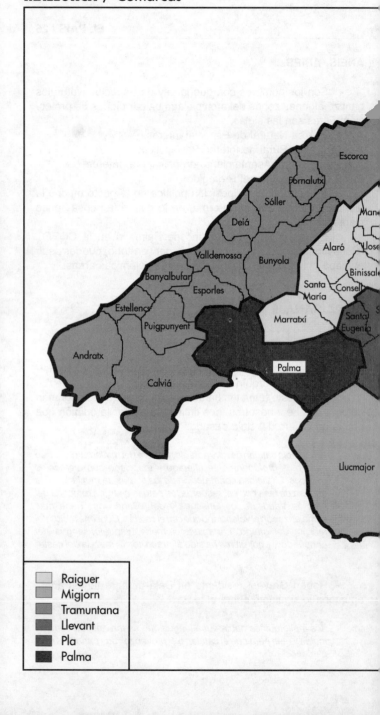

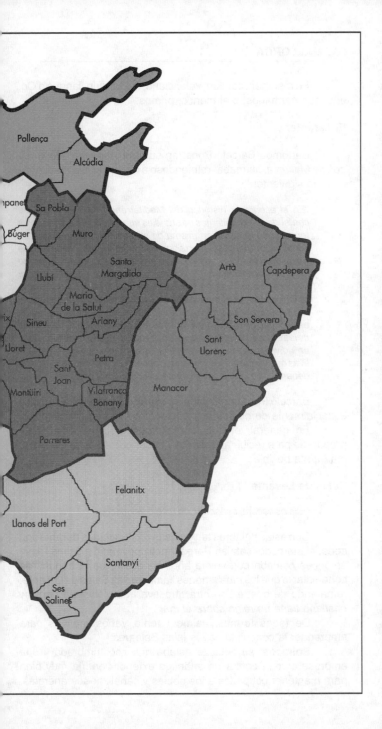

En resumen, catalán, valenciano, mallorquín, langue d'Oc, etc., son hermanos, o al menos, primos.

El carácter

Bartomeu Barceló Pons, en su obra *Aspectos Geográficos de Mallorca*, afirmaba -refiriéndose a cualquier isla mediterránea-, lo siguiente:

> *"En el acontecer histórico del Mediterráneo, la insularidad ha conferido a los habitantes de sus islas una personalidad que se ha formado en la negación misma de su originalidad, en lo que ha contribuido en que estas han sido generalmente, gobernadas desde fuera. Una personalidad celosa, amarga y vanidosa que ha buscado un orden eventualmente más justo o más eficaz que la justicia; siempre dispuesta a creerse lo suficientemente perfecta como para atribuir a causas ajenas las faltas propias y a esperarlo todo del centralismo administrativo. Este sentido secular de de la frustración es el origen de todos los complejos que penetran en la vida social de las islas. El escepticismo y la apatía han tendido a hacer del isleño un individuo asocial, cuyas relaciones humanas son más competitivas que cooperativas, pesando sobre la persona fuertes lazos de dependencia familiar o de clientela económica y política."*

Barceló Pons continuaba su exposición con unos párrafos especialmente duros que nos abstenemos de reproducir.

En general, el pueblo mallorquín está especialmente preparado para recibir al visitante y hacer que su estancia sea lo más grata posible.

Salas de Levante

"Ella os espera, señor rey, en medio del mar"

Con estas palabras tan golosas pronunciadas durante una cena, el mercader catalán Pere Martell convenció a Jaime I -que entonces contaba con veinte años de edad-, de la bondad de conquistar lo que los musulmanes llamaban las Salas de Levante, rematando de postre con otra atractiva frase: *"ningún otro rey cristiano tiene un reino sobre el mar"*.

De todas formas, Jaime I tenía varios motivos para emprender la conquista de las Islas Baleares:

Políticos: su nobleza estaba mal acostumbrada y una empresa común contra un enemigo exterior vendría muy bien para mantener ocupados a los nobles y canalizar sus energías.

Estratégicos: el Reino de Aragón comenzaba su consolidación y necesitaba una fortificación avanzada que protegiese su flanco marítimo

Sociales: En el Aude y L'Ariege francés (País Cátaro), la cruzada contra los cátaros había expulsado a muchos guerreros y caballeros occitanos que permanecían en Aragón sin nada que hacer y constituyendo una carga para el reino.

Religiosos: El espíritu de Cruzada era muy intenso en aquellos tiempos.

Económicos: a nadie le amarga un dulce, y la riqueza de las islas -y por ende, la posibilidad de conseguir un buen botín-, atraía tanto a siervos como a nobles y prelados.

Prehistoria, protohistoria, historia, y futuro

Poblamiento inicial: abarca desde principios del V milenio a.C. hasta el Mesolítico, dato constatado en las Cova des Canet y Cova de Betlem.

Fase Protoneolítica, en la que se produce la domesticación del Myotragus, pequeño rumiante endémico de Mallorca. Son los tiempos transcurridos entre el V y el III milenio a.C. Los yacimientos de Son Matge dan prueba de ello.

Sigue girando la rueda del tiempo, comienza el **neolítico** (del 3.000 al 2.000 a.C.), y se inicia la transición al **calcolítico** (desde el 2.000 a.C.), época en la que comienzan a aparecer elementos funerarios megalíticos en la isla.

Mallorca, como punto de escala de navegantes orientales que se dirigían a la península en busca de metales, comienza a recibir ligeros trazos culturales de estas gentes.

Se inicia la **cultura pretalayótica** con cuevas funerarias artificiales y naturales.

Hacia el 1.200. a. C., comienza el apogeo de la **cultura talayótica**: surge un pueblo rico y numeroso dedicado principalmente al transporte de metales desde la península hasta Cerdeña; empieza la construcción de monumentos ciclópeos y poblados fortificados: de estos últimos, se calcula la existencia en la isla de unos doscientos.

800 a. C: se inicia la decadencia de la cultura talayótica; naves griegas y fenicias navegan directamente con el metal a Oriente y se pierde el monopolio del comercio de metales. Los mallorquines comienzan nuevas profesiones: la piratería, y el alistamiento como mercenarios de Cartago. Diodoro de Sicilia

alaba las intervenciones de los honderos baleares en las guerras púnicas.

500 a. C.: después de varios siglos de contacto con fenicios y cartagineses, los mallorquines desarrollan una cultura postalayótica (de sus viajes han traido nuevas costumbres y nuevas cosas, como el hierro).

123 a. C.: quinto Cecilio Metelo (Metellus Balearic), conquista la isla, por aquel entonces nido de piratas entorpecedores del comercio mediterráneo. Metelo funda Palma y Pollentia.

Durante las guerras civiles romanas, Mallorca se pone de lado de Pompeyo, que la utiliza como base de operaciones contra Sertorio.

465: los vándalos de Gunderico invaden las Baleares, arramblan con todo lo que pueden, y se van tan ricamente; el Imperio Romano ya no es nada.

Treinta años más tarde, Genserico, hermano del anterior, repite la jugada.

534: comienza la dominación Bizantina, siendo las Baleares de las primeras posesiones de Bizancio en el Mediterráneo.

708: Muza, futuro conquistador de España, manda a su hijo Abd Allah limpiar un poco el Mediterráneo de naves cristianas: se merienda la Marina Balear y se retira con botín, esclavos, y con los virreyes bizantinos.

798: los sarracenos siguen incordiando y Mallorca pide auxilio a Carlomagno; este les atiende, y queda como enigma histórico la posible anexión de Baleares al Imperio Franco.

813: los musulmanes vienen de Córcega hacia España cargados de botín; el conde Ermengol de Ampurias les espera en Mallorca y cual Guerrero del Antifaz o Capitán Trueno desbarata sus planes.

848: entre Baleares y los musulmanes hay pactos de no agresión y respeto. Las primeras no lo cumplen, y Abderramán II envía 300 barcos en expedición de castigo.

902: conquista efectiva de Mallorca por las tropas de Al-Hawlaní, general del emir de Córdoba.

1015: caido el califato de Córdoba, Modgeid, Valí de Denia, se anexiona Baleares.

1075: comienzan los emiratos independientes y Al-Murtada, gobernador de Baleares, se declara independiente.

1114: cruzada pisano-catalana para reprimir los piratas musulmanes de Mallorca. Se apoderan de la isla, liberan unos 30.000 cautivos, y se van al año siguiente.

1116: llegan los almorávides a Mallorca, reclamados durante la cruzada pisano-catalana, y toman pacífica posesión de la ciudad desierta de Palma.

Los almohades expulsan a los almorávides de la península, y el reino de Mayurca queda aislado: se deja de recibir el aceite de El Andalús, y comienzan a sembrarse olivos en Mallorca en plan intensivo. Durante esa época, Baleares fue cabeza -más bien teórica-, de un reino que se extendía desde Túnez hasta Argelia.

1.203: expulsados los almorávides de Mallorca, comienza en Mallorca la dominación almohade, que dura una generación escasa.

1229: Jaime I invade la isla, derrota a Abú Yahyá en el Coll de sa Batalla (Santa Ponsa), y pone sitio a la ciudad, que cae el 31 de diciembre. Unos cuantos moros resisten en las montañas de la isla hasta 1231.

1276: muere el rey y reparte sus dominios: a su hijo Jaime le tocan las Baleares, Montpellier, el Rosellón, y la Cerdaña. Su hermano Pedro III de Aragón no está de acuerdo y le encarga a su hijo, Alfonso III, la conquista de la isla.

1295: muerto Alfonso III, le sucede su hermano, Jaime II el Justo, que devuelve la isla a su tío. Le suceden Sancho I, Jaime III -muerto en la batalla de Lluchmajor luchando contra Pedro IV de Aragón-, y Jaime IV.

1349-1410: reinados de Pedro IV de Aragon, Juan I, y Martín I, el Humano.

1412: en el compromiso de Caspe, los representantes de Cataluña, Aragón y Valencia, nombran sucesor a la corona: Fernando I de Antequera.

1416-1479: reinados de Alfonso V y Juan II, padre del Príncipe de Viana y de Fernando el Católico; el Príncipe, odiado por su padre y amado por los mallorquines, pasó una temporada en Mallorca, enviado como prisionero y tratado como apreciado huésped. La leyenda afirma que Cristóbal Colón -nacido en Felanitx o Portocolom-, era su hijo.

1479-1516: reinado de los Reyes Católicos.

1516-1556: reinado de Carlos V: en 1521 llegan a Mallorca las tropas del emperador para reprimir las revueltas de los artesanos. Durante esta época se multiplicán las incursiones de los piratas sarracenos en los puertos de la isla.

En 1541 llega a la isla el emperador: en Mallorca se está preparando una armada para conquistar Argel.

1556-1700: reinados de Felipe II, Felipe III, Felipe IV, y Carlos II: En Mallorca corren tiempos de de hambrunas, pestes, bandolerismo, y piratas.

Comienzan a hacerse famosos los corsarios mallorquines en sus ataques a barcos argelinos (de corsario a pirata sólo hay un paso, y también atacan buques de sus vecinos de Menorca e Ibiza).

1700-1788: reinados de Felipe V, Fernando VI, y Carlos III: iniciada la guerra de sucesión, en 1706 se toma posesión de Mallorca en nombre del Archiduque Carlos de Austria; continúan las incursiones piratas, y surge el azote de los berberiscos: Antoni Barceló, marino de tal valor y habilidad que es encargado posteriormente de importantes empresas militares

"Si el rey de España tuviera
cuatro como Barceló,
Gibraltar fuera de España,
que de los ingleses, no."

Durante el reinado de Carlos III, al igual que en el resto de las provincias, se funda la Sociedad de Amigos del País, que entre otras cosas, introduce en la isla el cultivo de la patata, presente desde entonces en gran parte de la gastronomía isleña (referimos esta presencia al tubérculo, no a la Sociedad...).

1808-1900: reinado de Carlos IV, Fernando VII, e Isabel II; en 1809, derrotado el ejército francés en Bailén, son deportados a Mallorca miles de soldados franceses; ante la posibilidad de problemas, son reenviados a Cabrera, donde las pasarán canutas hasta 1814.

Durante el reinado de la comedida y discreta Isabel II, se produce la desamortización: desaparecen en la isla algunas iglesias y conventos de notable valor arquitectónico.

La revolución de 1868 (La Gloriosa) apenas tiene efectos en Mallorca.

Las islas siguen exportando emigrantes a América, Europa, y el norte de África; durante un tiempo, la filoxera en Francia hace que el cultivo de la vid en Mallorca suponga un cierto progreso económico, pero la plaga llega a Mallorca, y por si fuera poco, se pierden las colonias de América (y por ende, los mercados coloniales).

1900: comienza el siglo: El mallorquín Antoni Maura, la República de 1931, el movimiento obrero, y en 1936, una insurrección de elementos militares y de la derecha bastante bien recibida por los mallorquines; no obstante, el frustrado desembarco en Porto Cristo de tropas de la República provoca una cruel represión, que no cesaría aún acabada la guerra.

Tras la posguerra, comienza un nuevo capítulo de la historia balear cuya corta exégesis encontrarás mediado el epígrafe referido al turismo.

La cuestión Xueta

Los famosos dulces mallorquines conocidos como Crespells, tienen forma de estrella de cinco puntas...

En los rosetones de la catedral y la iglesia de la Merced, triángulos equiláteros superpuestos forman en los vitrales la estrella de David...

En castellano, chueta es una traducción de xueta o xuetó, juetó, pequeño judío, o quizás de xuia.

Expulsados de Mallorca en el siglo V por Severo, obispo de Mallorca, y de toda España por los Reyes Católicos en 1492, los que se convirtieron, aunque sólo fuese aparentemente, respetando o nó las leyes mosaicas, recibieron este apelativo.

El aspecto más interesante de las relaciones entre Mallorca y los judíos es que no es un tema histórico, sino que forma parte del entramado social actual. Actualmente hay unos diez mil judíos en la isla y hasta fechas muy recientes, un apellido xueta era un apellido xueta, con toda su trascendencia para bien o para mal.

Los de Palma residían en las inmediaciones del ayuntamiento, y aún puedes ver, en las pequeñas joyerías de la calle Platería, algunos orfebres xuetas, artesanos de envidiable habilidad que fabrican admirables piezas puramente tradicionales.

CALEIDOSCOPIO INSULAR

El Ferreret *(Alytes Muletensis)*

En la Cova de Muleta, lugar de tantos yacimientos arqueológicos, se halló un fósil suyo en 1978, y en 1981 fue descrito por los biólogos, aunque los campesinos lo conocían de toda la vida. Endémico de la isla de Mallorca, este pequeño anfibio sólo se encuentra en algunas zonas húmedas de la Tramuntana, y desde 1991, a través del Programa Life de la Unión Europea, en seis zoológicos de otros tantos paises europeos se procede a su cría, para liberarlos posteriormente en la Serra.

El Alga Asesina

Procedente de los mares de China, su expansión mediterránea se inició en Mónaco en 1984. En 1992 apareció en Cala D'Or, los biólogos alertaron sobre su capacidad colonizadora al entrar en competencia con las algas autóctonas, su resistencia (le gustan incluso las contaminadas zonas portuarias), y su alto potencial de dispersión. A algún periodista se le ocurrió darla este adjetivo, que caló bastante bien.

Su verdadero nombre es **Caulerpa Taxifolia**, y aunque sus áreas colonizadas aún se miden solamente en metros cuadrados (en Francia e Italia se extiende a lo largo de kilómetros), sigue dando que pensar; incluso los buzos de los GEOS de la Benemérita se dedican a arrancar sus brotes en durante entrenamientos.

Zapatos del Buen Jesús (Sabates del Bon Jesús)

Podrás verlos -especialmente de marzo a abril-, en el Parque Natural de la Albufera: los biólogos prefieren denominarlos *Ophrys Vernixia*, y son una de las más de quince especies de orquídeas que se encuentran en el mencionado parque. Típicas de zonas tropicales, en La Albufera, especialmente en las dunas del Comú de Muro, en els turons de ses Puntes, e incluso al borde de los caminos, campan a sus anchas.

Las del género *Ophrys* resultan especialmente espectaculares por su estrategia reproductora: la flor imita en forma, color, y olor a una hembra de insecto para atraer al macho; cuando llega el incauto e intenta copular con la orquídea, queda adherido por la cabeza, se pone en marcha un mecanismo higroscópico, los estambres de polen cambian de orientación, etc. En conclusión, la planta queda fecundada; Incluso el nombre popular de alguna de éstas orquídeas hace referencia a moscas o abejas: Mosques (moscas) blanques, Mosques petites, Abellera...

Monumentos itinerantes

Quizás cuando llegues puedas ver -e incluso visitar- alguno de ellos en la Bahía de Palma. El primero llegó en los años veinte a la bahía de Pollença, a partir de los años cincuenta comenzaron a visitar Palma de forma habitual, y en los años ochenta llegaban siete u ocho anualmente. Por aquí ha pasado el Saratoga, el Forrestal, el Nimitz, el Eisenhower...

Ultimamente son de propulsión nuclear, y cuando llegan a Palma, los ecologistas se ponen de los nervios. Son portaaviones.

Visitantes Reales

El pionero fue el Archiduque Luis Salvador de Austria, que trajo en su yate -entre otras cosas- a la Emperatriz Sissí.

Hassán II, el Aga Kan y su madastra la Begun, Saud, rey de Arabia Saudí (un día encargó traer de Atenas un avión cargado de tías), Faisal, Haile Selasi, el duque Vladimir de Rusia, Isabel de Inglaterra (esta viene en su yate Britannia y se ahorra el alojamiento), los *discretos* príncipes de Gales, Simeón y Margarita de Bulgaria, Brigitta de Suecia (veranea en Santa Ponça), Diana de Francia (veranea en Esporles), Soraya y su posterior sustituta Farah Diba, Rainiero y Grace Kelly, la Familia Real...

LA LLEGADA

El Aeropuerto

En un día punta de verano soporta más de 100.000 pasajeros y las 24 horas de ese día no llegan a reunir la misma cantidad de segundos; eres un granito de arena a merced de los imponderables y si por si acaso (Dios no lo quiera) tu estancia en Sont San Joan se prolonga más horas o minutos de los que considerabas razonables, aquí te proponemos unas visitas artístico-culturales alternativas a las tediosas esperas en la cafetería:

* En la terminal A, la Sala de Exposiciones, con maquetas y fotografías del aeropuerto.

* A lo largo y ancho de todo el aeropuerto, entre otras obras, La Cala Encantada, de Mir y Tempestad en la Playa, de Anglada Camarassa, -ambos lienzos lo suficientemente grandes como para que no pasen desapercibidos-, tres murales de Farreras, una escultura y un mural de Vaquero Turcios, de Amadeo Gabino una escultura de hierro forjado y un cristo, cerámicas murales de Alforaz, un mural de Molezún, trece bajorrelieves y un hombre encorvado de Cerdá, una cosa de R.Amengual, etc. La estrella es la *Mujer Recostada* de Botero, frente a la cual todas las obras anteriores no pasan de ser dignos teloneros.

Puedes ver como miles de anónimas manos han hecho que las "partes nobles" de esta estatua brillen como luceros.

El primero que llegó volando a Mallorca: Salvador Hedilla, procedente de Barcelona, el dos de Julio de 1916, y pilotando su Hedilla II Rhóne de 80 caballos; empleó dos horas y 10 minutos.

Aterrizó en una zona de rastrojos muy próxima al actual aeropuerto; una escultura levantada en su honor ronda por Son Sant Joan.

CARRETERAS

La Via de Cintura

Con un recorrido de once kilómetros, circunvala la ciudad; en un principio su finalidad era enlazar dos autopistas: Levante-Aeropuerto, y Poniente-Andratx, pero el crecimiento de Palma, superando el terreno resrvado para el cinturón, la ha convertido en lo que vés, un eficaz instrumento para dar fluidez al tráfico que se produce entre las distintas barriadas de la ciudad. Once kilómetros pues, con once enlaces a Palma, puentes, pasarelas peatonales elevadas, pasos sobre carreteras, etc.

Así, desde ella, puedes:

-**Salir** hacia Andratx, Génova, Son Rapinya, La Vileta, Puigpunyent, Esporles, Valldemossa, Sóller, Inca, Alcudia, Manacor, Santanyi...

-**Entrar** al Paseo Marítimo, Son Dureta, Son Gotleu, o el centro de la Ciudad.

La Autopista

Por el momento llega hasta Consell, y cuando lleges, quizás su recorrido alcance hasta Inca; se prevee que su recorrido alcance hasta Sa Pobla. Frente a la bahía de Palma, donde arranca la autopista, podrás ver -sobre un pedestal de rocas dispuestas en cuidado desaliño-, la estatua de Nuredduna, obra de Remigia Caubet; Nuredduna es la protagonista de una famosa leyenda -ambientada en las cuevas de Artá-, del poeta mallorquín Costa y lloberá.

Carreteras

Cerca de 2.000 km. de carreteras cubren la isla, sin contar con los múltiples caminos asfaltados cuyos tranquilos trayectos te aconsejamos.

Las mas importantes, la C-711 (Palma-Sóller), la C-713 (Palma-Inca-Alcúdia), y la C-715 (Palma-Manacor-Artá).

La nomenclatura -C- o -PMV- corresponde a la titularidad de la carretera: las -C- pertenecen a la Comunidad Autónoma, y las PMV al Consell Insular de Mallorca (a ti te da lo mismo).

Un par de carreteras que merecen transitarse: la PMV 214-1 (La Calobra), la carretera Manacor-Son Maciá-PMV 401-4, y la "carretera vieja de Sineu", que va de Palma hasta esta villa sin cruzar ningún núcleo de población, aunque su denominación va cambiando: PMV 301-1, PMV 310-1, PMV 311-1, PMV 314-1...

Las PM-120, PM-121, y PM-620 son **algo especial**; como pista te diremos que no las conocerás montado en coche.

Ferrocarriles

Tren de Inca (Tel. 75 22 45). Con salida en la Plaza de España, cubre la línea Palma-Pont d'Inca-Marratxí-Santa María-Consell-Alaró-Binissalem-Lloseta-Inca.

Tren de Sóller (Tel. 75 20 51). Parte también desde la Plaza de España, desde su propia estación, haciendo parada en Bunyola. Excursión recomendable.

Comer y dormir

Unos 2.000 restaurantes (520 de ellos en Palma), que equivalen a unas cien mil plazas de restaurante, 30.000 de ellas en Palma...

Miles de hoteles y cientos de miles de plazas hoteleras..

En la isla, los locales de restauración y de ocio surgen como las setas y desaparecen a la misma velocidad; lo que era el último grito durante un verano, al siguiente ya no existe, donde había una pizzería, ahora hay un chino...

El tema de la estacionalidad también es peliagudo: núcleos costeros con cientos de bares, restaurantes, y miles de plazas hoteleras en verano, apenas cuentan con un par de decenas de habitantes en la temporada baja...

La cuestión es tan vertiginosa que normalmente te damos referencia de los locales de toda la vida, frecuentados por los residentes, y abiertos todo el año.

En cuanto al alojamiento, seguimos una regla parecida: tienes mención de algunos hoteles, especialmente de aquellos que escapan al monopolio de los tour-operadores, y una reseña completa de todos los alojamientos alternativos de la isla: casas de turismo rural, hospederías, refugios de montaña, colonias de vacaciones, campings, etc.

En cualquier caso, a veces lo más práctico es contactar con la central de reservas hoteleras, que sabrá atender tus necesidades tanto en ubicación cono en categoría.

También tienes un teléfono gratuito de información de la cadena hotelera SOL, que cuenta en la isla con un respetable número de establecimientos. Tel. 900 14 44 44.

ALOJAMIENTOS ALTERNATIVOS

Aquí te enumeramos los existentes; en las páginas referentes a los municipios en que se encuentran mencionamos *in extenso* sus características y prestaciones.

Las Hosterías y Casas de Colonias tienen precios muy asequibles; por el contrario, las casas de Turismo Rural/Agroturismo son, simplemente, caras: las tarifas más altas de España.

Hosterías (ermitas y monasterios)
    Felanitx (Sant Salvador).
    Petra (Ntra. Señora de Bonany).
    Pollença (Puig de María).
    Inca (Santa Magdalena).
    Escorca (Ntra. Sra. de Lluc).
    Algaida-Randa (Ntra. Señora de Cura).
    Valldemossa (Santísima Trinidad).
    Artá (Betlem).
    Alaró (Castell d'Alaró).
    Alcudia (La Victoria).
    Porreres (Monti-Sion).

Refugios de montaña
    Escorca (Gorg de Cúber, Gorg Blau, Tossals Verds y Can Jossep).
    Valldemossa (Son Morages).
    Estellencs (Son Fortuny).
    Andratx (La Trapa).

Campings
    Santa Margalida (Can Picafort).
    Artá (Colonia de Sant Pere).
    Muro (Camping Cala Blava).

Campamentos
    Alcúdia (Campamento de la Victòria).
    Lloret de Vista Alegre (Campament de Sa Comuna de Lloret).
    Pollença (Campament de Cala Murta).
    Binissalem (Campament de Can Arabí).

Terrenos de acampada
    Alcúdia (La Victoria).
    Sencelles (Sa Torrentera).
    Lloret de Vista Alegre (Sa Comuna).
    Sant Joan (Santuari de la Consolació).
    Escorca (Binifaldó, Menut, Es Pixarel, y Lluc).
    Llubí (Ermita de Llubí).

Acampada libre
    Según el decreto 13/1986 de la Consellería de Turisme, se considera acampada libre aquella que, respetando en todo caso los derechos de propiedad o uso, se realiza fuera de campings por grupos integrados por un número máximo de tres tiendas, separadas de otro posible grupo por un kilómetro como mínimo, y con una permanencia máxima de tres días; en conjunto, el grupo de tres tiendas no podrá exceder de nueve personas.

    La acampada libre no se puede practicar a menos de tres kilómetros de un camping público, núcleo urbano, de lugares de uso público, sitios concurridos como playas, ni a menos de 100 metros de los bordes de torrentes o carreteras.

    Tampoco se puede practicar la acampada libre en lugares donde no se pueden instalar campings, a saber:

a) En terrenos situados en ramblas o cauces secos, o susceptibles de ser inundados, así como en aquellos que resulten insalubres o peligrosos (no nos imaginamos a alguien acampando en un vertedero, quizás la pandilla basura).

b) En un radio inferior a 150 metros de lugares de captación de agua potable para el abastecimiento de poblaciones.

c) A menos de 500 metros de monumentos o conjuntos histórico artísticos declarados así legalmente.

d) En las proximidades de industrias molestas, insalubres, nocivas o peligrosas.

e) En general, en aquellos lugares que, por exigencias de interés público, estén afectados por prohibiciones o limitaciones, o por servidumbres públicas establecidas expresamente.

f) En terrenos por los cuales pasen líneas de alta tensión.

Nosotros entendemos que las distancias mencionadas han de entenderse geométricamente, esto es, en línea recta.

Permisos de fuego

En verano (del 15 de mayo al 15 de octubre)**:**
Prohibido encender fuego dentro del bosque.
A menos de 400 metros del bosque hay que pedir permiso.
A mas de 400 metros del bosque, se puede encender fuego sin permiso.
En invierno:
En terrenos forestales hay que pedir permiso.
Fuera del bosque no es necesario solicitar permiso.

Los permisos (gratuitos), se solicitan en la Guardería Forestal, o en la Dirección General del Medio Natural: Foners, 10. Tel. 17 61 00.

Sobre estos últimos temas, te recomendamos ojear el libro Ocio y Medio Natural ("Goig amb esment"), también conocido como "Guía de las áreas recreativas de Baleares", del biólogo mallorquín Joan Manuel Espinosa.

Casas de Colonias
Ses Salines (Colonia de Sant Jordi y Monjas Franciscanas).
Bunyola (Binicanella).
Artá (Colonia de Sant Pere).
Alcúdia (Espiritualitat de Son Fe, y GESA).
Palma (Can Tápera, La Porciúncula, Sant Gaietá y El Catalá).
Marratxí (Marratxinet).
Santanyí (Son Perdut).
Manacor (Puig D'Alenar).
Puigpunyent (Sagrat Cor).
Sóller (Sant Ramón de Penyafort).
Calviá (Son Roig).

Residencias de tiempo libre
Santa Maragalida (Ca'n Picafort).

Albergues
Alberge Platja de Palma. Costa Brava, 13. Tel. 26 08 92.
Alberg Juvenil D'Alcudia. Ctra. de Cap Pinar. Tel. 54 53 95.

Balnearios

Uno en toda la isla:

Campos (Sant Joan de la Font Santa).

Ciudades de Vacaciones en

Alcúdia (Club Pollentia).

Santanyí (Dolce Farniente en Cala Egos, y Club Mediterranée en Porto Petro).

Capdepera (Font Sa Cala, en Cala Ratjada).

Llucmajor (Sun Club El Dorado).

Manacor (Club Playa Tropicana en Cala Domingos, y Club del Mar y Club Playa Romántica en S'Estany d'en Mas).

Reis de Mallorca. Toneleros, 24. Tel. 43 06 74. Fax. 43 13 68. Es el nombre de una pequeña asociación de cuidados hoteles de reducidas dimensiones, situados casi todos ellos en el campo, y en edificios de notable valor arquitectónico. Los encontrarás en Bendinat, Illetes, Cala D'Or, Deiá, Randa, Orient, Banyalbufar, Estellencs, Costa D'en Blanes, Cala Ratjada, Valldemossa, y Palma.

Turismo Rural/Agroturismo

A lo largo de la isla se reparten unas cuarenta instalaciones; más arriba te hemos dado las señas de la Central de Reservas de Agroturismo; comercializa gran parte de las casas; las existentes en el municipio de Campos del Port, que cuenta con varias casas de Turismo Rural, cuentan con su propia Central de Reservas.

Jardineros del Paisaje

Aunque casi todas las casas de turismo rural se acogen a la modalidad de Agroturismo, hay que recordar que en Baleares -en palabras de Fuentes Quintana- la agricultura supone un 1'7% del Producto Interior Bruto de la Comunidad Autónoma.

Así, sin ningún empacho y salvadas honrosas excepciones, puede definirse la actividad agrícola de esta Comunidad Autónoma como de *autoconsumo y recreo*, por lo que poca actividad agrícola encontrarás en estas fincas, aunque verás unos niveles de calidad muy superiores a los de otras Comunidades Autónomas (al igual que los precios).

MALLORCA / Áreas Naturales

1. Es Carnatge des Coll den Rabassa
2. Cap de Cala Figuera / Rafeubetx
3. Cap Andritxol
4. Cap des Llamp
5. Es Saluet
6. Sa Dragonera
7. Serra de Tramuntana
8. Puig de Maria
9. S' Albufereta
10. Punta de Manresa
11. La Victoria
12. Puig de Sant Martí
13. Puig de son Fe
14. Parc Natural de s'Albufera
15. Dunes de son Real
16. Sa Canova d'Artà
17. Muntanyes d'Artà

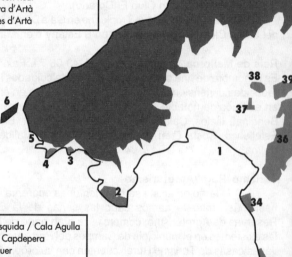

18. Cala Mesquida / Cala Agulla
19. Punta de Capdepera
20. Puig Saguer
21. S'Heretat
22. Cap Vermell
23. Torrent de Canyamel
24. Serra de Son Jordi
25. Punta de n'Amer
26. Cales de Manacor
27. Sa Punta i s'Algar
28. Punta Negra / Cala Mitjana
29. Mondragó
30. Cap de ses Salines
31. Cabrera
32. Es Trenc / Salobrar de Campos
33. Marina de Llucmajor
34. Cap Enderrocat
35. Massís de Randa
36. Barranc de son Gual i Xorrigo
37. Garriga de son Caulelles
38. Son Cós
39. Puig de son Seguí
40. Puig de Santa Magdalena
41. Puig de Sant Nofre
42. Puig de Sant Miquel
43. Puig de Bonany
44. Na Borges
45. Calicant
46. Es Fagar
47. Sant Salvador / Santueri
48. Puig de ses Donardes
49. Consolació

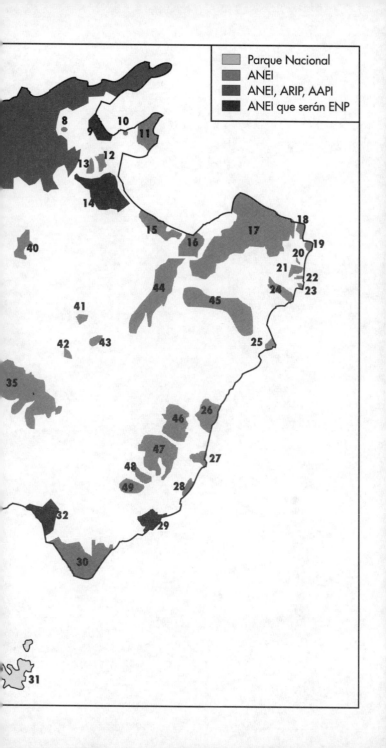

MUNICIPIO DE PALMA

Teléfonos y direcciones de interés

Prefijo telefónico de Mallorca: 971.
Consellería de Turismo de Baleares: Montenegro, 5.
07012 Palma. Tel. 17 61 91. Fax. 17 61 85.
Associació Agroturisme Balear:
Foners, 8. 07002 Palma. Tel. 77 03 36. Fax. 46 69 10.
Amadeus Provider Code -TR-
Amadeus Queue Code PMIPM9887.
Central de Reservas de Agroturismo del Municipio de Campos: C/ Convent, s/n. Tel y Fax.: 65 29 31.
IBATUR (Instituto Balear de Turismo): Montenegro, 5.
07012 Palma. Tel. 71 20 10. Fax. 71 06 00. Pletórico de esperanzas, quien suscribe estas líneas se acercó por aquí en la confianza de que su juvenil musculatura podría cargar con la ingente documentación proporcionada por este organismo; se solicitaron datos sobre artesanía, fiestas, gastronomía, etc; aunque fuese grabada en plomo, la información facilitada por este *organismo* podría cargarla un gorrión sin dificultad.
Central de Reservas de la Federación Hotelera de Mallorca: Gremi Boters, 24. 07009 Palma de Mallorca. Tel. 43 06 74.
Asociación de Agencias de Viaje de Mallorca: Plaça del Rei Joan Carles I. 07012 Palma. Tel. 72 22 44. Fax. 72 48 68.
INFORIBERIA: 91-329 57 67 / 93-412 56 67
Asociación Hotelera Playa de Palma: Marbella, 39. (07610 Palma). Tel. 26 76 54. Fax. 49 10 12.
O.I.T. Municipal de Palma:
Santo Domingo, 11. Tel. 72 40 90. Fax. 72 02 40.
Caseta Plaza de España. Tel. 71 15 27.
O.I.T. Aeropuerto: Tel. 26 08 03.
Oficina de Información al Consumidor: 71 27 48
Internet Calviá (Información Turística): Directorio WWW. BITEL ES / CALVIÁ MALLORCA
Internet Mallorca: WEB: http://WWW.bitel.es/tourist guide (información de naútica, golf, y agroturismo).

Central de Reservas de Agroturismo del Municipio de Campos: C/ Convent, s/n. Tel y Fax.: 65 29 31.

Cartografía: en La Casa del Mapa (Centre de Documentació Cartogràfica de Balears). Carrer Joan Maragall, 3. 07006 Palma de Mallorca. Tel. 46 60 61. Fax. 77 16 16. Disponen de todo tipo de planos y mapas, libros y guías.

Urgencias:
    Policía:
Guardia Civil: Tel. 062
Municipal: Tel. 092
Nacional: Tel. 091
    Protección Civil: Tel. 72 19 40

Transportes:
    Transmediteranea: Tel. 72 67 40
    Flebasa: Tel. 54 64 54
    Aeropuerto: Tel. 26 46 24
    Iberia: Tel. 26 42 12
    Lufthansa: Tel. 26 09 55
    Air France: Tel. 26 09 25

Clínicas:
    Clínica Femenía: Tel. 45 23 23
    Clínica Juaneda: Tel. 72 16 47
    Clínica Rotger: Tel. 71 66 00
    Son Verí: Tel. 74 00 19
    Miramar: Tel. 45 02 12
    Son Dureta: Tel. 17 50 00

Alquiler de coches:
    Hertz (Palma): Tel. 73 23 74
    Hertz (Aeropuerto): Tel. 26 08 09
    Avis (Palma): Tel. 28 62 33
    Avis (Aeropuerto): Tel. 26 09 10
    Betacar: Tel. 45 51 11
    Budget: Tel. 77 07 00
    Hasso: Tel. 49 02 08
    Lucky: Tel. 73 04 07

Taxis:
    Radio Taxi: Tel. 75 54 40

Fono Taxi: Tel. 72 80 81
Taxis Palma: Tel. 40 14 14

Deportes de Aventura

Gorg Blau Aventura S.L. C/ Joan Miró, 188. 07015 Palma. Tel/Fax. 40 03 38. Cursos de iniciación y perfeccionamiento de escalada y descenso de barrancos. Cursos de rescate en montaña. Servicio de guías de treking y mountain bike.
Aero Club de Mallorca. Terminal del Aeródromo de Son Bonet. Tel. 79 45 88. Entre otras cosas, te ofrecen un vuelo en avioneta por unas 2.500 (mínimo de tres personas).
Aventura i Risc. Reis Catolics, 38. Tel. 41 39 05. Armería y artículos de montaña y submarinismo.
Club Tritón. Roger de Llúria, 4. Tel. 45 61 25. Excursiones, cursos de buceo, alquiler y venta de equipos, etc.
Isurus. Magalhaes, 8. Tel/Fax. 73 09 43. Alquiler y venta de equipos de buceo, reparaciones, etc.
Esports Marathon. Josep Darder Metge, 13. Tel. 46 92 69. Todo tipo de material deportivo.

Cicloturismo

Pedal Verd (GOB). Verí, 1. Tel. 72 11 05.
ADAT. Alexandre Fleming, 19. Tel. 79 21 19.
Mallorca Activa. Plaça de Espanya, 4. Tel. 71 77 24
Combi-Sports. Tel. 74 33 31.

Equitación

Club Hípico San Jorge-Sa Tapia. Ctra. vieja de Son Ferriol. Tel. 40 20 23. Clases de equitación, salto, doma.

Mallorca en Autocar

Todos los pueblos y núcleos vacacionales están comunicados por líneas regulares de autocares; no obstante las frecuencias y horarios varían según se esté o no en temporada turística, por lo que nos abstenemos de darte una relación pormenorizada, conformándonos con ofrecerte una lista de las líneas principales y las señas de la Consellería de Transportes, donde te informarán cumplidamente de como arribar a tu destino.

Consellería de Transportes: Plaza de España, s/n. Tel. 75 34 45/46.

Líneas:

-Palma-Alaró (Estación Central Pza. de España).

-Palma-Alcúdia-Port de Alcudia (Estación Central Pza. de España).

-Palma-Peguera-Andratx (Eusebi Estada, junto a la estación del tren de Sóller).

-Palma-Palmanyola-Bunyola (junto a Archiduque Lluis Salvador, 6).

-Palma-Santanyí-Cala D'Or (Estación Central Pza. de España; junto a la Cafetería Alcalá).

-Palma-Cala Millor (Estación Central Pza. de España).

-Palma-Delta-Cala Pí (Estación Central Pza. de España).

-Palma-Artá-Cala Ratjada (Estación Central Pza. de España).

-Palma-Calas de Mallorca (Estación Central Pza. de España).

-Palma-Inca-Ca'n Picafort (Estación Central Pza. de España).

-Palma-Colónia de Sant Jordi (Estación Central Pza. de España; junto a la Cafetería Alcalá)

-Palma-S'Illot-Sa Coma (Estación Central Pza. de España).

-Palma-Costa de los Pinos (Estación Central Pza. de España).

-Palma-Covetes-Es Trenc (Estación Central Pza. de España; junto a la Cafetería Alcalá)

-Palma-Cuevas del Drac (Estación Central Pza. de España).

-Palma-La Granja-Esporles (junto al Bar Río; Archiduque Lluis Salvador, 6).

-Palma-La Granja-Banyalbufar-Estellencs (Bar Río; Archiduque Lluis Salvador, 6).

-Palma-Felanitx (Estación Central Pza. de España)

-Palma-Formentor (Estación Central Pza. de España)

-Palma-Inca (Estación Central Pza. de España)

-Palma-Inca-Lluc (Estación Central Pza. de España)

-Palma-Montuiri-Petra (Estación Central Pza. de España)

-Palma-Pollença-Port de Pollença (Estación Central Pza. de España)

-Palma-Porto Colom (Estación Central Pza. de España)

-Palma-Manacor-Porto Cristo (Estación Central Pza. de España)

-Palma-Estanyol-Sa Rápita (Estación Central Pza. de España; junto a la Cafetería Alcalá).

-Palma-Valldemossa (junto al Bar la Granja; c/Archiduque Lluis Salvador, 1).

Empresa PLAYA-SOL. Tel. 29 64 17. Está especializada en líneas turísticas, y son estas:
-Palma-Portals Nous-Marineland-Palma Nova-Magaluf-Cala Vinyes.
-Palma-Casino
-Palma-Portals Nous-Marineland-Palma Nova-Magaluf-Son Ferrer-El Toro-Santa Ponça-Peguera-Camp de Mar.
-Palma-Portals Nous-Marineland-Palma Nova-Magaluf-Son Ferrer-El Toro-Santa Ponça-Peguera-Camp de Mar-Port de Andratx.
-Exprés Palma-Santa Ponça

Líneas turísticas de la E.M.T.
-Passeig Maritim-Moll de Sant Carles
-Plaza de España-Illetes
-Playa de Palma-Arenal
-Plaza de España-Palma Nova
-S'Arenal-Aquacity-Cala Blava
-Exprés Playa de Palma-Arenal

Excursiones organizadas desde Palma

Las puedes contratar en el hotel o en cualquier agencia de viajes.

Palma-Cuevas del Drach: Museo del vidrio-Perlas Majórica-Acuarium-Cuevas del Drach-Safari; 6.000.

Palma-Alcudia: Casa Fauna-Ibero Balear de Costix-Hidropark-Pollentia Romana.

Palma-Cuevas de Artá: Parque Prehistórico-Cuevas de Artá-Playa de Canyamel-Safari.

Palma-Formentor (A): Museo de Cera-Centro Histórico de Binissalem-Playa de Formentor; 4.000.

Palma-Formentor (B): Playa de Formentor-Inca-Danzas Folclóricas-Museo de Cera.

Palma-Calobra: Inca-Selva-Monasterio de Lluc-Torrent de Pareis-Calobra; 3.000.

Palma-Ermita de San Salvador: Felanitx-Ermita de San salvador-Porto Colom-Cala D'Or-Ses Salines-Poblado Prehistórico de Capocorb Vell-Cabo Blanco.

Palma-Tramuntana: Camp de Mar-Puerto de Andratx-Estellencs-Coll des Pí-Banyalbufar-Esporles-La Granja.

Palma-Alcudia: Mercado de Sineu-Casa de Fray Junípero Serra (Petra)-Playa de C'an Picafort-Puerto de Alcudia.

Palma-Valldemossa (A): Cartuja de Valldemossa-Palacio del Rey Sancho-Palacio Son Marroig-Puerto de Sóller-Jardines de Alfabia.

Palma-Valdemossa (B): Visita a Valldemossa (medio día).

Palma-Delfinarium: Visita al delfinarium de Marineland.

Palma-Tres Santuarios: Visita a los santuarios de Gracia, Honorat y Cura.

Palma-Estellencs-Banyalbufar.

Palma-La Granja: Visita a la Granja de Esporles.

Palma-Bunyola-Alaró-Orient: Visita (en medio día) de estos pueblos.

Palma-Inca: Visita al mercado de Inca.

Palma-Toros: Plaza de Toros.

Palma visita ciudad: Gira por la ciudad a cambio de unas 3.000.

Palma-Visita alrededores: Visita a los alrededores por el mismo precio que la anterior.

Lamentablemente, no existe ninguna excursión organizada que permita visitar talayots.

Excursiones en barca desde Palma

Palma-Bahía (salida frente a La Lonja): De marzo a octubre, cinco veces al día; 800 pta. Tel. 24 20 06.

Palma-Magaluf (salida frente al Auditorium): De mayo a octubre, sale a las 15.30; 1.600 pta. Tel. 26 41 81.

Palma-Portals-Vells (salida frente al Auditorium): Sale a las 10.00 y regresa a las 16.30; 5.000 pta. Tel. 71 71 90.

Palma-Sant Elm (salida frente al Auditorium): De enero a noviembre, sale a las 9.30. 5.500 pta. Tel. 71 71 90.

Excursiones a otras islas

Palma-Ibiza (A): Salida a Ibiza en barco y gira por la isla por unas 8.000 (sólo de junio a septiembre).

Palma-Ibiza(B): Salida a Ibiza en avión, recorrido por la isla, y almuerzo por unas 13.000 (de junio a octubre).

Mallorca (Port de Alcúdia)-Menorca (Ciutadella): Salida a Menorca en barco y recorrido por la isla; 6.000 (de junio a septiembre).

Cenas Espectáculo

Son Amar: Precio: 6.500. Tel. 75 36 14.
Cena medieval: Precio: 5.000. Tel. 61 00 69.
Casino Paladium: Precio: 6.600. Tel. 13 00 00.

Cines

ABC Cinema: Avda. Alejandro Roselló. Tel. 46 45 27.
Chaplin Multicines: Bartolomé Torres, 56. Tel.27 76 62.
Metropolitan Multicines: Gabriel Llabrés, 14. Tel. 27 17 67.
Multicines Porto Pí: Avda. Joan Miró, 154. Tel. 40 55 00.
Sala Astoria: Calle de La Riera, 5. Tel. 72 60 74.
Sala Augusta (cinco salas): Avda. Juan March, 2. Tel. 75 20 55.
Palacio Avenida: Alejandro Roselló, 42. Tel. 46 06 57.
Nuevo Hispania: C/ Benito Pons, 41. Tel. 27 04 75.
Salón Rialto: C/ San Felió, 5. Tel. 72 12 45.
Cine Lumiére: C/ San Fernando, s/n. Tel. 28 39 42.
Sala Rívoli: C/ Antonio Marqués, 25. Tel. 75 12 62.
Salas X: Una en Joan Bauzá, 10, y otra en Nuño Sanc, 33.

Teatros

Auditorium: Paseo Marítimo, 18. Tel. 73 47 35.
Sala Mozart: Paseo Marítimo, 18. Tel. 73 47 35.
Teatre Principal: Plaza Weyler, 4. Tel. 72 55 48.
Petit Teatre de Ciutat: Valldargent, 29. Tel. 78 01 00.
Café Teatre Sans: C/ Ca'n Sans, 5. Tel. 72 71 66.
Teatre del Mar: C/ Capitá Ramonell Boix, 90. Tel. 24 62 00.
Teatre Municipal: Passeig Mallorca, 9. Tel. 73 91 48.
Sala Sapiens: Es Pont d'Inca. Tel. 79 26 49.
Café Teatro Bohemius: C/ La Balanguera, 14. Tel. 73 93 00.
Café de Cala Gamba: C/ Josep Marqués i Talet, 10.
Café Teatro Barroco: C/ Margarita Caimari, 17.

Casinos

Casino Mallorca: Urbn. Sol de Mallorca. Calviá.

Tels. 45 45 08 y 13 00 00. Abre todos los días de 20.00 a 04.00; viernes y sábados hasta las 05.00 hs. Restaurante, ruleta americana, black jack y dados.

Casino Paladium Mallorca: Urbn. Sol de Mallorca. Calviá. Tels. 45 45 08 y 13 00 00. Restaurante -espectáculo; martes, jueves y sábados, a partir de las 20 hs.

De compras por Palma

Cuatro son las zonas comerciales de la ciudad; a saber:

Zona Aragón-Avenidas: La llegada de El Corte Inglés ha desplazado el centro de gravedad comercial hasta esta zona; encontrarás las sedes de casi todos los bancos, el mencionado Corte Inglés y franquicias como Mango, Zara, Benetton, Roxa, etc.

Zona Jaume III-Es Born: Mientras gozaban de la proximidad de Galerías Preciados la cosa iba bien; permanecen Sinatra, Benetton, Zara, Massimo Dutti, Cortefiel, C & A, Mango...

Zona Centro-Sindicat-Oms-Sant Miquel: Una zona interesante; en estas calles encontrarás los pequeños comercios de toda la vida y también Pull & Bear, Springfield, Roxa, etc.

Porto Pi Centro: Inaugurado recientemente, tiene de todo: Pryca, multicines, artesanía mallorquina, cines, y las franquicias comunes a los demas barrios.

Perros, caballos, y toros

Canódromo. Jesús, s/n. Tel. 29 00 12. Carreras de galgos; junto a el, el antiguo velódromo.

Hipódromo de Son Pardo. Ctra. de Sóller, km. 3. Tel. 75 40 31. Fundamentalmente, y al igual que en el hipódromo de Manacor, se organizan carreteras de trotones.

También existen pistas fijas dedicadas a este deporte en Muro, Capdepera, Inca, Campos, Llucmajor, Artá, y Sant Jordi.

El Coliseo Balear. Bennazar, 32. Es el nombre que recibe la plaza de toros de Palma de Mallorca. En un principio este tipo de juegos se celebraban en la Plaza de Santa Eulalia y los toros, a los que también se enfrentaban con perros, provenían de El Cosconar (Escorca). En el XVIII, el festejo se realizaba en "Les Quatre Campanes". En 1865 se construye la Plaça Vella, que funciona hasta 1929, fecha en la que se inaugura la plaza actual. Suele tener buenos carteles, aunque en verano el tema baja un poco, ya que los turistas extranjeros se conforman fácilmente.

La ciudad de Palma

Cosmopolita y paleta, dinámica, estática, histórica, turística, desmesurada, recoleta...

Puede dividirse la Palma clásica en dos zonas: la Alta, y la Baja.

De la primera, no debes dejar de visitar la catedral, la Almudaina, Can Aimans, el Ayuntamiento, la Iglesia de Santa Eulalia, Can Olesa, La Almudaina y su arco, el Hospital de Sant Pere (L'Hospitalet), el Palacio Episcopal, los Baños Árabes, la Puerta de la Portella, la iglesia de Santa Clara, la de Sant Jeroni, la Fundación March, el Temple, Monti-Sion, Can Catlar, el claustro de la iglesia de Sant Francesc, Can Vivot, Sant Miquel, Sant Antoniet, Santa Margalida...

Por lo que respecta a la parte baja, tienes, para recreo de tus ojos, el Consell Insular de Mallorca, el Parlament, el Palau March, la Lonja, el Consulado del Mar, la iglesia de Santa Creu, Can Pavesi, Sant Feliu, Sant Gaietá, Can Solleric, la iglesia de la Concepció, la iglesia de la Sang, Santa Magdalena, Sant Jaume, Sant Nicolau, Can Berga, el Gran Hotel, el Teatro Principal...

Más alejados del centro, el Castillo de Bellver, la Fundación Miró, el Museo de San Carlos, la Torre Pelaires, el Museo Krekovic, el Pueblo Español...

La Catedral. Visitas: de 10 a 13'30 y de 16 a 18'30; sábados de 10 a 13'30, y domingos y festivos, cerrado.

Comenzada a construir a finales del siglo XIII con piedra de las canteras de Cala Figuera, Felanitx, Porreres y Llucmajor (en este último municipio, desde la urbanización Bahía puedes ver la cantera, semicubierta por el mar, que avanzó un poco durante los últimos siglos), se finalizó a principios del XVII. Guillem Sagrera, el mismo que levantó la Lonja, esculpió las figuras del mirador a principios del XV.

En 1851, el terremoto que asoló Palma hizo que se resintiesen sus estructuras: se reforzó la fachada de la Almudaina con cuatro torres, Peyronnet y Birminhame reformaron algo, y en 1904 llegó la polémica bajo el nombre de Gaudí, cuyas atrevidas actuaciones levantaron polémicas cuyo polvo sigue flotando en el ambiente: No gustaron sus actuaciones sobre la sillería renacentista, ni tampoco el lampadario de la Capella de La Trinidad, y menos aún el policromado cercano a la silla episcopal; el tintinábulo (báculo sonoro) también asombró por llevar el badajo exteriormente, y no dentro...

CATEDRAL

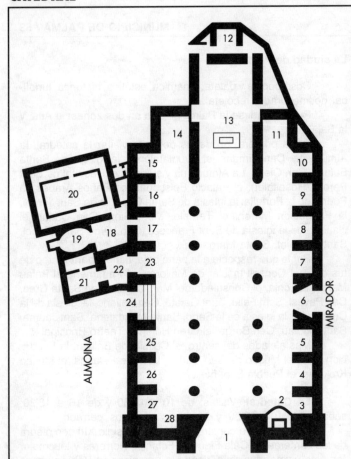

MIRADOR

ALMOINA

ALMUDAINA

1. Portada principal
2. Baptisterio
3. Capilla de San Benito
4. Capilla del Sagrado Corazón
5. Capilla de Nuestra Señora de la Grada
6. Portal del Mirador
7. Capilla de San Bernardo
8. Capilla de San Martín
9. Capilla de Nuestra Señora de la Corona
10. Capilla de San Antonio
11. Capilla de San Pedro
12. Capilla de la Trinidad
13. Capilla Mayor
14. Capilla del Corpus Christi
15. Capilla de San Jerónimo
16. Capilla del Descendimiento
17. Capilla de la Piedad
18. Antesala Capitular
19. Sala Capitular
20. Claustro
21. Sacristía "Del Vermells"
22. Campanario
23. Antesacristía
24. Portal de la Almoina
25. Capilla de San José
26. Capilla de San Sebastián
27. Capilla de la Purísima
28. Capilla de las Ánimas

La Seu en cifras: Recientes estudios fotogramétricos realizados por el Colegio de Arquitectos de Baleares han afinado hasta el límite las dimensiones del templo:
Altura total de la fachada principal: 67'50 metros.
Rosetón Mayor: 12'55 m. de diámetro (97'45 m. cuadrados). Construido en 1375 y rehecho en 1588, se le supone el mayor de la cristiandad; 24 triángulos (doce de ellos equiláteros) que forman la estrella de David. Dos veces al año, a mediados de noviembre y a comienzos de febrero, se refleja en el muro interior de la fachada principal (una buena foto).
Nave Mayor: Se dice que es la más ancha de las existentes (19'40 metros).
Columnas: son catorce, distanciadas 7'74 metros, salvo en los portales laterales (10'73 m.) Su altura es de 21'47 metros, y sus diámetros 1'48 m. y 1'68 m. Los arquitectos no entienden muy bien como pueden ser tan delgadas.
La campana: Conocida popularmente como N'Eloi, mide 1'92 metros de altura; ella pesa 4.517 kg., y su badajo 81 kg.
El Interior: Entre otras cosas, en su interior verás los sepulcros del último antipapa, Gil Sánchez Muñoz Doncel (Clemente VIII), de Jaime II, de Jaime III, etc. Frente al de Clemente VIII, dos tablas góticas recuerdan la riada de 1403, que se llevó por delante a varios miles de mallorquines; tras ellas, las fosas comunes de las víctimas. También están aquí los restos de Cabrit y Bassa, héroes mallorquines que resistieron a las tropas de Alfonso de Aragón en 1287 en el castillo de Alaró. Cuando ya no podían más, se rindieron, y Alfonso -carente del mínimo espíritu deportivo-, los puso en unas parrillas de hierro sobre ascuas hasta causarles la muerte; esta atrocidad escandalizó a Gregorio XII, que anatematizó al rey, el cual pidió perdón, imponiéndole el Papa una doble penitencia: restituir a su tío Don Jaime el Reino de Mallorca, y construir un altar en veneración de Cabrit y Bassa. Dos tablas de ellos, ataviados al modo romano, recuerdan el tema.

Verás también en un rincón la silla que uso Carlos V para oir misa el 16 de octubre de 1541, antes de iniciar su infausta expedición a Argel, organizada desde Palma.

Baños Árabes. Serra, 7. Tel. 72 15 49. Abierto todos los días. Baños Judíos, deberían llamarse, según los estudiosos, pero en todas las publicaciones se les presenta como muestra de arquitectura musulmana (la cuestión Xueta...). Datados entre finales del siglo X y principios del XI, se conserva la sala central destinada a baños calientes y una extancia anexa. Se accede al interior a través de un arco de herradura.

Estudio General Lluliano. San Roque, 4. Tel. 71 19 88. Edificio de 1950 de arquitectura regionalista: casa tradicional mallorquina y como no, bonito patio; en el interior, un tranquilo bar ligeramente frecuentado por profesores, estudiantes de castellano, etc.

La Almudaina. Entrada por la calle del Palau Reial, junto a las escaleras de Dalt Murada. Tel. 71 43 68. Visitas: en invierno, de 10 a 14, y de 16 a 18; en verano, de 10 a 19; los domingos y festivos está cerrado, y para entrar habrás de desprenderte de unas 450 pta; con guía, 700. Son varias edificaciones agrupadas: Palau Reial, Palau de la Reina, Capilla de Santa Ana, Comandancia MIlitar de las Islas Baleares, atarazana almorávide, y afuera, los jardines de S'Hort des Rei. Antes de ser alcázar árabe fue castro romano, y previamente, poblado talayótico, como lo demuestran restos de murallas ciclópeas aparecidas bajo la Torre de Llebeig (SO).

-**El Palau Reial:** fue cárcel, palacio de justicia, gobierno militar, y hoy, además de Comandancia, residencia oficial de los reyes, que únicamente la utilizan para recepciones oficiales (se encuentran más cómodos en Marivent). Hay que ver el Salón Gótico, el Salón de Consejos, la Sala de Chimenéas, la Sala de Carlos V, etc.

-**Capilla de Santa Ana:** Su portal de entrada -de excelente románico catalán-, y construido con mármol del pirineo, da al patio central. En este patio, Carlos I pronunció su famosa frase: "He encontrado un reino oculto y un pueblo no conocido." En la capilla se casaron la guapa Rosario Nadal y Kiryl de Bulgaria.

-**El Arco de las Atarazanas:** Con sus dieciocho metros de diámetro permitía la entrada de barcos previamente desarbolados; ahora, verás algún cisne negro, y patos, pues es el lugar de la ciudad donde los cansados papás abandonan el patito que le compraron al nene y que comienza a molestar en casa (los cisnes son municipales y a los patos los retira el ayuntamiento, pero siempre aparece alguno).

-**Patio de armas:** En el se encuentra una de las pocas piezas árabes conservadas: el León de la Almudaina.

-**La Torre del Ángel:** Construida en 1117, la remata un ángel-veleta de madera y bronce realizado en Sineu. En esta torre tenía su taller Jaume Lustrach, alquimista de Joan I.

-**Jardines de S'Hort des Rei**: Para visitarlos no hay que pagar...

En ellos, fuentes de estilo árabe, y una escultura de Subirachs (la opulenta jónica), un móvil de Calder (Nancy), el Personatge de Miró, y el Hondero Balear, de Roselló; a este último le falta la honda desde hace mucho tiempo, pero a las autoridades culturales (?) les importa un pimiento (en mallorquín: se foten). Hondero, por otra parte, bastante más elegante que el que tienen en el Parlamento.

El Museo Diocesano. Ubicado en la Plaza del Palau Episcopal (Mirador, 7), es poco conocido pero se merece tu visita. Inaugurado en 1916, se accede a él a través de la fachada gótica del antiguo oratorio de Sant Pau; consta de cuatro salas en las que encontrarás:

-El retablo de Sant Pau (siglo XIV), un artesonado mudéjar, los Reyes Magos en marfil, y exvotos.

-El sepulcro vacío de Jaime II (sus restos están e la Catedral), tallado en jaspe y con forma de bañera (apodado socarronamente Sa Sopera), una Biblia de Cisneros, tallas de santos, algún retablo notable, y el Drac de Na Coca, cuyo origen te explicamos en otras páginas.

-Retablos góticos, cerámica árabe, un incensario bizantino, etc.

-El Retablo de Sant Jordi, del siglo XV, y orgullo del museo. Tras Jordi, en segundo plano, la Palma del siglo XV (tal como éramos).

Plaza de Santa Catalina Thomás. En época árabe era un mercado, más tarde, lugar de celebración de espectáculos taurinos, y desde finales del XVIII lugar de ejecuciones públicas. En una de las esquinas de la plaza aún queda un azulejo con el antiguo nombre: Pl. d'es Mercat Vell. En el centro de la plaza, un monumento a Antonio Maura, enfrente, el Gran Hotel, con su pretenciosa cafetería, y cerca, la Iglesia de San Nicolás, en cuya fachada posterior se halla incrustada una roca en la que se sentaba Catalina Thomás en espera de ser admitida como monja.

Fundación March. San Miguel, 11. Tel. 71 26 01. Visitas: lunes a viernes 10-13'30 y 16'30-19'30; sábados 10-13'30; domingos y festivos cerrado. Edificio de estilo regionalista. Unas treinta pinturas y seis o siete esculturas, entre las que destacan Picasso, Miró, Dalí, Gris, Tapies, Millares, Saura, Antonio López, Mompó, Oteiza, Alfaro, Chillida, Cuixart...

Centro Cultural Sa Nostra. Concepció, 12. Horario: De lunes a viernes, de 10'30 a 21, y los sábados, de 10'30 a 13'30. Se ubica en una mansión del siglo XVIII conocida como Can Castelló, de la que destaca, como en tantas otras de la ciudad, el patio interior. El Centro Cultural alberga librería, Sala de Paper

PALMA DE MALLORCA

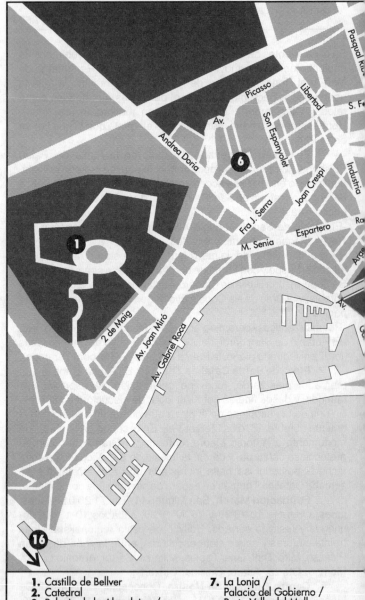

1. Castillo de Bellver
2. Catedral
3. Palacio de la Almudaina /
   Arc de la Drassana Musulmana
4. Museo Diocesano
5. Museo de Mallorca
6. Pueblo Español
7. La Lonja /
   Palacio del Gobierno /
   Porta Vella del Moll
8. Casal Solleric
9. Baños Arabes /
   Can Formiguera /
   La Portella

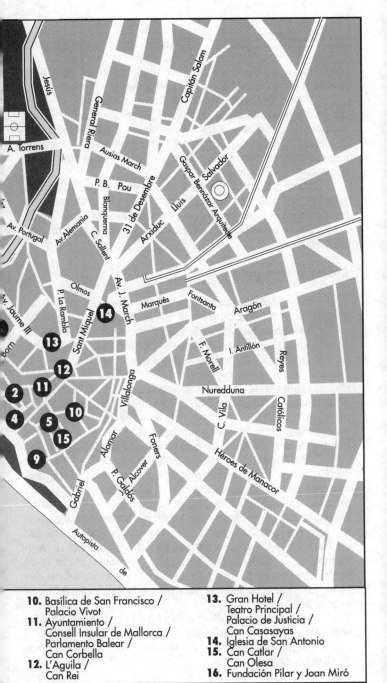

10. Basílica de San Francisco /
    Palacio Vivot
11. Ayuntamiento /
    Consell Insular de Mallorca /
    Parlamento Balear /
    Can Corbella
12. L'Aguila /
    Can Rei

13. Gran Hotel /
    Teatro Principal /
    Palacio de Justicia /
    Can Casasayas
14. Iglesia de San Antonio
15. Can Catlar /
    Can Olesa
16. Fundación Pilar y Joan Miró

(dedicada a exposiciones de fotografía), auditorio, Sala Gran (utilizada para exposiciones de envergadura), y una cafetería.

Casal Solleric. Paseo del Borne. Construido en el siglo XVIII y recientemente restaurado y remodelado, es el más importante centro cultural del Ayuntamiento. Salas de exposiciones, librería, biblioteca, y cafetería. Lo más interesante, lo que ya había: aljibes subterráneos, patios, y su arquitectura mallorquina con toques franceses e italianos.

Centro Cultural Pelaires. Verí, 3. Horario: De 10 a 13'30, y de 17 a 20'30; los sábados, de 10 a 13'30. Ocupan sus instalaciones el histórico edificio de un antiguo convento; fundamentalmente el centro se dedica a exposiciones, galería de arte, conciertos, etc.

Cuatro iglesias góticas

Pensamos que después de visitar la Seu y La Lonja, ya has cumplido con el tema, pero por si quieres más gótico, aquí van:

San Francisco. Pça. de Sant Francesc, 7. Tel. 71 26 95. Abierta de 9'30 a 12 y de 15'30 a 18. Cierran las tardes festivas. Su primera piedra fue colocada por Jaime II en 1281... Planta basilical de 72 metros de longitud, gótica, retablo mayor gótico, e interesante sillería del coro. Destaca el sepulcro de Ramón Llul, de alabastro, y tallado en 1487. Si ves unas cruces rojas en la parte superior de las columnas, esta es su explicación: en 1490, en el interior de la iglesia se produjo una gran pelea entre dos bandos de la ciudad, y hubo que rebendecir la iglesia...

San Miguel. Sant Miquel, 21. Abren de 8 a 13 y de 17 a 20. Considerada el templo más antiguo de Palma, su portada es gótica (siglo XIV), aunque el interior fue remodelado en época barroca. Exteriormente, destacan su campanario (durante un tiempo se usó como cárcel, y en la cámara media de la torre aún se conservan argollas, graffitis...), y el portal principal, realizado en 1391. En el interior, las capillas de la Sagrada Familia, de la Trinitat, de Sant Josep, de Ramón Llul, y la más visitada, la de nostra Senyora de la Salut. Te queda por ver el Sant Crist des Lliris. En alguna ocasión se han realizado exposiciones en el interior de la iglesia.

Santa Margarita. Abierta de 9'30 a 11, y de 17'30 a 19. Se encuentra en la misma calle que la anterior, destacan en ella la capilla gótica, los artesonados mudéjares, el ábside, y el sepulcro de Guillem de Torrella.

También en esta calle se halla la Iglesia de Sant Antoni Abat y el bonito claustro del antiguo convento, conociéndose el conjunto como Sant Antoniet.

Santa Eulalia. Abierta de 7 a 13 y de 17 a 20'45. Ubicada en la plaza del mismo nombre, se cree, como en tantos otros casos, que se levantó a partir de los restos de una mezquita. En 1414 se termina la capilla de Santa Llucía, y en 1570 concluyen la cubierta. De fachada neogótica, en su interior destacan algunas pinturas góticas del siglo XV (retablo dels Catlar, Cristo del Milagro...).

El Ayuntamiento. Plaza de Cort, 1. En 1718, con la implantación del Decreto de Nueva Planta, queda abolida la tradicional institución del Gran y General Consell, y en el solar que éste ocupaba, se levanta ahora el Ayuntamiento: el mismo suelo, los mismos techos, y otro nombre. De la primitiva construcción queda el portal gótico con los escudos de la ciudad y el alero; en 1894 se incendió el edificio, hubo que reformarlo, y ahora verás:
-**La fachada barroca**, de tres cuerpos, con un monumental alero de 1680 y el reloj conocido como D'en Figuera.
-**La Planta baja**, del siglo XVII, y con dos portales laterales presididos por los escudos de la Ciudad y del Reino de Mallorca. En medio, la escalera de honor, de pasamanos de caoba, e inaugurada en 1923. En esta planta, la biblioteca, la más frecuentada de la isla -más por su ubicación que por sus fondos documentales-, atendida con benedictina paciencia por sus sufridos funcionarios, de admirable profesionalidad.
-**El vestíbulo**, con dos lienzos de Fausto Morell; en uno, la entrada del emperador Carlos en Palma, y en otro, la muerte de Jaime III en LLucmajor.
-**La planta noble**, con retratos de ochenta y dos hijos ilustres de la ciudad, entre ellos el de Aníbal, ya que según la leyenda, éste cartaginés, que *juró odio eterno a los romanos*, nació en la isla de Cabrera. Completan esta sala vidrieras y ventanales con escudos, bustos de gente importante, medallones de lo mismo, y un poco más de todo.

Tras el ayuntamiento tienes la céntrica y juvenil Plaza de Santa Eulalia, con un par de lugares de interés: **El Bazar del Libro**, y el **Café Moderno**.

Consell Insular de Mallorca. Colindante con el Ayuntamiento y construido en 1880, es de estilo neogótico. Destacan en él la Sala de Plenos (con una lámpara de cristal de Murano valorada en más de treinta millones), los ventanales de cristalería emplomada, su pinacoteca, etc.

La Misericordia. De estilo clasicista, fue levantado este edificio a lo largo del siglo pasado (en 1817 la primera fase, en 1850 la segunda...). Del exterior, lo más interesante es la fachada que da a La rambla, y dentro, jardines con alguna escultura (Ben Jakober, v.gr.), jardín botánico (con un ficus elástica plantado en 1830), biblioteca, archivo del Consell Insular de Mallorca, Conservatorio de Música y Danza, Sala de Exposiciones Guillém Mesquida, etc.

La biblioteca y los jardines permanecen abiertos de 9'30 a 13'30, y de 16'30 a 20.

El Parlament. Situado en la Calle Conquistador, en un principio pertenecía al Círculo Mallorquín, tal y como lo recuerda su fachada; en el interior, una agradable biblioteca y un Hondero Balear bastante más feo que el que puedes ver en los jardines de S'Hort des Rei. Adosado a él, el Bar-Restaurente Parlament, caro, pero bonito.

Iglesia de la Sang y Hospital General. Plaça del Hospital. Levantada en el siglo XV, tiene una capilla emblemática, la del Sant Crist, con una talla del XVII que arrastra una leyenda, además del Sant Crist del Condemnats a Mort, etc. Y en la primera capilla de la izquierda, un belén gótico.

La iglesia se encuentra dentro del recinto del Hospital General, desde cuya cafetería puedes contemplar la bóveda de la antigua *sala de hombres*.

Miscelánea de lugares interesantes

-El edificio modernista-art nouveau de **Can Rei**, en la Plaça Marqués de Palmer, y en la misma plaza, el edificio l'Águila, de similares características.
-Can Corbella, en Santo Domingo, 1, construcción neomudéjar.
-En la calle Almudaina, la escalera gótica de Can Oleo, de las pocas que quedan en la ciudad (nº 4), las ventanas de Can Bordils, (en el nº 9), y el Arco, romano-musulmán.
-En la Plaça del Mirador, la puerta gótica del Oratorio de Sant Pau, y la escultura del **Drac de Na Coca**, cocodrilo que no es leyenda: a mediados del XVII, un cocodrilo de verdad hacía de las suyas por la zona; se piensa que llegó jovencito mezclado con el lastre de arena de algún barco, y empezó comiendo ratas, luego gatos, y, posteriormente, niños. Se alojaba tan ricamente en las alcan-

tarillas musulmanas, y una noche, el Capitán Bartomeu Coch - cual San Jorge redivido-, le pilló y lo mató; si no te lo crees, en el Museo Diocesano se conserva embalsamado el bicho.

-Can Alabern y can Oleza, en los números 8 y 9 de la Calle Morey, y en el 11, Can Aimans.

-En la calle Portella, Ca la Gran Cristina (nº 5), sede del Museo de Mallorca, y en el 8, la fachada de Can Espanya (Hostal Isabel II), curioso y degradado edificio; al final de la calle, La Portella, propiamente dicha, y las murallas renacentistas: cruzas la puerta, y ya estás en el **Parc de la Mar.**

-En la calle Jovellanos, muy cerca del Passeig des Born, el **Cap de Moro**, recuerdo de los trofeos que se traía el Capitán Barceló (cabezas de piratas berberiscos) cuando salía a poner orden en la costa.

-En el Carrer de **La Má del Moro**, hasta hace poco había un nicho con una reja de hierro, y hasta 1840, en el interior, se veía una mano humana, perteneciente a Ahmed, un esclavo musulmán que le dió pasaporte a su amo.

La calle es bonita de pasear...

Palma, ciudad de patios

Es el acertado título de un agradable libro de fotos de patios de esta ciudad, y también un slógan promocional adoptado por el Ayuntamiento. Muchos de estos patios los habrás visto mencionados en las páginas referidas a monumentos de entidad, pero callejeando se encuentran algunos más; todos están, al ménos, a la vista, y algunos los puedes pisar:

Can Sureda. Can Savella, 6. Edificio barroco, de principios del XVIII: austera fachada,y dos patios con columnas de mármol rojo...

Can Berga. Plaça del Mercat, 12. Sede actual de la Audiencia Territorial; patio de grandes dimensiones, y con barullo.

Can Olesa. Morei, 9. U Oleza, es un edificio renacentista, con patio barroco; columnas jónicas, arcos rebajados...

Paseo Marítimo y aledaños

A lo largo del Paseo Marítimo, un carril bici de 4.406 metros, salpicado de originales relojes de sol colocados a la altura del muelle de La Lonja, de la torre Pelaires, del Auditorium, frente al Jonquet, frente a los muelles comerciales... Y entre los relojes, algunas esculturas: Estudio de Forma de Lluis Fuster, monumento a Rubén Darío, el busto al Teniente General Antoni Barceló, la Fuente del Amor de la escultura Remigia Caubet, el monumento a Marc Ferragut, la esplanada de Santo Domingo de la Calzada...

En esta última, el conocido **Bar Marítimo**, e inmediatos a él, el **Café Capuccino**, con todas las variedades de café imaginables, y el **Restaurante-Bar American Country**, con música en vivo, comida vaquera hasta las 2'00, etc. (un entrecot de considerables dimensiones y variada guarnición te sale por unas 1.600).

La Lonja. De ella está dicho casi todo: obra cumbre del gótico civil, obra maestra, monumento señero... Encargada su construcción a Guillem Sagrera, comenzaron las obras en 1421, finalizándose en 1448. Al pobre Guillem no le salían las cuentas, le pagaban tarde y mal... Los historiadores afirman que el Colegio de Mercaderes, destinatario final del edificio, le tomaba el pelo a Guilemm y le timaba.

En resumen, es un edificio de planta rectangular, con cuatro torreones octogonales y almenas, además de diez pequeñas torres, dos portales ojivales, seis ventanales de tracería, y una crestería almenada. En el tímpano de la portada principal, un ángel, símbolo de la mercadería (igual que Mercurio).

Sin quitar mérito a su exterior, lo más notable de la Lonja es la parte interior, y especialmente sus seis columnas estriadas, que se funden en el techo a modo de hojas de palmeras.

Para terminar, desde la escalera de caracol puedes ver antiguos graffitis, y en la puerta que da acceso a la terraza, una detallada representación de una nave del XVII.

Carlos V la admiró, y se puso más contento aún al saber que no era un templo, y también Jovellanos se quedó pasmado al verla...

Incomprensiblemente, sólo puede visitarse cuando se realiza alguna exposición en su interior. Informan en el Tel. 17 65 00 (Consellería de Cultura).

Junto a la Lonja, dos interesantes sitios para tomar algo: el **Café Sa Llotja**, y **La Boveda**.

Porta Vella. Del siglo XVII, e inmediata a la Lonja, en su día era una de las puertas de la muralla.

Consolat del Mar. Del siglo XVII, es la actual sede de la Presidencia del Govern Balear y está cerrado a las visitas.

En su fachada, dos cañones flanquean la puerta principal.

Parque de la Cuarentena. Allá por el siglo XVII era un lazareto; ahora es un tranquilo parque que comunica el Paseo Marítimo con la Plaza Gomila.Se accede a el a través de dos puertas con arco de medio punto.

Dársena de Can Barbará. Un idílico lugar, céntrico y a la vez aislado, cercano al Parque de la Cuarentena, la discoteca Luna (a esta de vez en cuando la meten un paquete por servir garrafa), etc.

En Ca'n Barbará, tienes un lugar histórico y recomendable de visitar:

Café El Garito. Abren a media tarde y cierran a las tantas. El Garito de los Hospicianos era el sugerente nombre propuesto por Camilo José Cela -amigo de los propietarios- para este lugar; en los años setenta era una denominación un tanto agresiva, y la cosa quedó en El Garito a secas. Es café, bar, pub, museo, un poco de todo. Coleccionan muestras del arte publicitario de éste siglo: el muñeco-termómetro de Netol, los primeros carteles de bombillas Mazda, en fin, carteles inimaginables y una foto de C.J.Cela con una chocarrera dedicatoria: *A mis amigos del Garito, Dos de Mayo de 1808*. Es, en fin, un sitio de merecida visita.

Torre de señales de Porto Pi. En su día, con la torre de Pelaires y alguna más resguardaba el puerto. Ahora es zona militar, y si quieres visitar el museo de señales marítimas que tienen en la base, deberás llamar previamente al Tel. 40 21 75.

Este era el puerto natural de Palma, y ya en el siglo XIII existía una cadena de hierro tendida entre la Torre Pelaires y la torre de señales de Portopí (conocido también como Faro de Portopí).

Una tercera torre se ubicaba donde ahora se encuentra el Museo de San Carlos.

Cerca, la iglesia de Sant Nicolau, un poco escondida, y el descomunal y laberíntico Centro Comercial Portopí.

Torre Pelaires. Entre ella y su desaparecida pareja se tendía una descomunal cadena que cerraba el puerto; cuando la cruzada Pisano-Catalana contra la Mayurca musulmana (*Liber Maiolichinus de Gestis Pisanorum Illustribus*), se la llevaron de botín-souvenir-recuerdo. De vergonzosa puede calificarse la actitud de las instituciones culturales: la torre está cerrada, sucia, con escombros...

Junto a ella, una pequeña torrecilla, la ex-casa de Pilar de Borbón, un mamotreto de 12 pisos que lleva 20 años deshabitado, y el acogedor Bar-Café **Mar Chica**.

Pueblo Español y Palacio de Congresos

Entre ellos y cualquier zona, apenas hay un lugar donde reconfortar los cansados huesos; antes de iniciar la ruta, en Andrea Doria, frente a la Mensajería MRW, tienes un insospechado lugar, de los más agradables que conocemos:

Es Cantó d'en Toni, bar y cafetería, acogedor, simpático, etc. Verlo para creerlo.

Cercano a él, en Roselló Porcel, un restaurante after-hours, el **Mesón Los Caracoles**, donde tienen abierta la cocina durante las 24 horas; además, uno de sus camareros, Juan, conoce e informa de todo el tema discotequeril de Palma y sus alrededores.

Pueblo Español. Poble Espanyol, 39. Tel. 23 70 75. Fax. 23 15 92. Construido en 1967, reproduce en sus muestras la arquitectura regional de casi todas las regiones españolas. Una muralla lo rodea, y en su interior verás, entre otras, la Puerta de Bisagra (Toledo), el Patio de los Arrayanes y La Alhambra (Granada), el Cristo de los Faroles (Córdoba), la Ermita de San Antonio de la Florida (Madrid), la Casa de El Greco (Toledo), la Plaza Mayor de Navalcarnero, la de Chinchón, el Ayuntamiento de Vergara (Guipúzcoa), la Plaza de Santa María (Burgos), el Palacio de la Diputación de Barcelona, la Torre del Oro de Sevilla, la Plaza de Luis Vives, la Ermita del Cristo de La Luz (Toledo) y la Puerta de Toledo, un Patio Cervantino que recuerda a la toledana Posada de La Sangre -donde según la tradición se escribió La Ilustre Fregona-, la Iglesia de Torralba de Ribota (Zaragoza), la Casa de Melibea (Toledo), los Baños Árabes de Baza (Granada), una Casa Canaria... Son, en total, quince calles, doce plazas, y unos cien edificios, amén de plazuelas, pasadizos y rinconadas, un conjunto ideal para jugar al escondite inglés.

Dentro del recinto hay, además, un bar (Chinchón), y un restaurante (Los Arcos. Tel. 45 09 90.), dedicado fundamentalmente a comidas de grupo.

Es el Pueblo Español, en resumen, un buen sitio donde gastar unas horas.

Si los japoneses -tan aficionados a réplicas y copias-, se llevasen una reproducción del Pueblo Español de Palma de Mallorca, tendrían una muestra de la arquitectura de casi todas las regiones españolas; únicamente les faltaría una comunidad: Baleares!

Junto al Pueblo Español, una tienda de **Valids Artesans**, colectivo de disminuidos que elaboran artículos de piel, etc. No les va nada bien y la culpa no es de ellos, sino más bien de la dirección, antipática, presumida y maleducada...
Palacio de Congresos. Capitán Mesquida Veny, 39. Tel. 23 70 70. Sigue los esquemas de la arquitectura romana, y en su interior encontrarás un anfiteatro, termas, foro, y salas de congresos con nombres tan sugerentes como Trajano, Ramón Llul, Francisco de Vitoria, etc. El teatro, el foro, y las termas, se utilizan también como lugares de congresos y eventos, para pasmo y asombro del que está acostumbrado a lugares mas *funcionales*.

Porto Pi

Este era el puerto natural de Palma, y ya en el siglo XIII existía una cadena de hierro tendida entre la Torre Pelaires y la torre de señales de Portopí (conocido también como Faro de Portopí). La torre todavía puedes verla junto a la carretera. Cerrada, sucia, y llena de escombros, da pena.

Una tercera torre se ubicaba donde ahora se encuentra el Museo de San Carlos.

Cerca, la iglesia de Sant Nicolau, un poco escondida, y el descomunal y laberíntico Centro Comercial Portopí.

Museo de San Carlos. Construido hacia 1613, era un fortín, y ahora lugar de alojamiento de interesantes objetos militares: objetos de cuando Franco estaba en Mallorca, maquetas, recuerdos de las guerras de Cuba y Filipinas, dioramas, una sala dedicada a la División Azul (con un autógrafo de Hitler), etc.

Castillo de Bellver. Visitas: de octubre a marzo, de 8 a 17'30; de abril a septiembre, de 8 a 19'30. Los domingos cierran las salas y el museo. Entrada, 240 pta. Domingos gratis. Entre otras cosas, es el único castillo de planta circular de España, y desde él podrás ver una completa panorámica de la capital: no en vano, en su día se le denominó Castrum de Pulchro Viso (Castillo de Bella Vista).

Levantado sobre una colina de unos 160 metros llamada antiguamente Puig de Sa Mezquita, su construcción comenzó hacia 1309 por mandato de Jaime II, atendiendo a una doble función: reducto defensivo y residencia real, objetivos ambos para los que apenas fue empleado, sirviendo principalmente como cárcel. Tres tipos de piedra fueron utilizados: para las partes delicadas, piedra de Santanyí; para los parapetos, la dura roca de Portals, y para el resto, la piedra que se extraía del propio subsuelo del castillo.

Sobre el esquema circular de la fortaleza se ha llegado a afirmar que respondía a las concepciones filosófico-cabalísticas de Ramóm Llul, y bien podría ser.

Destacan en el castillo la Torre del Homenaje (en su interior, el famoso calabozo conocido como La Hoya), de una altura de 33'37 metros, el patio circular -circundado por dos galerías de arcos-, el patio de armas -alrededor del cual se distribuyen las salas con las esculturas clásicas reunidas por el Cardenal Despuig-, y el Museo de la Ciudad, con material de las épocas prehistórica, romana, islámica, y medieval.

Te quedan por ver la segunda planta del castillo, la capilla, la arriba mencionada Colección Despuig, la terraza superior, los graffitis, y las caras que ponen los turistas extranjeros.

Dentro de estos muros fusilaron al General Lacy, sufrió prisión Melchor de Jovellanos (se conserva su celda, bastante espaciosa, por cierto), etc.

Y cerca de aquí, en el número 7 de la calle Bellver, la mítica e indefinible **Posada de Bellver**. Copas, cenas, música en vivo, etc.

Fundación Miró. Joan de Saridakis, 29. Tel. 70 14 20. Horario: en verano, de martes a sábado, de 10 a 19, domingos y festivos de 10 a 15, y lunes cerrado; en invierno, abren una hora mas tarde y cierran una hora antes. Conocida también como Territorio Miró, alberga gran cantidad de pinturas, dibujos, grabados, etc.

También se utiliza para realizar exposiciones, conciertos, conferencias...

Museo Krekovic. Ciutat de Querétaro, 3. Tel/Fax. 24 94 09. Autobús Nº 12 (Plaza de España). Visitas: de lunes a viernes, de 9'30 a 13'00 y de 15'00 a 18'00; Los sábados de 9'30 a 13'00, y los domingos cerrado.

Kristian Krekovic, nacido en 1901 en la ciudad croata de Koprivna, ya era pintor consagrado a los 24 años. En 1960 llegó a Mallorca eligiendo la isla como residencia definitiva, falleciendo en su casa de Palma en 1985.

En el museo que fundó para albergar su obra, encontrarás tres salas:

-La primera, dedicada a los incas y civilizaciones preincaicas.

-La segunda, con lienzos cuyos motivos son España, Baleares, y la proyección americana de éstas dos últimas.

-La tercera, dedicada al Perú y a la Paz Mundial.

Completa el museo una muestra de artesanía indígena peruana.

Bares, restaurantes y similares

Comida a domicilio

Bros Pizza. Tel. 76 14 76. Pizzas, canelones y lasagna.

Charros. Tel. 73 44 93. Comida mexicana.

Pizza World. Tel. 73 11 11. Pizzas y ensaladas.

Gran Dragón. Tel. 70 17 17. Cerca de cien platos de comida china, con carta de vinos y cavas (pedido mínimo: 2.000).

Fasty Burger. Tel. 28 28 98. Pizzas, hamburguesas y bocadillos de todo tipo.

Telepizza. Tel. 78 05 65. Pizzas variadas.

Comida rápida

Bocatta. Unió, 10.

Burger King. Plaça Weiler, 11.

Chippy. Avda. Argentina.

Dallas. Avda. Alemania, 9.

Mc. Donalds. Pça. Rei Joan Carles I.

Pizza Hut. Plaça Gomila.

Kentucky Fried Chicken. Plaça Espanya, 3.

Unos cuantos cafés y bares

Bar Bosch. Pza. Juan Carles I. De toda la vida, destacan sus langostas (bocadillos tostados).

Café Lírico. Avda. Maura, 6. Situado frente a la Almudaina, es un clásico, frecuentado por gente bastante conocida (entre otros, el venerable historiador Leandro Garrido); destacan sus bocadillos.

Café des Casal Solleric. Se encuentra en el mismo edificio del que toma su nombre; sobre el Casal Solleric ya hemos hablado mas arriba. Abre toda la semana de 8'30 hasta la madrugada.

Heladería Ca'n Joan de S'Aigo. Sanç, 10, y Baró Sta.

María del Sepulcre (detrás de Jaime III). Es uno de los lugares mas tradicionales de la ciudad; se fundó en 1.700, y desde aquella fecha los mallorquines -grandes amantes de los dulces-, lo frecuentan. Chocolate con ensaimadas, helado de almendras de fabricación propia, etc; se merienda muy bien y el ambiente es agradable.

Café El Olivar. Plaza del Olivar. Al igual que muchos de sus compañeros, fué reformado en los setenta, y la decoración de esa década cada vez gusta menos; aún conserva dos columnas de hierro forjadas en la antigua fundición sobre cuyo solar se construyó el actual mercado que tienes enfrente. Así pues, bar de mercado con todo lo que ello implica: animado por las mañanas, solitario por la tarde, y cerrado a las 10 de la noche.

Bar Triquet. Avenidas-Puerta de San Antonio. Otro de los bares ocafés de toda la vida; aunque no entres, merece la pena hechar un vistazo al edificio, construido en 1910 bajo la dirección de uno de los mas notables arquitectos mallorquines: Gaspar Bennásar.

Algunos restaurantes representativos (y algo caros)

Koldo Royo. Paseo Marítimo, 3. Tel. 45 70 21. Posiblemente el mejor de la isla, admirado por propios y extraños; cocina vasca con un leve toque insular y buena bodega.

Rififí. Joan Miró, 186. Tel. 40 20 35. El mejor para tomar pescado y marisco.

Caballito de Mar. Paseo Sagrera, 5. Tel. 72 10 74. Situado junto a La Lonja, ofrece arroces, pescados, y mariscos.

Asador Tierra Aranda. Concepción, 4. Tel. 71 42 56. Horno de leña con lechazo de Aranda, tostón de Segovia, carnes a la brasa, etc. Por supuesto, mejor de visitar en invierno que en verano.

Comer a precios medios

Restaurante Tugores II. C/Francisco Suau, 7 (frente a la Cruz Roja); Menús por ménos de 800.

Es Corsari. Obispo Berenguer de Palou, 9. Tel. 72 60 81. El lugar donde se situa este clásico local es conocido popularmente como Plaza de los Patines. No es barato pero tampoco es malo; un Couscous Imperial por 1.600.

Restaurant Jarana. Cotoner, 47 (esquina a Sant Magí). Tel. 45 56 28. Sus menús no están mal y no son caros; los martes, jueves y sábados, Cocido Madrileño.

Bodega Binissalem. C/ Foners, 51. Tel. 46 87 64. Cocina mallorquina y especialidades del Raiguer. Se come bastante bien por ménos de dos mil.

Café-Restaurante Bohemia. Vía Roma, 6. Carnes a la brasa, pescado, y cocina internacional; menús al mediodía por unas 1.700. Tapas y meriendas de nueve a una de la madrugada, y los jueves, música en vivo.

Restaurante Shogún. Camilo José Cela, 14. Tel. 73 57 48. Sobria decoración y excelente comida japonesa. Ni caro ni barato.

Granja La Balanguera. Bisbe Joan Maura, 6. Ambiente tradicional en el que puedes disfrutar de sus famosos bocadillos, pastas, helados caseros, menús asequibles, té marroquí, etc.

Granja de Cort Plaça de Cort. Café-Bar de reciente factura; frecuentado por funcionarios de los vecinos Ayuntamiento y Consell Insular.

Yate Ritz. Passeig des Born. Tradicional restaurante que ofrece menús a precios muy asequibles.

La Casita. Joan Miró, 68. Pequeño y acogedor, lleva más de veinte años funcionando, lo cual en Palma, es toda una garantía. Cocina francesa familiar a precios medios.

Palma Nocturna

La, durante décadas, mítica Plaza Gomila, ya perdió su sabor a principios de los ochenta, pasando a ocupar su lugar la zona de La Lonja, frente al paseo marítimo, y ya comienza a resentirse del éxito de los últimos años.

En Palma, los lugares de ocio nocturno surgen y desaparecen con una velocidad que envidiarían las setas, y lo que ahora está de moda, puede no estarlo seis meses después.

Aún así, hay lugares por los que no pasa el tiempo, y son éstos:

En Gomila, el Boulevard Mediterráneo, Tito's, Rustic, etc. En el Paseo Marítimo, Azurro, Made In Brasil, etc., sin olvidar, en la Dársena de Can Barbará, el histórico Café El Garito, muy recomendable.

Plaça de S'Aigo Dolça (zona Gomila). (también Francesc Roselló-Pintor) En sus buenos tiempos lo mejor de la noche de

Palma se concentraba en esta plaza; ya no es lo que era, y en las inmediaciones de uno de sus bares mas antiguos (Tropical) se reune lo mas florido y granado del carterismo para hablar de sus cosas.

Por la Lonja, Gotic, Nanas, Capitán Nemo, La Bodeguita de en Medio, el refinado Ábaco...

Son cientos de pubs, disco-pubs, y discotecas...

Dormir

Existe una amplísima oferta, de la que te damos una breve selección comenzando por un alojamiento alternativo (una casa de colonias), y terminando con otro (turismo rural).

Casa de Colonias Residencia San Gaietá. Picasso, 21. Tels. 73 69 93/73 81 49. Abierto en junio, julio, y agosto. Doscientas plazas; habitaciones con baño. comedor, bar, piscina, salas de TV y lectura, e instalaciones deportivas.

Una Pensión

Pensión Corona. Santa Rita, 17. Tel. 71 46 10. Cercana al castillo de Bellver, tiene un bonito jardín, y no está mal.

Hostales

Hostal Bellver. José Villalonga, 24. Tel. 23 16 20. Se encuentra en la zona de El terreno, cerca del castillo. Limpio, cómodo, y económico.

Hostal Monleón. La Rambla, 3. Tel. 71 53 17. Céntrico y confortable.

Hostal Borne. Sant Jaume, 3. Tel. 71 29 42. Situado junto a la muy céntrica y comercial calle de Jaime III, posiblemente es el mejor en su categoría; entre otras cosas, el edificio es monumento nacional.

Hostal Términus. Eusebi Estada, 2. Tel 25 00 14. Dos estrellas, buen servicio, y barato, pero demasiado céntrico, y algo ruidoso. Ideal para el que necesite coger el tren o algún autocar (las estaciones están al lado).

Hoteles de dos estrellas

Hotel Abelux. Ramón Muntaner, 30. Tel. 75 08 40. Cercano al canódromo, no es céntrico; muy modesto.

Hostal Azul Playa. Isla de Rodas, 24. Tel. 49 26 62. Se encuentra en la zona de Ciudad Jardín, entre El Molinar y El Coll d'En Rebassa.

Hotel Rex. Luis Fábregas, 8. Tel. 23 03 65. Agradable, con piscina-terraza, etc. Junto a la Plaza Gomila.

Hoteles de tres estrellas

Hotel Nácar. Jaime III, 21. Tel. 72 26 41. Muy céntrico y ciudadano, su ubicación le hace prescindir de las ofertas de los hoteles playeros. Más recomendable para meses invernales que para meses veraniegos.

Hotel Saratoga. Paseo Mallorca, 6. Tel. 72 72 40. Céntrico (junto a Jaime III), pero en silenciosa ubicación. Dispone de piscina.

Hotel Jaime III. Paseo Mallorca, 14. Tel. 72 59 43. Cercano al anterior, disfruta de las mismas ventajas; las mejores habitaciones dan a Sa Riera.

Hotel Costa Azul. Paseo Marítimo, 7. Tel. 73 19 40. Cercano a la Plaza Gomila, sus habitaciones tienen excelentes vistas.

Hotel Mirador Paseo Marítimo, 10. Tel. 73 20 46. Las mismas características que el anterior.

Hoteles de **cuatro y cinco estrellas**, así como alojamientos de calidad que escapan a la estrellil calificación, ofreciendo, no obstante, muy alta calidad en sus prestaciones.

Hotel San Lorenzo **** (cadena *Reis de Mallorca*). San Lorenzo, 14. Tel. 72 82 00. Fax. 71 19 01. Cercano a la Lonja, al igual que sus compañeros de cadena es íntimo (seis habitaciones), y agradable. Dispone de una pequeña piscina.

Hotel Ca La Galesa. Tel. 43 06 74. Once habitaciones con nombres de músicos; la habitación más lujosa, Gershwin; la cocina se llama Monet (por su similitud con la que usaba el pintor), y su piscina cubierta parece una terma romana.

Meliá Victoria. Joan Miró, 21. Tel. 73 43 42. Situado en el Paseo Marítimo (con entrada por Joan Miró), dispone de todo lo que puede ofrecer un cinco estrellas. Piscinas exterior y climatizada, tenis, minigolf, tiendas, etc.

Hotel Son Vida. Considerado como uno de los mejores de la isla, de él tienes cumplida referencia en el epígrafe Son Vida del siguiente capítulo (Barrios y Extrarradios).

En las afueras de la ciudad, y cercana al aeropuerto, una bonita instalación de turismo rural:

Turismo Rural Son Espases Nou. Camino de Son Espases, 7. Secar de la Real. 07010 Palma. Tel. 971-75 06 14. A dos km de la capital se encuentra esta posesion cargada de historia hasta las cachas; como curiosidad, te podemos decir que sirvió como escenario de la película protagonizada por Silvia Tortosa *La Senyora*. Dispone de tres habitaciones dobles con un baño a compartir y una suite con baño propio. Biblioteca, salón-bar, jardín, herboristería, caballos, bicicletas, etc. Incluyendo el desayuno, una doble ocupada por dos personas sale por unas 16.000.

BARRIOS Y EXTRARRADIOS...

Titulamos así éste epígrafe sin animar ningún sentido peyorativo; aquí, nos referimos a algunas zonas o núcleos de población existentes en el municipio, y que tienen nombre propio.

PLAYA DE PALMA

Integrada por las playas de Ca'n Pastilla, El Arenal, y las Maravillas, parte de ella pertenece al Municipio de Palma y parte al de Llucmajor; en total, unos cuantos kilómetros de arena, y bares, restaurantes, y hoteles hasta la saciedad. No obstante, al igual que en otras zonas turísticas de la isla, su aspecto varía mucho dependiendo de la época del año: en verano, un hormigero, y en invierno, casi todo cerrado...

Al principio era un lugar de canteras, se comenzó a urbanizar a principios de siglo, y hoy hay lo que ves: alemanes, ingleses, más alemanes, y algún español.

A lo largo de casi todas las playas, balnearios, paseos marítimos, palmeras, duchas, cruz roja, alquiler de velomares, de hamacas, de sombrillas, tiqueteros de discoteca, y últimamente, sin que la policía pueda evitarlo, trileros rumanos, famosos por su violencia.

El origen del nombre de Ca'n Pastilla parece provenir de un tabernero que a principios de siglo vendía pastillas de tabaco de contrabando.

Sobre el Arenal, al pertenecer en su gran parte al Municipio de Llucmajor, te damos información más detallada en las páginas referidas a este.

Un par de lugares

Texas. Frente al Balneario 2. Rodeo americano, esto es, búfalo mecánico para batir tus riñones.
Chon Pra-Pa. Palangres, 9. Ca'n Pastilla. Tel. 908-79 99 51. Abierto hasta las doce de la noche. Cocina Thailandesa.

Alojamientos

Aparthotel Fontanellas Playa. Caravel.la, s/n. 07610 Playa de Palma. Tel. 26 48 29. Buen servicio y modernas instalaciones.
Casa de Colonias El Catalá. Déntol, esquina Massuti. Tel. 26 03 23. Abre en julio y agosto. Ciento cincuenta plazas de capacidad. Salones, piscina, y pista de tenis.

GÉNOVA

Situada a los pies de la Sierra de Na Burguesa, a principios de siglo era un barrio obrero, y ahora, zona residencial en la que se agrupa buen número de restaurantes frecuentados fundamentalmente por los palmesanos.

Lugares de interés en esta zona son la Iglesia Parroquial de Sant Salvador (siglo XIX), la Torre de Son Berga, el Oratorio de la Bonanova, las cuevas, etc.

Las Cuevas. Tel. 40 23 87. Horario: de 10 a 13, y de 15 a 19. No tan espléndidas como las de Manacor o Artá, pero más cercanas.

Comer

Ses Coves. Barranc, 45. Tel. 40 23 87. Cercano a las cuevas y dedicado a cocina catalana: guatl.lers amb col, etc. Ni caro ni barato.
La Fosca Café. Camí dels Reis de Génova. Acogedor restaurante de ambiente tranquilo y cálida atmósfera; precios medios.

Mesón Ca'n Pedro. C/Rector Vives, 4 y 14. Tel. 40 24 79. Cocina mallorquina, pescado y caracoles.

Es Mussol. Pa amb oli, ensaladas, cocina casera, y ambiente familiar, y buenos precios; recomendable. Se encuentra a unos cien metros de Ca'n Pedro.

Sa Ximbomba. Cami dels Reis, 9. Tel. 40 07 68. Agradable local que sirve tanto para cenar, picar, o tomar una copa. Cuenta con una agradable y tranquila terraza.

Sa Foganya. Camino de Génova, 44. Tel. 40 40 68. Bar-restaurante con cocina tradicional.

SANT AGUSTÍ-CAS CATALÁ

El propietario de la mallorquina cerveza Rosa Blanca se llamaba Agustín, frecuentaba el hotel Cas Catalá, se hizo una casita, aparecieron otras, y así surgió el nombre. Poco a poco y sin solución de continuidad, el barrio se ha unido a Cala Major.

El barrio de Sant Agustí comienza aproximadamente a la altura del bello e incomprensiblemente abandonado Hotel Maricel. En dirección a Cala Major, el curioso e histórico Hotel Principe Alfonso.

Bares y restaurantes de la zona

Se cuentan por cientos...

Buona Sera. Avda. Joan Miró, 299. Tel. 40 03 22. Restaurante-Trattoría con música en vivo los viernes.

Rte. Calanova. Joan Miró, s/n. Tel. 70 21 10. Grill, paellas, y menús.

La Trattoría. Joan Miró, 309. Tel. 40 17 55. Cocina italiana a precios medios.

Bernardo's Bar. Joan Miró, 340. Comida y bebida al estilo británico.

Restaurante Na Burguesa. Camino de Na Burguesa, s/n. Tel. 70 12 63. Cocina mallorquina como en tantos otros, pero con panorámica de toda la bahía; precios medios.

Alquiler de motos, coches, jeeps...

En Joan Miró, en el nº 294, en el 330, y en el 338.

CASA BLANCA

Situada en la ctra. de Manacor, nació este poblado a finales de siglo pasado; al principio solo había una taberna de blancas paredes, y así le quedó el topónimo. Unos quinientos habitantes residentes en casas de planta unifamiliar ubicadas en los aledaños de la carretera. Inmediata a Casa Blanca, el Pla de Sant Jordi.

PLA DE SANT JORDI Y S'ARANJASSA

Si llegas en avión, será lo primero que ves de la isla; molinos de viento utilizados en su día para extraer el agua del subsuelo que anegaba la zona; Poco a poco, la salinización del agua y la construcción del aeropuerto, provocaron el paulatino abandono de estas construcciones.

Al principio eran bastante rurales. A mediados del siglo pasado, un ingeniero holandés desecó sus insalubres tierras y comenzarón a aparecer fértiles huertos que no tardaron en salinizarse, provocando un paulatino abandono. Ahora, sus vecinos ya están acostumbrados al ruido de los aviones...

Sitios de interés en Sant Jordi y la Casa Blanca son las murallas talayóticas de Cal Quitxeró, las casas de L'Aranjassa Vella, Can Mirabó, y la Escuela de la Casa Blanca, sede de la A.A.V.V. Molins de Vent.

COLL D'EN RABASSA Y SON RIERA

Ubicados en la zona sudeste del litoral de Palma, el primero es un barrio dormitorio ocupado en sumayoría por trabajadores de las zonas hoteleras del Arenal y Can Pastilla, mientras que el segundo, también conocido como Son Banya, es un pequeño núcleo de población gitana.

Dentro del Coll D'En Rebassa suelen incluirse las urbanizaciones de Ciudad Jardín y Cala Gamba, con su Club Naútico (cercana a esta última, la diminuta Cala Pudent).

Lugares de interés en esta zona son la Torre D'en Pau, la Iglesia Parroquial (siglo XIX), el deshabitado y felliniano Hotel Ciutat Jardí (estilo modernista neoárabe), la antigua estación de tren, etc.

Comer por la zona

Mesón O' Xugo. Trafalgar, 23. Tel. 49 09 03. Cierra los domingos. Situado en Ciudad Jardín, ofrece cocina gallega (pulpo), y carnes; un menú del día por menos de mil.

Balneario El Peñón. Isla de Samos, s/n. Tel. 26 04 28. Tapas y copas en una terraza desde la que se ve toda la bahía de Palma.

El Coto. Isla de Chipre, 37. (Ciudad Jardín). Tel. 26 03 96. Gran terraza con piscina, bar, y barbacoa. Precios medios.

Restaurante-Arrocería Saboga Paseo Cala Gamba, 19. Tel. 74 36 85. Se encuentra frente al Club Naútico de Cala Gamba, y ofrecen pescados frescos, calderetas de langosta, parrilladas de marisco, etc. Bien situado.

Restaurante Cala Gamba. Paseo Cala Gamba. Tel. 26 10 45. Ubicado dentro del Club Naútico, es muy conocido; Bacalao con salsa de tomate, pimientos de piquillo, agujas de bacalao, etc. Buena relación calidad precio.

EL MOLINAR

Abarca la zona comprendida entre El Portixol y el Coll d'En Rebassa, y las características de su paseo máritimo son cuestionables (al ménos eso piensan los vecinos).

Comer por la zona

Club Naútico El Molinar. Vicario Joaquín Fuster, 2. Tel. 27 34 79. Una excelente terraza muy frecuentada por los palmesanos para tomar paella.

Es Molins. Joaquín Fuster, s/n. Tel. 41 12 12. Cocina italiana en una terraza frente al mar.

SON VIDA

Urbanización de lujo, campo de golf, y Hotel de lujo, con expléndidos salones, y buena pinacoteca.

Son Vida Golf. Urb. Son Vida. 07013 Palma. Tel. 79 12 10. Fax. 79 11 27. El primer campo de golf inaugurado en Mallorca.

Hotel Son Vida. Urb. Son Vida. Tel. 79 00 00. Fax. 79 00 17.

ESTABLIMENTS

Desde varios lugares de la autopista verás la descomunal cantera conocida como Sa Pedrera, sempiterna fuente de ruidos y molestias para los habitantes de este barrio.

Antiguamente la zona se llamaba Pocafarina; en el siglo XVI se parceló en *estableciments*, y en el siglo pasado era municipio propio, pero la cosa no era rentable, y en 1919 se incorporó a Palma. Ultimamente, sus habitantes vuelven a pensar en la independencia municipal.

Tranquila ciudad dormitorio de los palmesanos.

Su bar mas popular, **Es Portxo**, y también **La Cruz** (frente al restaurante **Real**).

LA INDIOTERÍA

Tradicionalmente agrícola, ha devenido en barrio dormitorio y zona de servicios; en ella, encontrarás zona urbana, zona rural, el polígono industrial, y el Hipódromo de Son Pardo.

Edificios de interés, la Iglesia Parroquial de Sant Josep del Terme, la antigua Escuela de Agricultura, y la soberbia posesión de Son Nicolau, donde se encuentra el refinado y snob local **Abacanto**, alhajado tan exageradamente que raya en el mal gusto.

ES SECAR DE LA REAL

En 1235, poco después de la conquista, el rey Jaime acepta que los cistercienses se instalen aquí; levantan el monasterio de Es Secar de la Real -de aconsejable visita-, y poco a poco surge el actual núcleo, tranquilo y de rústico aspecto.

En el monasterio, una descomunal biblioteca con valiosos incunables, entre ellos, el Llibre del Consolat del Mar.

SON SARDINA

Modesto -al principio- barrio de casas bajas que tuvo su origen en la parcelación de un predio llamado Son Ripoll. A visitar el artesonado de la iglesia, la plaza de esta, y la calle principal, llamada familiarmente Passatemps.

ISLA DE CABRERA

La incluimos en éste capítulo por pertenecer al municipio de Palma.

Con una superficie de 10.021 hectáreas, el Parque Nacional de Cabrera es el único parque marítimo-terrestre de todo el Mediterráneo Occidental; considerado como un refugio único para gran número de especies marinas y terrestres, no debes dejar de visitarlo.

El archipiélago está formado por los islas de Cabrera y Conejera, y los islotes de Na Pobra, Na Redona, Na Plana, etc. Está prohibido desembarcar en los islotes así como penetrar en las Calas Emboixar, Santa María, Es Codolar, L'Olla, al igual que el Cap Ventós, es Burrí, y todo el sur y suroeste de la isla. A pesar de todo, permanecen los posibles usos militares de la isla.

Para llegar, en barco; existen dos opciones:

Excursiones en barco:

Tel. 64 90 34 (salidas desde la Colónia de Sant Jordi).

Tel. 65 70 12 (salidas desde Porto Petro).

A finales de febrero del 95 se aprobó el plan rector de uso y gestión del Parque Nacional de Cabrera, que tendrá una vigencia de seis años. En el, se mantiene la limitación del número de embarcaciones fondeadas (50), la prohibición de la pesca deportiva, y la navegación en determinadas zonas. También en el área terrestre hay limitaciones: se habilitan áreas de máxima protección y otras de acceso restringido.

Se mantiene el acceso al castillo y a la playa de la bahía interior, así como el acceso a la famosa **Cova Blava.**

El camino que atraviesa la isla es una carretera con código y todo: es la PM-620, esto es, pertenece al Govern Balear (las del Consell Insular de Mallorca son las PMV).

COMARCA DE LA TRAMUNTANA

Municipios de Calviá, Andratx, Estellencs, Puigpunyent, Banyalbufar, Esporles, Valldemossa, Deiá, Bunyola, Sóller, Fornalutx, Escorca, Pollença, y Alcudia.

Conocida popularmente como la montaña de Mallorca, la Serra de Tramuntana se extiende de noreste a suroeste a lo largo de unos 90 kilómetros de accidentada topografía, hallándose en su territorio las mayores alturas de la isla: Puig Mayor (1.445 m), Massanella (1.340 m), L'Ofre (1.090 m), Tosalls (1.074 m), Teix (1.064 m), Galatzó (1.026 m), Puig Roig (1.003 m)...

Es, asimismo, la zona de las Baleares que registra mayor índice pluviométrico, incluso a veces de nieve, como demuestran algunas antiguas construcciones dedicadas a la recogida de ésta para su posterior venta a la capital (casas de nieve).

Desde los años cincuenta, a causa del turismo, La Serra ha sufrido una profunda transformación: declive de la actividad agrícola en algunos municipios, y fuerte desarrollo económico en otros merced al turismo; entre los primeros, cabría citar Calviá, Andratx, y Pollença, y de los segundos pueden mencionarse Banyalbufar, Estellencs, Esporles...

Sin pertenecer propiamente a la Tramuntana, hemos incluido Alcúdia en esta comarca por tener este municipio mas concomitancias con la Serra que con la comarca limitrofe (El Raiguer).

MUNICIPIO DE CALVIÁ

(Calviá, Palma Nova y Magaluf, Peguera, Santa Ponça, Cala Major, Bendinat, Portals Nous, Puerto Portals, e Illetes)

CALVIÁ

Direcciones y teléfonos de interés

Ayuntamiento: Tel. 13 91 00. El volumen e importancia

del Municipio hacen que disponga de multitud de servicios municipales; así, hay delegaciones municipales (con información turística) en Santa Ponça, Palmanova, Peguera, y Capdellá); existe asimismo una línea 900 de quejas, peticiones, y sugerencias: 900-690-690.

Oficina de Información Turística: Ca'n Vich, 29 (07184 Calviá). Tel. 13 91 09. Fax. 13 91 46.

Internet Calviá (Información Turística): Directorio WWW. BITEL ES / CALVIÁ MALLORCA.

Equitación

Es Pas. Ctra. Calviá-Puigpunyent. Tel. 67 01 39. Clases de equitación, doma, y salto, excursiones a caballo con acampada, etc.

Club Escola Equitación Son Gual. Ctra. Establiments-Puigpunyent, km. 2. Tel. 67 63 69. Clases hípicas de salto y doma, excursiones, club social y piscina.

La visita

Iglesia Parroquial. Visitas de 10 a 13 todos los días excepto los viernes. Del siglo pasado, es de estilo historicista con algunos elementos neorrománicos y neogóticos.

En la fachada, sobre el portal principal, San Juan Bautista bautizando a Jesús, y la tarición del huerto de los olivos.

En el interior, Sant Antoni con un lechón negro, Sant Sebastiá en un retablo barroco, la Capilla de la Inmaculada, la de Sant Josep, y la de Sant Francesc de Paula. Para completar la visita, el presbiterio, un antiguo lienzo de Ramón Llul sobre la pila bautismal, y el patio de la rectoría.

Capilla de la Pedra Sagrada. Se encuentra a la derecha de la ctra. Palma-Andratx, tras el cruce de Cala Figuera-Casino. Por aquí fueron las primeras escaramuzas entre cristianos y musulmanes tras el desembarco de Jaime I, y según la leyenda, la primera misa oficiada se celebró sobre la piedra que ves en el interior.

Alojamientos

En el núcleo de Calviá no existe ningún alojamiento; la inmensa oferta hotelera del municipio se reparte en la zona costera. Únicamente existe un alojamiento alternativo:

Granja Escuela de Son Roig. Ctra. de Calviá-Puigpunyent, km. 2. Tel. 71 92 04. Abre todo el año. Funciona como Casa de Colonias y tiene noventa plazas de capacidad. Comedor, sala de reuniones, cocina...

PALMA NOVA Y MAGALUF

Oficinas de Información Turística:
Passeig de la Mar (07181 Calviá). Tel. 68 23 65.
Avda. Magaluf. (07182 Calviá). Tel. 13 11 26. Fax. 13 21 45.
Asociación de Hoteleros de Palmanova y Magaluf: Galeón, 6. Tel. 13 06 95.

La Punta de Sa Porrasa separa las playas de Palmanova y Magaluf, de las que tomaron su nombre estas dos zonas, plagadas de bares, restaurantes, hoteles, disco's, y de todo lo imaginable...y destinado fundamentalmente a ingleses y alemanes.

No obstante, en invierno el tema es el contrario, y lugar aparece apagado; son Magaluf y Palmanova, pues, máximos exponentes, al igual que Calas de Mallorca, Cala D'Or, etc, de explotación intensiva del sol y la playa. Según la época del año en que aparezcas por aquí, el paisaje urbano de Magaluf y Palmanova (del otro tipo no queda), es diferente.

Sobre el nombre de Magaluf, unos dicen que proviene del judío Magaluf ben Jusef, del siglo XIII; otros dicen que deriva del árabe **Magol-lufa**, esto es, gente de palabra. Abarca la zona comprendida entre Sa Porrassa y Cala Vinyes.

Comenzado a urbanizar a principios de los años sesenta, constituye el más claro estereotipo de lo que se ha dado en llamar Balearización.

Bares, pubs, ingleses, joligans, más bares, más ingleses...

Por aquí cerca, en la calle de la Rosa (Urbanización Sol de Mallorca), se encuentra la **Navetiforme Alemany**, construcción pretalayótica de la que se conserva toda su planta. De 19 metros de longitud, en ella se encontraron punzones, molinos de mano, algún idolillo, etc.

Recibe este nombre del propietario de los terrenos e impulsor de las excavaciones, Lluís Alemany.

Ocios, negocios, y diversiones

Nemo Submarines. Pedro Varquer Ramis (esquina c/ Galeón). Tel. 13 02 27. ¡Un submarino de verdad! La excursión, de unas tres horas de duración, comienza en el centro de recepción, que mas que nada es una tienda de gadgets y recuerdos; después, un viaje en barco hasta el Islote del Sech, y transbordo al -en terminología germana-, U-Boot. Es muy interesante, caro, y no admiten niños; además, te dan un certificado de inmersión.

Neptuno-Sub. Pedro Varquer Ramis, 8. Tel. 13 12 11. Barco de visión submarina más barato que el submarino; sale desde la playa de Magaluf tres veces al día (10'15, 12 y 15'15). Los adultos algo ménos de dos mil, y los niños la mitad.

Golf Poniente. Ctra. Cala Figuera. Costa de Calviá. Tel. 13 01 48. Fax. 13 01 76. 18 hoyos, y abierto todo el año; una clase de 30 minutos viene a salir por unas 2.500.

Aquapark. Ctra. Cala Figuera. Tels. 13 13 71-13 08 11. Complejo acuático ideal para los que gusten de éste tipo de juegos.

Dorado Nigth City. Ctra. Cala Figuera (Sa Porrasa). Tel.13 12 03. Abre desde la 20'00 hasta las cinco de la madrugada. Sus gestores, ligados a Aquapark, lo definen como el mayor complejo de ocio nocturno de Europa. Aprovechando las instalaciones del antiguo poblado del oeste, han montado cuatro restaurantes, pubs, disco-pubs, discoteca, heladería, barbacoa, heladería, área comercial, área infantil, en resumen, 60.000 metros cuadrados dedicados a la diversión.

Mano's Bar. Cerca del Britannia se encuentra el mítico y decano de los locales de la zona; frecuentado casi únicamente por británicos, merece con creces una visita; no te arrepentirás.

BCM. Conocida popularmente como La Macro, posiblemente es la discoteca más grande de Europa. Por lo menos es el más importante coto de caza de ligones y picadores de la isla. En alguna ocasión la han expedientado por servir garrafa.

Marineland. Costa d'en Blanes. Tel. 67 51 25. Abre todos los días, los menores de 3 años pasan gratis, y los de tres a doce tienen descuento. Situado entre Palma Nova y Portals Nous, se le considera el mejor espectáculo de delfines y focas del mundo; además, papagayos, tiburones, pingüinos, monos, parque infantil, cafetería, etc. La chiquillería se lo pasa en grande.

Junto a Marineland, una playa. La profesionalidad del equipo de Marineland queda demostrada por el hecho de que cada vez que en la isla aparece algún animal marino herido (tortugas con un anzuelo, delfines heridos, etc.), se le trae aquí directamente.

Cappuccino Grand Café. Se encuentra en el nº 18 del Passeig de La Mar. Un sitio interesante: bien decorado, gran variedad de cafés, y todo tipo de bebidas.

Alojamientos

La zona está plagada de hoteles, apartamentos, etc, miméticos unos de otros, incluso en su arquitectura.

Por esta zona, la Cadena Sol (de la que te dimos su línea 900 al principio de esta guía), tiene una docena de hoteles.

Hostales

Hostal Bélgica. Jaime I, s/n. Tel. 68 08 02. Un hostal como tantos otros; válido para un par de días.

Hostal Residencia Gil. Rosses Bermejo, 11. Tel. 68 05 99. Hostal con piscina.

Tres estrellas

Hotel Bermudas. Pinzones, s/n. Tel. 68 00 50. Cercano a la playa, no es caro.

Hotel Delfín Playa Sol. Montcadas, 29. Tel. 68 01 00. Considerado uno de los mejores de la zona, se halla muy cercano a la playa de Palmanova.

Hotel 33. Cas Sabones, 82. Tel. 68 14 70. En su momento, el nombre venía a cuento de que únicamente alojaba a menores de 33 años. Buena relación calidad-precio.

Hotel Olympic. Miguel de los Santos Oliver, 15. Tel. 68 12 08. Similar a sus compañeros...

Hotel Barracuda. Notario Alemany, s/n. Tel. 13 12 00. Muy cercano a la playa de Magaluf.

Cuatro estrellas

Hotel Punta Negra. Pta. Negra-Ctra. Andratx. Tel. 68 07 62. Buenas vistas, alta calidad, y precios de cuatro estrellas.

Hotel Comodoro. Casablanca, s/n. Tel. 68 02 00. Uno de los clásicos de la zona.

Hotel Son Caliú. Avda. Son Caliú, 8. Tel. 68 01 62. De los mejores de la zona, cercano a la Cala de son Caliú, en Palmanova.

Hotel Flamboyan. Ros García 16. Tel. 68 04 62. Céntrico y muy bien situado: pegado a la playa.

PEGUERA

Oficina de Información Turística: Pça. Aparcaments, 78 (07160 Calvià). Tel. 68 70 83. Fax. 68 54 68.

Situada en la zona suroeste de la isla y resguardada del viento por las cumbres del Galatzó, Na Marió, y Garrafa, Peguera cuenta con estupendas playas muy alrededor de las cuales creció lo que hoy se vé; las mejores o más recomendables pueden ser éstas: la Playa del Mort, la de Torá, la de Palmira, esta última muy frecuentada por windsurfistas, Cala Monjó (para nudistas), y la mas famosa, Cala Fornells, con 13.000 metros cuadrados de gruesa arena.

Diversiones

La Sirena y el Dimoni. En 1995 el Ayuntamiento de Calvía contrató un espectáculo acústico-visual bastante impresionante: durante el verano, cada noche, sobre la playa de Santa Ponça, una mezcla de rayos láser y dioramas proyectaban las figuras de una sirena y un demonio. En 1996 le toca a Peguera.

Balneario Paguera. Playa Paguera. Tel. 68 65 85. Restaurante, mini golf, duchas, hamacas...

Cormorán. Calle Playa. Excursiones de dos horas de duración a bordo de un barco con fondo de cristal y un itinerario bastante completo: Costa de la Calma-Bahía de Santa Ponça-Islas Malgrat-Cala Blanca-Camp de Mar-Cabo Andritxol-Cala Monjó-Cala Fornells. Zarpa todos los días a las 11, y te dejarán subir a cambio de 1.300.

Dos restaurantes y un hotel

Restaurante La Gritta. L'Espiga (Cala Fornells). Tel. 68 60 22. Pescados frescos y pastas.

Restaurante Ambassador. Cocina de calidad. No es barato.

Alojamientos

Tres y cuatro estrellas

Hotel Beverly Playa ***. Tel. 68 60 70. Situado frente a la playa, en la zona conocida como La Romana, dispone de unas ochocientas habitaciones y de las prestaciones comunes (piscinas -una de ellas cubierta-, mini golf, tenis, parque infantil, etc.). **Club Galatzó** ****. Ctra. Andraitx, km. 20. Tel. 68 62 70. Agradable, tranquilo, y caro.
Hotel Villamil *****. Ctra. Andraitx, km. 22. Tel. 68 60 50. Cercano al anterior, y de similares características.
Hotel Mar i Pins ***. Madreselva, 2. Tel. 68 69 32. El nombre le viene que ni pintado; se encuentra en primera línea de playa.

Precios medios

Tres hostales de características muy similares, y un pequeño hotel familiar muy recomendable:
Hostal Restaurante Cupidor. Ctra. Capdellá, 4. Tel. 68 62 27.
Hostal Diamante. Palmira, 4. Tel. 68 66 29.
Hostal Picadilly. Avda. de Paguera, 69. Tel. 68 81 05.
Hotel Platero. Gaviotas, s/n. Tel. 68 67 93. Tienen pocas plazas, y la mitad de ellas las ocupan las mismas personas desde décadas... Ambiente familiar y agradable trato; De la familia, Dani Mari Roke, experto en turismo, con un par de masters a sus espaldas.

SANTA PONÇA

Aquí se inició la conquista de Mallorca el ocho de septiembre de 1229. El rey Jaime había partido de Salou seis días antes...

Oficina de Información Turística: Puig de Galatzó, s/n. (07180 Calviá). Tel. 69 17 12. Fax. 69 41 37.
Golf Santa Ponça. Urb. Nueva Santa Ponça. 07184

Calviá. Tel. 69 02 11. Fax. 69 33 64. Generalmente considerado como el campo más completo de la isla, es el punto de encuentro para el Open de Baleares.

A visitar

Cruz de los Moncadas. De hierro y con pedestal de piedra, la leyenda dice que junto a ella, bajo un pino, fueron enterrados los caballeros Moncada, muertos durante la batalla de la conquista.

Parra Torres. Este escultor colombiano realizó la descomunal escultura que puedes ver en la Plaça de Santa Ponça.

Es Castellot. Se encuentra frente al número 11 de la calle Huguet des Far. Torre-atalaya del siglo XVIII. De propiedad privada.

Cruz del Rey Jaime I. Se halla en la Vía de la Creu. Levantada en 1929 con motivo del séptimo centenario de la conquista.

Puig de Sa Morisca. Se encuentra frente al número 42 de la calle Puig de Sa Morisca, y cerca, siguiendo la alambrada del campo de golf, el interesante Talayot de Son Miralles. En el se encontraron restos arqueológicos de épocas talayótica, púnica, árabe, etc. Según el historiador Mascaró Pasarius, aquí se planto la primera bandera cristiana.

Villa Romana de Sa Mesquida. Se halla junto al aparcamiento del supermercado Gigante. A tenor de los restos de cerámica hallados en ella, se calcula su actividad entre los siglos I a.C y II d.C. Se conservan restos de algunas habitaciones y de pavimento.

La Fiesta. El 8 de septiembre comienza el "desfile" de moros y cristianos previo a la batalla del día siguiente en la que se reproducirá el desembarco de las naves cristianas ocho siglos antes; la conmemoración suele cerrarse con una velada de rock.

De vez en cuando, los militares también conmemoran esto, y junto al islote del Sec, a unos 20 metros de profundidad y cerca del recorrido del submarino turístico, una placa de 200 kg. sustentada por dos obuses y colocada por buceadores militares conmemora un cincuentenario militar.

Comer

Restaurante President. Calle Ramón de Moncada, 26. Tel. 69 39 16. Respetable menú por unas 1.000.

Grill El Ceibo. Edificio Xaloc. Tel. 69 40 36. Su especialidad es la carne a la parrilla; abre a las siete de la tarde y cierra los lunes (no es barato).

Bangkok Thai Restaurant. C/Ramón de Moncada, 38. Tel. 69 57 36. Comer muy bien en una zona turística por menos de dos mil es todo un descubrimiento; la comida es excelente y aquí van dos indicaciones: una, tienen dos cartas, la amarilla y la verde, siendo la primera la de los platos económicos; otra, el camarero no tiene ni idea de servir, y encima no habla español, o sea que es mejor que te entiendas directamente con la cocinera. Abre todos los días a partir de las siete de la tarde y también preparan platos para llevar.

Alojamientos

La oferta se concentra en establecimientos de características medias.

Hostal Restaurante Oeste. Avda. Jaime I, 69. Tel. 69 02 66. Buena relación calidad-precio.

Hotel Casablanca. Rey Sancho, 6. Tel. 69 03 61. Situado a unos doscientos metros de la playa (no es poco).

Hotel Royal Jardín . Huguet des Far, s/n. Tel. 69 09 11. También conocido como jardín del Mar, está muy bien situado (junto al mar); piscinas exterior y cubierta. Tres estrellas.

Hotel Rey Don Jaime. Puig Major, 5. Tel. 69 00 11. Bonito y personal edificio, bien situado y con buenas vistas.

Hotel Plaça Santa Ponça. Plça. Santa Ponça, 2. Tel. 69 00 32. Céntrico y bien situado, dispone de un buen restaurante.

CALA MAJOR

Una playa de fina arena, de más de doscientos metros de longitud, y unos 11 de anchura...

Hoteles, bares, restaurantes, ciudad veraniega casi exclusivamente.

Un par de restaurantes

El Ranchito de Oriente (restaurante Indonés). C/ Miguel Roselló Alemany, 11. Tel. 40 39 15. Abre todos los días (excepto domingos) a partir de las siete, y por ejemplo puedes tomar por

1.500 una *mesa de arroz,* consistente en un combinado de 14 platos; para acompañar este tipo de comida es mas aconsejable la cerveza antes que el vino. Recomendable.

Parrilla Buenos Aires. Joan Miró, 280. Tel. 40 18 42. Carnes a la parrilla a buenos precios.

BENDINAT

"*Bé hem dinat*" (hemos cenado bien) es la frase que, según la tradición, pronunció el Rey Jaime después de dar cuenta de un trozo de pan y una cabeza de ajos; los historiadores dicen que en realidad su cena consistió en un pedazo de vaca.

Bendinat es conocido por su golf, urbanizaciones, y residencias de lujo.

Real Golf de Bendinat. Urb. Bendinat. C/ Campoamor. 07015 Calviá. Tel. 40 52 00. Fax. 70 07 86. Abierto todo el año, aunque no practiques este deporte, merece la pena verlo: se encuentra en un bonito valle, rodeado de almendros, pinos, olivos... Es el segundo en importancia de toda España después del de Valderrama en Madrid, y sus obras de ampliación a 18 hoyos están sentando como un tiro a los grupos ecologistas, que se quejan del alto consumo de agua que provocará.

Limítrofes con el golf, dos elementos arquitectónicos de singular valor arquitectónico: un pequeño acueducto del siglo XVII que abastecía de agua al cercano Castillo de Bendinat, y una antigua excavación acuífera de unos 300 metros de profundidad.

PORTALS NOUS

Cercano a Bendinat, y agrupado en parte en torno a la carretera.

Visitar

Oratorio de la Mare de Déu de Portals. Construido en 1863 por el Marqués de la Romana, cuenta con una imagen de María que en su día fue muy venerada por los habitantes de Calviá. Desde el pueden verse el islote d'en Sales, Portals, Palmanova y Magaluf.

Un hotel y un restaurante

Hotel Bendinat *** (cadena *Reis de Mallorca*). Avda. Bendinat, 58. Portals Nous. Tel. 67 57 25. Fax. 67 72 76. Como todos los de la cadena, íntimo, idílico, y caro.

Bar Restaurante The Coral. Ctra. de Andratx, km. 10'4. Tel. 67 66 11. Situado junto a la librería inglesa, a primera vista parece el típico restaurante "de batalla" típico de las zonas turísticas, pero no es así; increíble paté casero y otras delicias impensables; la carta de vinos puede dejarte pasmado (Paternina de 1920, por ejemplo). Abre de lunes a sábados y no es barato, pero como ya te hemos comentado en otras páginas, gran parte de la restauración de estas zonas hiperturísticas es, no solo cara, sino también decepcionante.

PUERTO PORTALS

Elitista y fotogénico, con un lujoso puerto deportivo.

Aquí se encuentra uno de los mas chics restaurantes de la isla:

Restaurante Tristán. Tel. 67 55 47. Cuatro tenedores y nouvelle cuisine. Un poco pretencioso.

ILLETAS

Oficina de Información Turística: Ctra. Andratx, 33 (07015 Calviá). Tel. 40 27 39. Fax. 40 54 44.

Contigua a Cala Major, toma esta zona su nombre de tres islotes cercanos. Hay una zona militar que comienza a revertir al municipio. Playa de unos sesenta metros por veinte, arena fina, bar, hamacas, duchas, velomares...

Y hoteles y chalets de veraneo en cantidades industriales.

Alojamientos

Abundan en la zona los hoteles de cuatro estrellas...

Hotel Bon Sol **** (cadena *Reis de Mallorca*). Paseo de Illetas, 30. Tel. 40 21 11. Fax. 40 25 59. Muy bonito, cercano a la playa, y caro.

Hotel Meliá del Mar ****. Paseo de Illetas, 7. Tel. 40 25 11. Inmediato al mar, cuenta con un impresionante jardín y todas las comodidades.

Hotel Bonanza Playa ****. Illetas, s/n. Tel. 40 11 22. Lujoso y junto a la playa, sus clientes tienen descuento en el Golf de Bendinat.

MUNICIPIO DE ANDRATX

Andratx, Puerto de Andratx, Sant Elm, y Dragonera.

ANDRATX

Ayuntamiento: Tel. 67 10 21.
Policía Local: Tel. 67 40 67.
Centro de Salud: Tel. 67 17 63.

Un municipio de montañoso paisaje, con una costa salpicada de calas y acantilados...

La visita

Santa María de Andratx. De estilo neogótico, se encuentra en la parte alta de la ciudad. Una nave de bóveda de crucería, y seis capillas a cada lado. Casi todo lo que ves fue construido entre 1720 y 1773.

En el interior, Santa María, la Mare de Déu del Roser, Sant Bartomeu, La Dolorosa, un original Sant Pere, un Sant Crist, y por si eres de Madrid, un San Isidro; cada dos de agosto, en esta iglesia se conmemora el desembarco de las tropas turcas en Andratx en 1578.

Son Mas. Torre fortificada del siglo XV.

Calles y zonas dignas de ver: Sa Plaça, Pou Amunt, Es Collet Roig, Son Curt...

Andratx es famoso por sus helados de almendra cruda o torrada; los puedes degustar en **Ca'n Nero** (Archiduque, 27), o en **Ca'n Toneta** (Juan Carlos I, 2).

Bares y Cafés en la Plaza de España, pastelería en Juan Carlos I, panaderías en Libertad y Metge Pujol...

Bodega Santa Catarina. Ctra. Andratx-Capdellá, km. 4. Abierta al público de 12 a 14, elaboran vinos, de los que ofrecen degustación los domingos; podrás probar un Chardonnay, un Merlot, o un Caubernet Sauvignon.

La Trapa. Llamada así por haber sido ocupada por los monjes trapenses durante unos pocos años durante el siglo pasado, la conforman un pequeño conjunto de casas. Gestionada por el GOB (Grup d'Ornitología Balear), desde ella se contemplan excelentes vistas de la Dragonera.

Alojamientos

Se concentran, como en otras ocasiones, en la costa, en este caso, en el Port d'Andratx.

Refugi de la Trapa. Información y reservas: GOB (Grup d'Ornitología Balear). C/ Verí, 1. Palma. Tel. 72 11 05. Instalaciones: Ninguna; sus paredes sin techo se usan para poner tiendas de campaña junto a ellas.

Hotel Camp de Mar. Avda. Platja, s/n. Tel. 67 42 00/10 52 00. Bien situado en esta sosegada zona de la costa.

PUERTO DE ANDRATX

Oficinas del ayuntamiento y consultorio médico: Tel. 67 13 00.

Quedan lejanos los tiempos del primer hotel de la zona, el **Playa**; hoy en día, el Port y sus zonas adyacentes son tierra conquistada por la jet, la biutiful (a veces más ful que biuti), y los navegantes de dinero; restaurantes caros y caras famosas (especialmente en verano).

Lo primero que verás al llegar son los yates amarrados en seco, que parecen navegar sobre la barrera de antorchasis que oculta la verja del club.

Lo segundo, las características farolas anaranjadas del puerto, y después, la escultura Vela al Viento, de Bárbara Weis.

Visitas

Nostra Senyora del Carme. Acabada en 1928 y de

sencillo estilo, sólo tiene una nave; en el presbiterio, *Nostra Senyora* flanqueada por Ramón Llul, Santa Catalina Thomás, San Alonso Rodriguez, y San Luis Gonzaga.

Capillas dedicadas al Corazón de Jesús, a Santa Teresa del Niño Jesús, a Santa Magdalena Sofía Barat, a Sant Pere, a la Purísima...

Quizás sea por el contraste, pero cuanto más turístico es un sitio, más interesante puede resultar la visita a lugares religiosos.

Bares, tiendas, restaurantes...

La Consigna. Mateo Bosch, 19. Panadería, pastelería, y café.

Papaya Bar. Ambiente caribeño y coctails al uso.

Bar Mitji-Mitj. Perteneciente al hijo del Marqués de Vilallonga, en verano suele estar de bote en bote; a finales de 1995 la Benemérita lo precintó temporalmente por temas de estupefaccientes y similares.

Bar Tim's. Cercano al anterior (Almirante Riera Alemany, 7), es el clasico del puerto, el local de toda la vida...

Bar-Restaurante Gran Sol. Ctra. Camp de Mar. Tel. 10 56 03. Carne, pescado fresco, paellas, etc; dos tenedores y precios acordes.

Restaurante Las Palmeras. M. Bosch, 10. Tel. 67 17 28. Frente al mar, y de precios medios, es el restaurante de todo el año...

Restaurante El Coche. Mateo Bosch, 14. Tel. 67 19 76. De similares características al anterior, sus precios son ligeramente superiores. Junto a el, el pretencioso y elegantote Pub Noray.

Restaurante Layn. Almirante Riera Alemany, 21. Tel. 67 30 11. Quizás el mejor de la zona: pescados frescos, buena carta de vinos, y magnífica terraza. No es caro teniendo en cuenta la calidad ofrecida.

Por los alrededores

La Torre de Cala en Basset. Construida en el siglo XVI en un punto estratégico que cerraba el paso del estrecho de Sa Dragonera, primero servía para vigilar la aparición de moros en la costa, y más tarde para fastidiar a los contrabandistas de tabaco.

Al momento de redactar estas líneas, la pobre torre se cae a pedazos; quizás cuando lleges la hayan restaurado un poco o, al menos, esté más limpia.

Alojamientos

Un hotel de cinco estrellas, otro de categoría mediana, y dos hostales:

Hotel Restaurante Villa Italia. Cno. San Carlos, 13. Tel. 67 40 11. Pequeño (16 habitaciones), lujoso, y caro.

Hotel Brismar. Almirante Riera Alemany, 6. Tel. 67 16 00. Situado en primera línea de playa, y menos caro que el anterior.

Hostal Moderno. Ctra. Camp de Mar, 37. Tel. 67 16 50. Precios medios y ambiente familiar.

Hostal Catalina Vera. Cno. San Carlos, s/n. Tel. 67 19 18. Similar al anterior.

SANT ELM

Situado a unos 8 km. de Andratx, posee la playa más occidental de la isla y es el punto de partida para acceder a la Dragonera (a unos setecientos metros).

Los escasos doscientos metros de longitud de esta playa -frecuentada principalmente por palmesanos y vecinos del cercano S'Arracó- hacen que sea la más extensa del municipio. Frente a ella, el islote de Es Pantaleu, primer trozo de tierra mallorquina pisado por Jaume I y sus compañeros de conquista.

A Sant Elm se llega por la PM-103, carretera de fondo de saco (esto es, volverás por donde viniste) que parte de Andratx y cruza el pequeño núcleo de S'Arracó.

Restaurantes

Restaurante Ardesia. Cala Conills, 1. Tel. 10 92 33. Carnes y pescados no demasiado baratos.

Restaurante Cala Conills. Cala Conills. Tel. 10 91 86. Lo mejor, sus terrazas y sus vistas; pescado fresco a precio de pescado fresco.

El Castillo

Primero fue un oratorio ordenado construir por Jaume II en

1279 bajo la advocación de Sant Elm, patrono de los navegantes; ménos de 30 años después, el mismo monarca, -cansado de ver moros en la costa-, ordenó adosarle una torre defensiva, cosa que sirvió de poco, pues los piratas berberiscos entraron y profanaron el sagrario, la capilla, y todo lo que se les puso por delante; al final, la cuestión quedó en castillo a secas.

Además de los lugares que te hemos mencionado arriba, no estará de más que le heches una ojeada a Sa Mola, Cala Degos, Na Galinda, Cap Andritxol, Camp de Mar, etc; como en otros lugares, cuanto más complicado resulta el acceso, más bonito es el paraje.

DRAGONERA

Como Llegar

Desde Sant Elm parte la coquetona embarcación de **Cruceros Margarita**, empresa familiar integrada por Pedro Reynés y Josep Calafat.

Desde el Puerto de Andratx, con la compañía **Ferribus** (Tel. 67 31 73), en la calle Zorrilla.

Al igual que en otros Parques Naturales o *Áreas Naturales de Especial Interés* de Mallorca, (v.gr. Cabrera) está prohibido hacer fuego, llevar animales domésticos, recoger plantas o animales, circular fuera de los caminos, etc.

Caminos que, por otra parte, son carreteras del Govern Balear, con su código carreteril pertinente: PM-120 y PM-121.

Historia

En Sa Dragonera se han encontrado -junto a Cala Lladó-, restos talayóticos, y cerca, cerámica y sepulturas romanas; fueron destruidas muchas de estas últimas para cultivar alguna hortaliza. También se hallaron algúnos restos de cerámica (platos y cuellos de ánfora) de origen árabe en la Cova des Moro...

Jaime I hace referencia a ella al hablar de la conquista de Mallorca, y al repartir el territorio, Dragonera pasa a ser propiedad del obispado de Barcelona, situación que se prolonga hasta 1811, no sin fricciones, ya que durante la Edad Media los halcones de cetrería procedentes de la isla eran famosos, y a los reyes de Aragón no les hacía gracia tener que pedir halcones al señor obispo.

Durante los siglos XIV, XV, y XVI, la frecuentaban piratas y corsarios; se les ahuyentó y se levantaron algunas atalayas.

A mediados del siglo pasado, un grupo de presos construyó el camino de piedra que lleva hasta Cala Popi, y poco después se edifico el faro homónimo; en 1903 se construyen dos faros más.

Poco después, servía para contrabandear tabaco, café, y lo que se terciase; en los años setenta se intentó urbanizar y los grupos ecologistas pusieron el grito en el cielo; en 1983 las Normas Subsidiarias de Andratx (municipio al que pertenece) la calificaron como Elemento Paisajístico Singular no urbanizable, en 1988 pasó a ser propiedad del Consell Insular, y en enero de 1995 fue declarada Parque Natural.

Por una vez, el tema tuvo un buen final.

Etimología

Existen dos teorías: una, la apariencia de dragón (lagarto) dormido que tiene la silueta de la isla; otra, la presencia de sargantanas (especie de lagartijas), que por cierto, constituyen especie endémica de la isla.

Un par de datos técnicos

Se extiende de nordeste a sudoeste ocupando 228 hectáreas de irregular topografía, y su principal altura es Na Popi (360 m).

La luz del faro de Llebeig alcanza 34 millas, la del de Tramuntana 85, y la del faro antiguo (Es Faro Vei) 20.

Cada verano, la *Agrupació Esportiva Voltors*, organiza la Volta A Sa Dragonera en piragua; parten desde Sant Elm, y tardan unas tres o cuatro horas en completar el bucle.

En Dragonera nidifica la colonia de halcones reales (unas 66 parejas) mas numerosa de España; además, está el águila pescadora, multitud de avifauna, y la sargantana, lagartija endémica de la isla.

Rincones de Dragonera

Es Lladó y Cala Lladó. Un refugio natural en la costa.

La Cova des Moro, que era la única fuente de agua dulce de la isla; después de la conquista, fue cegada para que los piratas no se aprovecharan de ella, y se desconoce su ubicación.

El Tancat y el Coll Roig, las dos zonas de cultivo de la isla.

El Cap de Tramuntana, en el nordeste de la isla, coronado por un faro.

Cap Llebeig y su faro.

Torre de Llebeig, construida en 1585 y de planta circular.

Na Pópia, la mayor altura de la isla.

Torrente de Cala Cucó.

MUNICIPIO DE ESTELLENCS

Estellencs y Cala Estellencs

ESTELLENCS

Ayuntamiento: Tel. 61 85 21

De etimología que según algunos procede del latín "stellens", resplandeciente, a Estellencs únicamente puede llegarse por la C-710, que cruza el pueblo y lo divide en dos: el Centro, y S'Arraval. Pueblo de interesante casco urbano y empedradas calles.

Estellencs suele utilizarse como uno de los puntos de partida para subir al extraño Puig de Galatzó (1.026 metros) La excursión parte desde los antiguos lavaderos.

Visitar

Mirador Son Roca. Construido en 1913 por el Fomento de Turismo, se accede hasta el por medio de unas escaleras de piedra.

Iglesia de San Juan. Del siglo XVII, adosada a ella hay una torre fortificada del XVI que hace las funciones de campanario.

Comer

Restaurante Montimar. Plaça Constitució, 9. Tel. 61

85 76. Casa tradicional con tradicionales platos. Precios medios, y recomendable.

Restaurante Son Llarg. Plaça Constitució, 6. Tel. 61 05 64. Cocina mallorquina, con especialidades de montaña.

Restaurante Es Grau. Ctra. Andratx, s/n. Tel. 61 85 27. Desde el se puede bajar hasta la playa de Cala Pruaga. Carnes, pescados, y sobre todo, una excepcional panorámica desde su terraza; se encuentra a unos dos km. de Banyalbufar.

CALA ESTELLENCS

Se accede hasta ella desde Estellencs. Junto a ella, la desembocadura del Torrente de Son Fortuny.

Cala de cien metros de longitud por unos quince de anchura, con bastante desnivel, grava, y arena gorda.

Alojamientos

Refugi de Son Fortuny. Información y reservas: SECONA; Conselllería de Agricultura y Pesca; c/ Foners, 10. Palma; tel. 17 61 00. Instalaciones: Capacidad 5-6 personas; sala con chimenea, sin camas; abierta todo el año.

Hotel Maristel ** (cadena *Reis de Mallorca*). Eusebio Pascual, 10. Tel. 61 85 29. Abre de enero a noviembre este coqueto hotel cercano a la playa. Piscina, agradable restaurante, y buenas vistas. Dos estrellas.

MUNICIPIO DE PUIGPUNYENT

Puigpunyent y Galilea

PUIGPUNYENT

Tel. Ayuntamiento: 61 44 55.

Del latín *podium pungentem*, monte agudo, también se le llamó en otros tiempos Perpunchent a éste pequeño núcleo.

Una vuelta por el pueblo

La Iglesia Parroquial. Ubicada en la plaza León XIII, se construyó hacia 1737; en su interior verás una imagen yacente de la Assumpció de la Mare de Déu.

Además...

Los barrios/calles de Son Net, Son Bru de Dalt, el Carrer Major, es *Pou Nou*, la coqueta sucursal de Sa Nostra, el edificio de la Casa de Cultura (junto al ayuntamiento), la *Cova de Na Fátima*, el *Salt de Son Forteza*, etc.

En este municipio se encuentra la magnífica Son Vic de Suprema, con sus jardines, sus estanques...

Y bares en las calles Trast y Major.

Alojamientos

En Galilea, Una casa de Colonias, y en Puigpunyent, dos instalaciones de Turismo Rural.

Turismo Rural Sa Campaneta. Ctra. Esporles-Puigpunyent. Tel. 61 00 72. Catalogada como instalación de agroturismo, ofrece tres habitaciones dobles. Precios a consultar.

Turismo Rural Es Ratxo. Tel. Ayto. Puigpunyent. Tel. 61 44 55. Ctra. Puigpunyent-Galilea Catalogada como instalación de agroturismo, dispone de cinco habitaciones dobles. Precios a consultar.

Caminar

Por Sa Riera, paralela a la carretera y con abundante sombra, o más lejos, acercándose hasta la Cueva Na Fátima, etc.

Talayots en Puigpunyent

Los de Ses casotes, de Son Burguet, de Son Serralta, la necrópolis des Casal Nou, la de Son Bru...

GALILEA

Minúsculo y ventoso pueblecito protegido por el monte Galatzó.

Al final de la calle-carretera, la iglesia, con su peculiar y puntiagudo tejado, y junto a ella, el bar parroquial, con su acogedora chimenea. Más tranquilo, imposible. Verás en la plaza plafones de azulejos del Capitá Toni y de una poesía dedicada a Galilea. Junto a una de las curvas de la carretera que te acerca al pueblo, una pequeña cueva con la imagen de María.

Un alojamiento alternativo:
Casa de Colonias del Sagrat Cor. Clapet, 3. Tel. 61 41 82. Galilea. Treinta y cinco plazas de capacidad en un dormitorio común. Comedor, y piscinita. Excepto durante el mes de septiembre, abre todo el año.

MUNICIPIO DE BANYALBUFAR

Banyalbufar y Port d'es Canonge.

BANYALBUFAR

Ayuntamiento: Tel. 61 80 17.
Una revista municipal: **Ma'Jil.**

El Nombre

Se mencionan dos posibilidades: *buniola al-bahar* (pequeña viña del mar), y *bany-al-bahar* (casa del mar). Para aclarar o enredar el tema, los entendidos afirman que buniola no es palabra árabe, sino latino (*vineola*)...

Es el pueblo de los bancales y la malvasía; los primeros no podrás llevártelos, pero de la segunda merece la pena hacerse con una botella o dos. Aquí también se realizan expléndidas piezas de cerámica.

Comer

Varios restaurantes de similares características. Los platos típicos de la población, las "sopes de peix", y el "anfós a la mallorquina".

Restaurante Son Tomás. Baronía, 16. Tel. 61 81 49. Pescado fresco, cocina tradicional, y agradable terraza.

Restaurante Baronía. Baronía, 15. Tel. 61 81 46. Ubicado en la torre homónima, es también hostal de precios medios; cocina mallorquina sin estridencias.

Visitar

Iglesia de la Natividad. Su bóveda quedó concluida en 1690, y su campanario en 1697, pero el terremoto de 1851 obligó a reparar casi todo. Abundan en su interior los retablos y las imágenes policromadas.

Torre de la Baronía. En su día pertenecía al obispo de Barcelona, esto es, a la Baronía del Pariatge... Interesante de cerca, también lo es de lejos, pues mientras llegas hasta ella tendrás la oportunidad de descubrir algunas calles y patios bastante interesantes.

Queda por visitar S'Atalaia de Ses Animes, Sa Galera, y la famosa Font de Sa Menta.

La playa

De gran desnivel, tiene unas dimensiones de unos cincuenta metros de largo por diez de ancho, con arena y grava, y una pequeña fuente de agua dulce...

Suele estar relativamente tranquila.

Alojamientos

Hotel Mar i Vent. Major, 51. Tel. 61 80 00. De precios medios, se encuentra en el centro del pueblo ocupando una casa tradicional. cuenta también con un restaurante de merecida fama. Tres estrellas.

Hostal Baronía. Baronía, 15. Tel. 61 81 46. Como te comentamos más arriba, se ubica en la Torre de la Baronía; no es caro, y su restaurante es muy recomendable.

Hotel Sa Coma. Cno. des Moll, s/n. Tel. 61 80 34. No está mal; precios medios y ambiente agradable.

PORT D'ES CANONGE

La Playa (Cala Canonge)

Dobla en dimensiones a su vecina, Cala Banyalbufar, y es igual de empinada, y con arena aún más gorda, si cabe.

MUNICIPIO DE ESPORLES

Ayuntamiento: Tel. 61 00 02.
Guardia Civil: Tel. 61 02 23.
Dispensario: Tel. 61 11 01.

En su momento, Esporles era famoso por sus talleres de fabricación de mantas, y ahora lo es por sus bordados hechos a mano y sus hornos de vidrio. Pueblo muy tranquilo durante la semana, y algo alegre los sábados y domingos.

Aquí, en la Cova de Canet, se hallaron las muestras de poblamiento más antiguos de la isla: sometidas a la prueba del carbono 14, los restos de carbón y Myotragus utilizado como alimento, dieron una antiguedad de 7.000 años antes de Cristo.

Visitas

Las calles, S'Esgleieta, la ermita de Maristela, La Granja, el monumento a Sa Filadora (frente a la sucursal de Sa Nostra)...

S'Esgleieta. Pequeña aglomeración de casas situada al este de la villa, y nacida alrededor de la pequeña iglesia dedicada a la Mare de Déu. Del siglo XIII, en su altar mayor verás una tabla del XVI.

Ermita de Maristella. Conocida también como Ermita Ferrana, o El Carmel, se encuentra a unos cuatro kilómetros del pueblo.

Bares, cafés...

Café Vilanueva. Joan Riutort, 106. Para beber algo o tomar una tapa...

Mesón La Villa. Nou Sant Pere, 5. Bar-mesón de precios medios.

Ca'n Oliveret. Fco. de Borja Moll, 18. Pastelería artesana ideal para comprar la merienda.

La Granja de Esporles

Ctra. de Esporles. Tel. 20 21 25. Horario de visitas: todos los días, de 10 a 19 hs. Una antigua posesión que en su momento fue de los monjes del Císter, hoy restaurada y acondicionada para visitas, al igual que Els Calderers de Sant Joan. Zona noble de los amos, talleres, maquinaria antigua, degustaciones gastronómicas, una antigua silla de torturas, celdas de los monjes, etc. Destacan su galería arcada y sus jardines, uno de ellos clasicista, y el otro con un respetable surtidor. En resumen, etnografía mallorquina para ver y tocar.

Cerca de la Granja, en el km. 8'6 de la PMV-110, el incierto camino a la Fita del Ram; hornos de cal, rotlles de sitja, etc.

Artesanía

En el Carrer del Quarter, el taller de Sebastiá Trías, conocido también como "en Sebastiá Magre", que dedica sus ratos libres a fabricar unas jaulas para pájaros que son la admiración de propios y extraños; una de ellas reproduce las casas de La Granja de Esporles.

Dormir

Hostal Riutort. Plaza de España, 8. Tel. 61 02 02. Tradicional y de asequibles precios.

Turismo Rural Son Ferrá . Tel. 61 04 05. Ctra. Es Verger, km 2'5 Bonita, tranquila, y tradicional casa ubicada a unos dos km. de Esporles. El edificio se halla dividido en dos apartamentos y dos habitaciones dobles. Las dobles tienen un baño a compartir. En un apartamento, dos dobles con baño, salón con chimenea y cocina; en el otro, dos dobles, una individual, baño, cocina y salón con chimenea. No es barato.

MUNICIPIO DE VALLDEMOSSA

Tel. Ayuntamiento: 61 20 02.
Médico: Tel. 61 23 14.
Policía Municipal: Tel. 61 20 02.
Oficina de Información Turística de la Cartuja de Valldemossa: Cartuja de Valldemossa (Valldemossa 07170). Tel. 61 21 06.
Una revista municipal: **Miramar.**

Valldemossa se enclava en una elevación de 400 metros sobre el nivel del mar desde la que domina el valle, casi todo el abancalado, y repleto de olivos, almendros, y frutales; calles empedradas, casi todas ellas peaatonales, tranquilidad, buen gusto, paz, y sosiego.

Tres cosas le dan fama a Valldemossa: La Cartuja, el Archiduque Luis Salvador, y las cocas de patata, excelentes bollos que no debes dejar de probar; encontrarás deliciosas cocas en las pastelerías **Can Molinas** y **Sa Cartoixa**.

La visita

Cartuja de Valldemossa y palacio del Rey Sancho

Tel. 61 21 06. Horario de visitas: mañanas de 9'30 a 13'30 y tardes de 15'00 a 18'00 (en verano cierran una hora más tarde), y los domingos permanece cerrado. La Cartuja y el palacio del Rey Sancho son posiblemente el monumento más interesante de la isla. De los visitantes, casi siempre se ocupa, con sus habitual cortesía, don Alvaro Bauzá de Mirabó Orlandis.

En el invierno de 1838-39, se alojaron aquí Chopín y George Sand, y como es habitual en los famosos, dejaron las pertinentes frases:

> *"... habitaré un maravilloso claustro en el más hermoso lugar del mundo..."*(Chopín).
> *"... Todo cuanto puedan soñar el pintor o el poeta lo ha creado la naturaleza en este lugar."* (G.Sand).

También pasó por aquí Rubén Darío, el cual, cuando se aburría demasiado, bajaba a Palma a agarrarla en el Gran Hotel (existe una interesante crónica de sus peripecias por Palma). La Cartuja acogió asimismo a Jovellanos, Azorín, Unamuno, Eugeni D'Ors, etc. En la Cartuja verás todo esto:

Iglesia. De corte neoclásico, se construyó hacia 1751. Bóvedas con frescos de Bayeu, y abundante azulejería.

Botica. Artículos, recipientes, y cachivaches farmacéuticos de los siglos XVII y XVIII.

Celda Prioral. Cuadros, muebles, documentos, objetos de culto, etc.

Celda-Museo Municipal. Abarca tres salas: en la primera, la antigua imprenta Guasp con una colección de xilografías; en la segunda, material relacionado con el Archiduque Luis Salvador (cuadros, documentos, etc); y en la tercera, el Museo de Arte Contemporáneo, con obras de Miró, Picasso, Tápies...

En otras celdas se conservan partituras originales de

chopín, manuscritos de G. Sand, retratos de ambos, el piano utilizado por el músico, etc.

Salón de música. En él se ofrecen danzas folclóricas las mañanas de los lunes y jueves, y los restantes días, mañana y tarde, recitales de piano con obras de Chopín, por supuesto.

Te quedan por visitar los tranquilos **jardines** de la Cartuja. Por último añadir, que en el palacio del Rey Sancho organizan bailes mallorquines.

Capilla de Sant Vicenç Ferrer

Se encuentra a la salida del pueblo, en la calle Pilar Montaner. Modesta construcción de 1911 levantada por el Archiduque Luis Salvador, rememora la predicación del Santo y su consiguiente leyenda: durante el sermón comenzó un fuerte aguacero; los que se fueron se mojaron, mientras que los oyentes de Vicente permanecían secos. En la capilla, también conocida como del Cor de Jesús, San José, San Vicente, y el Corazón de Jesús.

Compras

L'Or de Mallorca. Blanquerna, 10. Artesanía y joyas de tradicional diseño mallorquín.

Por las afueras

Pasada la capilla anteriormente mencionada, verás la bonita escuela pública, y aquí comienza el camino que te lleva hasta Les Cingles de Son Rullán: verás la Font de l'Abeurada, el Pla del Pouet, las Cases de Son Gual, la ermita Guillem, el Camino del Archiduque, etc; te conviene solicitar un croquis en el ayuntamiento.

Cova de Son Puig. Entre el Puig de na Fátima y el Puig de ses Frares, baja un torrente, y junto a el, esta cueva, utilizada durante la edad del bronce, y en la que se hallaron objetos de bronce, cerámica, etc.

S'Estaca. La antigua posesión del Archiduque Luis Salvador, y hoy casa de veraneo de Michael Douglas. La puedes ver de lejos...

Cerca de ella, las diminutas casas de pescadores de S'Estaca, colgadas sobre el mar; éstas si pueden verse y tocarse.

Capilla de Ramón Llul. Mandada levantar por el Archiduque sobre dos simbólicas piedras: la una de Bugia (Argelia), donde Llul murió lapidado, y la otra de Hierbabuena

(California). La capilla es de marmol blanco, y en su interior, forrado de piedra de Santanyí, hay una estatua de Ramón. Buenas vistas.

A comer y a dormir, que ya es hora...

Bar Restaurante Ses Espigues. Marqués de Vivot, s/n. Tel. 61 23 39. Cocina mallorquina servida por camareros ataviados con trajes regionales. No es barato.

Restaurante Son Morages. Tel. 61 61 11. Ubicado en una posesión cercana al pueblo, ofrece cocina mallorquina a precios medios; también saben hacer buenas brochetas. Cerca de la casa, una interesante *font de mina* árabe (pide que te la enseñen).

Hotel Can Marió. Uetam, 8. Tel. 61 21 22. Tradicional caserón con clientes de toda la vida. Con categoría de hostal, está situado en el centro del pueblo, no es caro y está muy bien.

Hotel Restaurante Vistamar. Predio Vistamar, s/n. (Ctra. Andratx-Valldemossa, km. 2.).Tel. 61 23 00. Fax. 61 25 83. Una antigua posesión convertida en hotel de cuatro estrellas dotado de todas las comodidades; cuenta con cuatro dobles y once individuales. La doble te puede salir por unas 25.000, y la media pensión por unas 7.000.

Agroturismo Son Brondo. Ctra. Valldemossa, km 15. Tel. 61 12 50. Catalogada como instalación de agroturismo, ofrece varias habitaciónes dobles, piscina, y jardín. Precios a consultar.

Refugi de Son Morages. Información y reservas: SECONA; Consellería de Agricultura y Pesca; c/ Foners, 10. Palma.;Tel. 17 61 00. Instalaciones: Capacidad 15 personas; sala con chimenea, sin camas; abierta todo el año.

MUNICIPIO DE DEIÁ

Deiá y Llucalcari

DEIÁ

Ayuntamiento: Tel. 63 90 77.
Unidad Sanitaria: Tel. 63 92 08.

Según algunos, su nombre proviene del latín Didianum, y para otros, del árabe Addaya, granja.

Pueblo al que le dieron fama residentes ilustres como Robert Graves, y más recientemente Eric Clapton, Mike Oldfield, Mike Knofler, etc. Interesante de visitar, conviene no hacerlo por la mañana, ya que se encuentra colapsada de autocares y turistas.

Pasear

Museo Walden. El museo se encuentra en en la parte baja del pueblo, en D'es Clot, s/n. Tel. 63 90 01. Walden, arqueólogo y prehistoriador, a reunido aquí una notable colección de asuntos relacionados con la isla y su prehistoria.

En Arxiduc Lluis Salvador, 9, una **Galería de Arte**.

Cal Abat. Casona fortificada del siglo XVII y notables fuentes de agua que posterirmente es embotellada.

Iglesia de San Juan Bautista.

Colección Son Marroig. Horarios de visita: en invierno, de 9'30 a 14, y de 15 a 17'30; en verano, de 9'30 a 14, y de 15 a 19'30; festivos, cerrado. Fue una de las casas del Archiduque, y en ella se conservan recuerdos suyos: cerámica, retratos, documentos, mobiliario mallorquín, etc. Se encuentra fuera del casco urbano, y cerca de ella, la famosa roca Sa Foradada.

Una anécdota de Son Marroig: un payés se quedó mirando fijamente al Archiduque, y al preguntarle éste el motivo, respondió que "quería conocer bien al hombre que ha pagado tan caro Son Marroig"; y ésta fue la respuesta de l'Arxiduc: "Pues no lo creais, a Son Marroig me lo han regalado. Lo que he pagado por toda la finca lo vale ya Sa Foradada".

El Cementerio. Pequeño y modesto, en el descansa Robert Graves.

Cala Deiá. De unos cuarenta metros de longitud por quince de ancho, con pronunciada pendiente, y arena y grava.

Bares

Christian Bar, **Café sa Fábrica**, **Sa Fonda**, **La Pizzería**, etc. Casi todos se concentran en la calle Archiduque Luis Salvador.

Restaurantes

La Bodega de Xelini. Archiduque Luis Salvador, 19. Tel. 63 91 39. Cocina desenfadada y dependiente del mercado diario. Precios normales.

Restaurante Ca'n Quet. Es Molí, s/n. Tel. 63 91 96. Cocina variada y precios medios.

Restaurante Ca'n Jaume. Arxiduc Lluis Salvador, 13. Tel. 63 90 29. Sopas mallorquinas, lomo con col, etc. Precios medios.

Restaurante Na Foradada. Ctra. Valldemossa-Deiá, km. 6. Tel. 63 90 26. Cocina mallorquina e internacional, y también buenas paellas y lomo con col. Precios medios.

Restaurante Sa Dorada. Arxiduc Lluis Salvador, 24. Excelentes pescados y mariscos a menos precio del que cabría suponer (de tres a cuatro mil por barba) en un local exquisitamente decorado; Michael Douglas te lo puede confirmar.

Restaurante El Olivo. Son Canals, s/n. Tel. 63 93 92. Ubicado en la antigua tafona de La Residencia, ofrece cocina internacional, refinadas especialidades, y buena carta de vinos. Más que caro.

Alojamientos

Pensión Villaverde. Ramón Llul, 19. Tel. 63 90 37. No está mal.

Hostal Miramar. Es Recó, s/n. Tel. 63 90 84. Agradable y de moderadas tarifas.

Es Molí. Ctra. de Valldemossa, km. 9. Tel. 63 90 00. De tamaño medio, cuenta con unas setenta habitaciones. Cuatro estrellas y precios altos.

La Residencia (Reis de Mallorca). Son Canals, s/n. Tel. 63 90 11. Construcción del siglo XVI reconvertida en hotel de lujo allá por 1984. Su propietario, Richard Branston (discos Virgin), ya está rehabilitando una soberbia posesión cercana con idénticos fines. La Residencia es, lujo con todas las comodidades y tranquilidad. Cuatro estrellas, altos precios, y ocupada fundamentalmente por alemanes.

LLUCALCARI

Pequeño llogaret puesto de moda por los artistas; tranquilo y con una agradable cala frente a la cual naufragó una corbeta italiana allá por 1860.

Visitar

Las torres de defensa, la capilla (en ella, la Mare de Déu dels Desamparats), y la *Casa D'Amunt*.

Un hotel en Llucalcari:
Costa d'Or. Llucalcari, s/n. Tel. 63 90 25. Íntimo y acogedor, cuenta con algo ménos de cuarenta habitaciones. Tiene una estrella, pero pertenece a la asociación Reis de Mallorca, símbolo de calidad y carácter.

MUNICIPIO DE BUNYOLA

Bunyola y Orient

BUNYOLA

Ayuntamiento: Tel. 61 30 07.
Una revista de información municipal: **Es Castellet.**

Toponímia a la carta

Vineola (=pequeña viña), pronunciado Bujola por los mozárabes, Bunos-Bunia, del griego montaña, Buniam, Banya (en árabe construcción de piedra seca), Balneola (en latín, pequeños baños)...
Los etimólogos pueden seguir con sus cosas, pero la cuestión es que aquí se hacen unos excelentes **buñuelos** de boniato (bunyols de boniat).
Celebran aquí, cada año, el Certamen de Piano (desde 1993), y el Festival Internacional de Música (desde 1984).
Pueblo de notable arquitectura urbana, apto para callejear un poco.

Visitar

Gran parte de los lugares de interés se encuentran fuera del casco urbano.

Iglesia. Del siglo XVIII, en su interior alberga la Virgen de las Nieves, imagen tallada en alabastro.

Destilerías Nadal. Botas, alambiques, calderas, etc.

Comer

Ca'n Penasso. Ctra. Sóller-Bunyola, km. 14'7. Muy conocido y apreciado, se utiliza principalmente para comidas y cenas de grupos. Bonitos jardines, y diversidad de salas: Salones Alfabia, Bearn, Asador, Pa Torrat, sala de baile Alfabia...

Restaurante Sa Costa. Costa de S'Estació, 21. Tel. 61 31 10. Ubicado en una antigua casa mallorquina con excelentes vistas, ofrece comida mediterránea en tranquilo ambiente. Precios medios.

En las afueras

Jardines de Alfabia. Ctra. Palma-Sóller, km. 14. Tel. 61 31 23. Horarios de visita: de noviembre a mayo, de 9'30 a 17'30, y de abril a octubre, de 9'30 a 19. Posesión árabe declarada Monumento Artístico Nacional en 1954. En su artesonado de madera de olivo con incrustaciones de marfil se conserva una inscripción árabe del siglo XII.

Fachada con portal barroco, de piedra roja, puertas de las que se dice que tienen tantos clavos como días tiene el año, y por supuesto, impresionantes jardines de estilos árabe, italiano, inglés...

Jardines de Raixa. Posesión de reminiscencias musulmanas con cuidados y detallados jardines. Perteneció al Cardenal Despuig, gran coleccionista de antigüedades romanas, que la italianizó un poco. Parte de la colección se encuentra en el Museo de Mallorca y en el Castillo de Bellver, pero los jardines siguen ahí, y Santiago Russiñol los pintó...

Destacan la escalinata del edificio, la puerta almenada, la capilla...

Completa la visita el gran estanque árabe, de 98 metros de longitud, del que se dice que nunca cría limo.

Club Hípico Son Molina. Ctra. de Sóller, km. 12.200. Tel. 908-63 86 74. Excursiones, clases de equitación, doma, y salto, etc.

Y en este mismo municipio se ubica la Yeguada Es Rafalot, la más importante de la isla en cría de caballos trotones.

Dormir

Casa de Colonias de Binicanella. Ctra. de Santa María (PM-202), km. 2'5. Tels. 61 38 54/72 60 18. Treinta plazas en la casa, y veinte en el refugio; cocina, comedor, salón, capilla, y calefacción central. Abre todo el año.

Turismo Rural Sierra de Alfabia. Tel. Ayto. Bunyola: 61 30 07. Casa que dispone de seis plazas distribuidas en dos unidades de alojamiento. Registrada como instalación de agroturismo. Precios a consultar.

Turismo Rural Honor Vell. Ctra. Bunyola-Orient, km 4'7 Tel. 61 52 93. Recientemente dada de alta como instalación agroturística, dispone de siete habitaciones con una capacidad total de 12 plazas.

ORIENT

El valle de las manzanas lo llaman, y con razón.

Pasear

La PM-210 divide el pueblillo en dos partes: la más interesante, la parte alta; en la baja, una cruz de término y algunas casas.

Iglesia de Sant Jordi. De mediados del XVIII, se encuentra en la parte alta del pueblo; en su fachada, unos azulejos con San Jorge y el Dragón, y en la parte posterior del edificio, un modestísimo y minúsculo cementerio.

Es Freu. Hacia el kilómetro 8'5 de la PM-210, entre las casas de Son Perot y Es Pujols, encontrarás el camino que conduce hasta Es Freu, dos espectaculares saltos de agua procedentes del Torrente de Coanegra; fresco en verano y selvático en invierno, es un sitio muy interesante de visitar. Te lo recomendamos encarecidamente.

Comer/dormir

Un restaurante suizo, y dos restaurantes de cocina mallorquina; todos, solitarios por semana y abarrotados en fines de semana y festivos. Para descansar, un hostal de precios medios, una casa de turismo rural de tarifas elevadas, y un hotelito rural de cuatro estrellas.

Orient

Restaurant Mandala. C/Nueva, 1. Tel. 61 52 85. Coqueto y minúsculo restaurante suizo situado en la parte alta del pueblo; entre otras cosas, hacen una curiosa pero sabrosa tortilla de patata, excelentes carnes, y delicados postres. No es barato.

Hostal de Muntanya **. Edificado hace pocos años, parece estar ahí desde siempre. Frecuentado por cicloturistas, amantes de la tranquilidad, y algún que otro despistado como tú. Su cocina, al igual que su vecino de la carretera, es excelente.

El vecino. Situado a unos 30 metros del anterior, en la misma carretera, no recordamos su nombre, pero sí su bodega, y un sabroso frito mallorquín degustado al amor de su respetable chimenea....

Turismo Rural Son Terrasa. Calle Cruz. Tel. 71 37 39. Tradicional casa que dispone de cinco habitaciones dobles, tres cuartos de baño, etc. Piscina, solarium, y precios a consultar.

L'Hermitage. Ctra. Alaró-Bunyola. Tel. 61 33 00. Perteneciente a la asociación Reis de Mallorca; Hotel de 24 habitaciones dobles, con todas las comodidades. Su restaurante también es notable. Permanece abierto de enero a octubre, y tiene cuatro estrellas de categoría. Frente a él, mas o ménos, parte el camino de herradura que lleva hasta Alaró.

MUNICIPIO DE SÓLLER

Sóller, Port de Sóller, y Biniaraix.

SÓLLER

Direcciones y teléfonos de interés

Oficina de Información Turística: Pça. de Sa Constitució, 1 (Sóller 07100). Tel. 63 03 32.

Tren de Sóller. Tel. 75 20 51-75 20 28.Inaugurado en 1912, comunica Sóller con Bunyola y Palma a través de 27 kilómetros de recorrido salpicados de trece túneles que suman un total de cinco km.

Horarios

Desde Sóller:	Domingos y fiestas:
06'45-09'15-11'50	06'45-09'15-11'50
14'10-19'35	14'10-19'00-19'35

Tanto las estaciones de Palma como la de aquí, tienen su aquel, ese toque "años veinte"...

El paleto murciano

Un extraño título para una curiosa *anécdota* protagonizada por el Consejero de Gobierno de la Comunidad de Murcia y narrada por el gerente del Tren de Sóller:

-El consejero (en plan sátrapa) se pone en contacto con el gerente del Tren de Sóller demandando un vagón completo para que su familia disfrute de las vacaciones estivales como toca.

-El gerente, amablemente, intenta explicarle que eso no es posible, y menos aún gratuitamente, como pretende el consejero.

-El consejero no cede, y cabreado, alega sus excelentes relaciones con la presidencia de RENFE, inocua advertencia que intenta apuntalar anunciando también su amistad con la gente de FEVE.

-Al fin, el consejero se derrumba (sin que todavía haya comprendido que el tren de Sóller es una empresa privada), y reserva unas cuantas plazas procurando que su familia no se entere de que ha tenido que retratarse.

Por otra parte, reservar una plaza en el tren de Sóller tiene tan poco sentido como hacerlo en un autobús urbano, o en fin, como hacerlo en un tren de cercanías, pero los políticos son un poco raros...

El Valle de los Naranjos, el Valle de Oro...

Ubicado el municipio en el valle transversal noroccidental de La Sierra, abrupto, montañoso, y boscoso, El Valle de las naranjas da nombre a la fértil depresión en cuyo interior se halla la ciudad de Sóller, y un fértil corredor flanqueado de huertos comunica la ciudad con el puerto, bien por carretera, o mejor aún, con el simpático tranvía de jardineras.

El archiduque Luis Salvador, siempre presente en las relaciones de la Tramuntana, decía del pueblo de Sóller que era el más hermoso de la isla, y uno de los más hermosos del mundo... Ha pasado el tiempo, y muchos turistas siguen llegando atraidos por la fama del Valle de los Hesperidios...

Si llegaste en coche, tienes los recientes aparcamientos de Sa Calatrava y la Gran Vía, que descongestionan un poco el tema; al igual que en Deiá, hay mucho tráfico...

Los platos típicos: sopes bullides, tumbet, y alberginies farcides.

Artesanía y compras

Alfombras, tapices, objetos de madera de olivo, un poco de todo, y por supuesto, naranjas o limones (al ménos prueba un zumo).

La visita

Iglesia de Sant Bartomeu, patrón de Sóller. Una imagen del santo traida desde Nápoles y datada en 1738, ocupa el centro del retablo (S. XVIII); Bartomeu se nos muestra con un cuchillo en una mano, y con un trozo de su propia piel en la otra.

Museo Balear de Ciencias Naturales-Jardín Botánico. Ctra. Palma-Pto. Sóller, km. 30. Tel. 63 40 64. Horarios de visita: en verano, de 10'30 a 13'30, y de 17 a 20; en invierno, de 10'30 a 13'30, y de 15'30 a 17; los festivos, de 11 a 13'30, y los lunes, cerrado. Se encuentra en una finca de unos 11.000 metros cuadrados, dedicados 3.000 de ellos a jardín botánico; instalaciones interiores, salas de botánica, zoología, geología, etc. Uno de sus objetivos básicos es la preservación de especies endémicas de las Baleares (unas 120), labor a la que contribuye el especial microclima del valle.

Casa de Cultura. Algo de museo, y de vez en cuando, exposiciones. Se encuentra en el nº 9 del Carrer de la Mar.

Edificios modernistas. Hay unos cuantos, entre ellos destaca Ca'n Magraner.

Edificio del Banco de Sóller. Diseñado por un discípulo de Gaudí, se encuentra en la Plaza de la Constitución.

Convento de los Franciscanos. Su iglesia se treminó en 1814. En ella se conserva la imagen del Santo Cristo, que según la leyenda, lloró sangre en una ocasión.

Cementerio. Es una mezcla de jardín botánico y museo escultórico.

Bares y restaurantes

Bar Nadal. Constitución, 8. Buen ambiente, música, y como no, excelente zumo de naranja. En general, todos los bares de la plaza merecen la pena.

Restaurante Bens d'Avall. Ctra. Sóller-Deya, km. 5. Tel. 63 23 81. Cocina francesa y productos de la huerta; precios medios.

Mirador de ses Barques. Ctra. Sóller-Lluc, km. 45. Tel. 63 07 92. Bueno para tomar tapas, picar, etc. Muy bien situado.

El Guía. Castañer, 2. Tel. 63 02 27. Cocina de mercado, buenas verduras, y pescados. No es caro.

Pasear

Según los ánimos, puedes acercarte hasta Biniaraix, Binibassi, Fornalutx, Sa Torre Picada, etc; en la O.I.T. ubicada en los bajos del Ayuntamiento te dejarán algun croquis.

La Torre Picada. De propiedad particular, sirvió com vigía en la incursión de los piratas berberiscos del 11 de mayo de 1561, y cada año, en esa fecha, se recuerda el suceso con una magnífica y festiva reconstrucción de los hechos.

Compras

Terra Cuita. Bauzá, 13. Cerámica y vajillas en una bonita tienda.

Melissa Boutique. Cristóbal Colón. Una de las mejores tiendas de lencería y trajes de baño que encontrarás.

Eugenio. Jerónimo Estades, 15. Artesanía del olivo. El propietario tiene el taller en la misma tienda.

Cavall Verd. Bon Any, 5. Situada junto al Central Hispano, en ella tienes coches de latón, juguetes artesanales, cajas, tarjetas, etc.

Dolc i Salat. Rectoría, 3. Para comprar la merienda.

Amaranta. Sa Lluna, 19. Lienzo de los Gazules, telas de Gastón y Daniela, regalos, decoración, etc.

Migjorn. Bauzá, 15. Son dos tiendas de ropa; en una de ellas, camisetas curiosas.

Artesans. Lluna, 61. Artesanía variada.

Alojamientos

Los alojamientos se concentran fundamentalmente en el Puerto, siendo en las páginas referidas a éste donde encontrarás el resto de la oferta.

Hospedería de Sa Capelleta de S'Olivar. Información y reservas: Sor María Boscana. Tel. 63 18 70. Una sala con capacidad para unas 30 personas; sin camas, deberás llevar saco de dormir. Abierta todo el año.

Turismo Rural Ca N' Ai. Camí de Son Puca, 48. Tel. 63 24 94. Soberbia posesión situada a unos dos km de Sóller. Quizás sea la mas cara de todas las de la isla. Dispone de piscina, restaurante, y solarium. Cuenta con ocho habitaciones dobles; en todas ellas, cuarto de baño, calefacción, teléfono, aire acondicionado, y mini-bar. Destaca una coquetona suite. Una doble por unas 26.000 al día, y una individual por 18.000. Desayuno incluido, y comida o cena por 4.000.

Agroturismo Can Coll. Camí de Ca'n Coll, 1. Tel. 63 32 44. Ubicada a un km. de Sóller, cuenta con piscina, TV vía satélite, pista de tenis, barbacoa, etc. Dispone de cuatro habitaciones dobles y una individual; en todas, cuarto de baño, aire acondicionado, y TV. Una doble por 22.000 al día, y el desayuno por algo más de mil.

PORT DE SÓLLER

De interés

Oficina de Información Turística. Passeig del Port (Sóller 07108). Tel. 63 30 42.

Octopus. Canonge Oliver, 13. Tel/Fax. 63 31 33. Todo lo relacionado con buceo y submarinismo.

Pasear

Por la vía del tranvía...

La playa

Mide unos mil cien metros de longitud por unos escasos trece de ancho, con arena, grava, y de vez en cuando, algunos pedacitos de vidrio que las décadas han ido redondeando...

Comer

Restaurante Es Pescador. Urb. S'Atalaia, s/n. Tel. 63

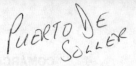
20 64. Cocina mediterránea y pescado fresco, un producto que nunca puede ser barato. Por lo demás, la relación calidad-precio es buena.

Restaurante Las Olas. La Torre-Ctra. del Puerto. Tel. 63 25 15.

Sa Llontja des Peix. Muelle Pesquero. Tel. 63 29 54.

Restaurante Es Canyis. Platja d'en Repic-Pto. de Sóller. Tel. 63 14 06.

Alojamientos

Casa de Colonias Sant Ramón de Penyafort. Iglesia, 9. Tels. 63 33 06/63 06 02. Situado a unos quinientos metros de la playa, dispone de cincuenta plazas de capacidad distribuidas en tres dormitorios comunes; salas de reunión, comedor, cocina, y duchas de agua caliente. Abre todo el año.

El turismo de Sóller, del que buena parte lo forman ciudadanos franceses, carece de la masificación de otras zonas de la isla, y por contra, es más tranquilo y de más calidad, reflejándose estas cualidades en su oferta hotelera, caracterizada por una cierta calidad y personalidad.

Son alojamientos de pequeño volumen, bien situados, y que permanecen abiertos durante todo el año.

Hotel Eden. Es Través, s/n. Tel. 63 16 00.

Hotel Marina. Playa d'en Repic, s/n. Tel. 63 14 61.

Hotel Rosabel. Playa d'en Repic, s/n. Tel. 63 14 26.

Hotel Los Ángeles. Paseo de la Playa, s/n. Tel. 63 31 44.

Hotel Miramar. Marina, 12. Tel. 63 13 50.

Hotel Espléndido. Pg. Través, 5. Tel. 63 18 50

BINIARAIX

Desde Sóller, puedes llegar hasta aquí andando o en coche; nosotros te recomendamos lo primero.

Desde su espectacular barranco puedes subir hasta las casas de L'Ofre por un camino empedrado. En su día era una alquería musulmana que, tras la conquista, pasó a manos del obispo de Gerona.

A este minúsculo y tranquilo pueblecito ya ha llegado el concepto de aldea global: en un caserón de la plaza tiene su sede

Fora Vila, división de diseño de la empresa alemana Creative Concepts Cooperation, dedicada a la confección de campañas de comunicación para clientes de toda Europa; a través de la línea RSDI de telefónica e Internet hacen su trabajo europeo en Biniaraix.

Desde su espectacular barranco puedes subir hasta las casas de L'Ofre por un camino empedrado: El Camí d'es Barranc, primer tramo de una antigua red de rutas de montaña que comunicaba el valle con Lluc, con Orient, con Alaró... Empedrado y escalonado, tiene unos cuatro kilómetros bastante bien conservados, suficientes para tu excursión.

MUNICIPIO DE FORNALUTX

De interés

Ayuntamiento: Tel. 63 19 01.
Centro Sanitario: Tel. 63 33 44.

Procede su nombre del vocablo "fornal", fragua, y del sufijo "utx", arabización del latín ucium...

Casco urbano de los más interesantes de la isla, -no en vano recibió en 1983 el II Premio Nacional de Embellecimiento y Mejora de los Pueblos Españoles-, y no es el único premio recibido...

Calles empedradas y peatonales, estrechas, edificios de cuidadas fachadas, ideal para pasear.

Tomar algo

En la calle General Franco, el **Bar Deportivo** y el **Café del Centro**.

Y en la calle Arbona Colón, el Restaurante **Ca N'Antuna** (Tel. 63 30 68).

Pasear

Iglesia. Del siglo XVII, en su fachada puedes ver un reloj de sol. En el interior, la capilla mayor, de estilo churrigueresco, dedicada a la Natividad de la Virgen, la capilla del Nombre de Jesús, la del Roser, la de San Cosme y San Damián, etc.

Ayuntamiento. Conocido también como Ca N'Arbona, cuenta con una torre de defensa del siglo XVIII; zaguán con patio, dinteles con escudos, etc.

Puedes completar el paseo visitando la Casa D'Amunt (Médico Mayol, 10), con torre fortificada, la Casa de Bálitx (calle Sant Joan), Can Bisbal, la calle del Calvario, la calle Monte, Can Xadre...

Alojamientos

Hostal Fornalutx. Alba, 26. Tel. 63 19 97. Pequeño y acogedor, está gestionado por un alemán.

Agroturismo Balitx D'Avall. Tel. 36 42 40. Conjunto de casas rodeado de olivos y naranjos ubicado en una finca de 240 hectáreas, a unos cuatro km de Fornalutx. Dispone de una torre con tres habitaciones dobles y otras siete dobles; safreig (estanque), solarium, excursiones... Una doble con desayuno y comida incluida por 11.000 al día.

MUNICIPIO DE ESCORCA

*Escorca, Lluc, Sa Calobra, Cala Tuent
y Sa Calobra, y Es Guix y Son Massip*

ESCORCA

Dos o tres casas, la capilla de San Pedro de Escorca (siglo XIII) y un restaurante dan nombre al municipio; no obstante, decir Escorca es decir Lluc, donde se encuentra el ayuntamiento y la vida municipal.

Junto a éstas casas, un restaurante:

Bar-Restaurante Escorca. Tel. 51 70 95. Cocina mallorquina, y precios medios.

LLUC

Tel. Ayuntamiento: 51 70 05.

Monasterio de Lluch

Dice la leyenda que la imagen fue encontrada cerca del

Vall Lucana por un pastor, y trasladada a Escorca, desaparecía para volver a aparecer en el primitivo lugar...

En 1268 se hace la primera capilla, en 1456 Calixto III le otorga la categoría de Colegiata, en 1586 se construye el edificio para los peregrinos y sus cabalgaduras, y en el siglo XVII se construye la nueva iglesia, de planta de cruz latina, crucero, y tres capillas laterales. A principios de este siglo se amplía la hospedería y se reforma la iglesia.

Su nuevo vitral para el rosetón es obra del alemán afincado en Mallorca Nils Burwitz; en el, la silueta de la costa desde Formentor a Dragonera, el baile de planetas de Ramón Llul, la Moreneta, y el Alfa y Omega.

En los porches situados a la entrada, frente a la farmacia, una tienda denominada **Mercado de Artesanía.** Lo bueno de éste mercado es que contiene una muestra bastante completa de productos isleños, y lo malo es que tienen un precio bastante más elevado que el usual en los municipios de los que proceden. Y junto a la entrada del monasterio, una tienda de recuerdos de Lluc, souvenirs, etc. Abre todos los días de 9'30 a 17 h.

En las dependencias del monasterio, dos museos, uno de ciencias naturales, casi siempre cerrado, y otro de etnografía y arqueología, bastante interesante.

En los alrededores del monasterio, el Puig dels Misteris y su camino, etc.

Los Blavets. Son el coro de niños estudiantes en la Escolanía; cada mañana, a las once, puede escucharse su voz casi desde cualquier punto del monasterio. Muy buenos.

Bar de la Plaça. Principio y final de visitantes y excursionistas, suelen tener buenos dulces.

Restaurante Sa Fonda. Tel. 51 70 22. Es el restaurante de la hospedería, de calidad media y soberbia arquitectura. Agradable.

Colmado. En él se aprovisionan los excursionistas.

Restaurante Ca l'Amitger. Tel. 51 70 46. Orientado fundamentalmente a comidas de grupo turísticas

Restaurant Font Cuberta. 51 70 29. Aislado y recoleto, cercano a la fuente homónima, tiene carácter.

La Pm-214-1

Es la serpenteante y asombrosa carretera que lleva hasta La Calobra, diseñada por el ingeniero Antoni Parietti, el mismo que ideó el malogrado proyecto del funicular del Puig Major. De recomendable visita, conviene recorrerla después de que queda liberada del impresionante tráfico de autocares turísticos (a partir de las 18'00 aproximádamente).

El chiste fácil de estos avezados conductores, cuando se refieren a las curvas de la PM-214-1 es ¡yo me asusto tanto que al tomar una curva cierro los ojos!

Excursiones

Lluc y sus inmediaciones, y todo el municipio son zonas muy fercuentadas por los excursionistas (el paisaje lo merece).

Una de las excursiones más clásicas es la de la **Vuelta al Puig Roig**, montaña cercana que permite disfrutar de excelentes panorámicas mientras es circunvalada; el itinerario común empieza en las Casas de Mossa, pudiéndose, bien formar un bucle retornándo al punto de partida, o bien acabar en Lluc.

Si para tí es un trayecto demasiado largo, tienes otra posibilidad: tras el Monasterio se extiende el magnífico valle de Aubarca, del que parte el camino hacia las semirupestres casas del Cosconar, y que continúa hacia el antiguo cuartel de carabineros, etc. Te cruzarás con gente que viene del Puig Roig...

Sobre Lluc y sus parajes existen dos interesantes publicaciones, ambas de Bartomeu Roig, misionero de los Sagrados Corazones: "Les fonts del terme de Lluc i els seus itineraris", y "40 excursions a peu per les muntanyes de Lluc".

Dormir en Lluc

Hospedería del Monasterio de LLuc. Información y reservas: Tel. 51 70 25. Celdas con y sin lavabo, con baño, con cocina, de dos plazas, de cuatro, de seis, etc. Las primeras en ocuparse son las que tienen baño. Los precios, muy económicos, descienden a partir del segundo día de ocupación: así, por ejemplo, una celda con baño para dos personas sale por 3.100 el primer día, pero si se ocupa durante dos días, la tarifa diaria será de 2.800, y si son tres días pagarás 2.450 por día.

Refugios y zonas de acampada

Zona de acampada Es Pixarell. Ctra. Lluc-Pollença.

Cala Tuent

Tel. 17 61 00. Abierta todo el año. Zona de acampada con instalaciones sanitarias.

Lluc. Información: Padre Gaspar Alemany. Tel. 51 70 25. Abierta todo el año. Zona de acampada con instalaciones eléctricas, agua corriente, piscina, pista de básquet, fútbol, y frontón.

Menut y Binifaldó. Dos zonas de acampada situadas en fincas propiedad del Govern Balear. Información y reservas: SECONA; Consellería de Agricultura y Pesca; c/ Foners, 10. Palma; Tel. 17 61 00.

Refugi del Gorg de Cúber. Información y reservas: SECONA; Consellería de Agricultura y Pesca; c/ Foners, 10. Palma; Tel. 17 61 00. Instalaciones: Capacidad 5-10 personas; sala con chimenea, sin camas ni instalaciones sanitarias; abierta todo el año.

Refugi del Gorg Blau. Información y reservas: SECONA; Consellería de Agricultura y Pesca; c/ Foners, 10. Palma; Tel. 17 61 00. Instalaciones: Capacidad 10-15 personas; sala con chimenea, sin camas; abierta todo el año.

Refugi Tossals Verds. Información y reservas: FODESMA; Consell Insular de Mallorca; c/ General Riera, 111. Palma; Tel. 17 36 38. Instalaciones: Capacidad 30 personas; sala comedor, dormitorios colectivos, sala de reuniones, electricidad, agua caliente, calefacción y servicios sanitarios; cerrado durante el mes de agosto.

Refugi Can Josep. Información y reservas: 51 70 25 Instalaciones: Capacidad 25 personas; 2 habitaciones, cuatro duchas, sala con chimenea y cocina con nevera; cerrado durante el mes de agosto.

CALA TUENT

Tiene unos 130 m de longitud por 50 de fondo y su suelo está formado por arenas y gravas. Es uno de los lugares más paradisiacos de la isla.

SA CALOBRA

Como Cala Tuent, conviene visitarla a media tarde, para

que el paraje sea más solitario. Sa Calobra, con unos ochenta metros de largo y unos diez de anchura, tiene más grava todavía.

El Torrent de Pareis

Una excursión sólo apta para profesionales; cada verano la Benemérita y Protección Civil se dedican en repetidas ocasiones a rescatar excursionistas atrapados en este paraje.

Desde la carretera ya habrás visto El Entrefoc, lugar donde se unen los torrentes de Lluc y del Gorg Blau, que un poco más adelante forman la temible Sa Fosca, piedra de toque de los excursionistas y espeleólogos de la isla. Sa Fosca no es difícil de ver entrando por su salida.

El Archiduque describía así la zona:

"Llega un momento en que las altas paredes de la roca llegan a tocarse dejando sólo un angosto paso entre ellas, en el que han quedado dos rocas que se unen en el vacío por su parte superior. Constituye uno de los parajes más quebrados que una persona pueda nunca imaginar."

Y el Archiduque Luis Salvador viajó por todo el mundo...

Desde 1963, y a iniciativa de Josep Coll, en la desembocadura del torrente se celebra un concierto al aire libre cada mes de julio, en incierta fecha; interesante y muy concurrido.

ES GUIX y SON MASSIP

Estas pequeñas urbanizaciones, que no debes confundir con las posesiones homónimas, son de las más antiguas -y más pequeñas-, de la isla.

Es Guix es la más cercana a Lluc, y en ella puedes ver la asombrosa piscina natural que formó la Font d'es Guix. Un sitio especial, tranquilo, poco conocido... En él, el restaurante Es Guix; en varias ocasiones lo hemos encontrado cerrado, pero este rincón merece por sí sólo la visita; y si además se pueden repostar energías, miel sobre hojuelas.

Restaurante Es Guix. Tel. 51 70 92.

Más escondida y alejada de Lluc, **Son Massip**, una docena de silenciosas casas sumergidas en la escorquiana tranquilidad.

MUNICIPIO DE POLLENÇA

Pollença, Port de Pollença, Formentor,
Cala Sant Vicenç, y Cala Bóquer.

POLLENÇA

Direcciones y teléfonos de interés

Ayuntamiento: Tel. 53 01 08.
Informacíon Turística: Tel. 53 46 66.
Policía: Tel. 53 00 15.
Centro Médico: Tel. 53 21 01.
Golf Pollensa: Ctra. Palma-Pollença, km. 49'3. Tel. 53 32 16. Fax. 53 32 65. Abierto todo el año, cuenta con nueve hoyos.

Del latín Pollentia (=la Pujante), rica en arqueología, especialmente romana, y rica también en galerías de arte.

Al igual que otros municipios turísticos, el núcleo primitivo del interior dejó paso, en los años sesenta, al desarrollo costero del Port, Cala Sant Vicenç, y Formentor, los dos primeros han seguido creciendo, mientras que Formentor permanece como enclave excepcional e intocado.

La segunda semana de noviembre se celebra La Fira, con multitud de actos culturales, muestra de artesanía, etc.En verano, el Festival Internacional de Música, bastante renombrado, Certamen Internacional de Pintura, etc. Y cada dos de agosto, la fiesta de moros y cristianos, con descontrol absoluto e ingentes consumiciones de mesclat (palo y cazalla).

La visita a la ciudad y a la ciudadanía...

Convento de Sto. Domingo. Visitas: abierto los martes, jueves y domingos de 10 a 12. Comenzado a construir a finales del XVI, se terminó en 1616. Lo más interesante es su claustro; suele utilizarse para actividades culturales, como el Festival de Música de Pollença.

Museo de Pollença. Pintura contemporánea, algunas tablas góticas, piezas litúrgicas, elementos etnográficos, y Els Braus de La Punta, toros de madera de caractre religioso-funerario datados en el siglo IV antes de Cristo.

Iglesia de Ntra. Señora dels Ángels. Levantada por los Caballeros Templarios en el siglo XIV, ha sido reformada en múltiples ocasiones, la última de ellas en 1991. destacan en ella el altar (siglo XVIII), su campanario (construido sobre una torre de defensa del s. XV), y algunas tumbas antiguas. Junto a ella, el tradicional **Café Español.**

Jardines de Juan March. Para visitarlos, debes llamar previamente al Centro Cultural Guillem Cifre de Colonya (Tel. 53 00 15). Con muestras de botánica mallorquina principalmente, en ellos se encuentra un cañón que pertenecía a la torre defensiva de Cala Sant Vicenç.

Ayuntamiento y Montesión. Visitas: Tel. 53 01 08. Finalizado en 1738, es de estilo barroco con base gótica. Contiene una pinacoteca de hijos ilustres de la villa.

Puente Romano Cerca del camino de Ternelles, a la salida del pueblo (calle Pont Romá).

Font del Gall. Bonita e histórica fuente coronada por un apuesto y orgulloso gallo.

Ntra. Señora del Rosario. En ella, un altar barroco del XVII, la Virgen del Roser Vell, un órgano barroco, y la tumba de Joan Más, héroe de Pollença durante la incursión de Barbarroja y sus piratas.

El Calvario. Del siglo XVIII, y con una Virgen del Pie de la Cruz (siglo XIII), su camino comienza en la calle Jesús, con tantos escalones como días tiene el año. A lo largo del Via Crucis, cruces centenarias y panorámicas de la ciudad.

Centro Cultural Guillem Cifré de Colonya. Tel. 53 00 15. Alberga la Biblioteca Municipal, bastante completa, y además, el valioso Archivo Municipal de la ciudad.

Galerías de Arte

Galería Maior. Pza. Major, 4. Tel. 53 00 95.
Galería Bennassar. Plaza Major, 6. Tel. 53 35 14.

Además de lo anterior, merece la pena pasear por las calles Temple, Vent, Lleó, Bou, Estrella, Roservell (con el abrevadero de San Isidro), Salud, Padronada...

Por las afueras

Puig de María. Monte de 330 metros sobre el que se

asienta una ermita de estilo gótico con hospedería. Se llega hasta aquí en el coche de San Fernando (una hora aprox). **Puig de Santüiri**. Área pública situada a unos 1.500 metros de Pollença, en la ctra. Pollença-Ca'n Cullerasa. Orquídeas, y buenas vistas.

En el camino de Lluc, La Querencia, uno de los mejores criaderos de caballos árabes de la isla.

El Castell del Rei. Perfectamente acoplado entre las peñas, a cierta distancia es difícil distinguirlo. Destacan la torre del estribo sur, la entrada, y la puerta secreta. Se dice, con razón, que la panorámica que se alcanza desde el es impresionante: Cala Castell, Punta Galera, Cala Estremer, el Cavall Bernat, Formentor...

Cafés, bares, y tapas

Club Pollença. Plaza Mayor. El Club Pollença, situado en un edificio de arquitectura modernista, tiene un bar; tranquilo y con ambiente tertuliano.

La Tetera. Temple, 7. Tel. 53 07 92. Salón de te, pastelería, sandwiches, bocadillos, etc.

Cafetería El Portell. Vía Pollentia, 19. Merece la pena.

Bar Pont Romá. Bme. Aloy, 24. Bar-café.

Ca'n Moixet. Plaça Mayor, 2. También conocido como Café Espanyol, y situado céntricamente, no está mal.

Bar Inter Sidera. Montission, 17. Tapas variadas y bocadillos calientes.

Restaurante Ca'n Olesa. Pza. Major, 12. Tel. 53 29 08. Especializados en cocina mallorquina; ligeramente caro.

Copas

Dos Music-Bar:

Jam-Bar, en Sant Josep, 6.

Duna, en Alcúdia, 1.

Artesanía

Casa María. Saralegui, 86. Tel. 86 55 51. Con carta de Maestra Artesana, sus bordados se conocen en muchos paises; Ava Gardner fue una de sus clientes.

Carnissería Enseñat. Alcúdia, 5. Productos propios en un bonito local.

Mobles Vallorí. Anglada Camarasa, 89. Tel. 86 55 68. Muebles de estilo mallorquín fabricados con diferentes maderas combinadas, con madera vieja procedente de antiguas botas de vino, etc; en las afueras de Pollença, en la ctra. de Aumadrava, tienen el taller.

Galerías Mestre Paco. Ca'n Berenguer. Tel. 53 43 70. Muebles, principalmente fabricados con maderas viejas procedentes de desmantelamientos.

Galeries Vicenç. Rotonda Ca'n Berenguer. Tel. 53 04 50. Elaboración propia de las famosas robes de llengües, tapicería, cerámica, antigüedades, etc.

Alojamientos

Los alojamientos se concentran en la zona del puerto; aquí hay pocos:

Hospedería del Puig de María. Puig de María. Tel. 53 02 35. Recientemente restaurada, cuenta con nueve habitaciones con capacidad para unas veinte personas y una sala con suelo de madera para pernoctaciones en grupo. Abre todo el año, y el precio es de unas 700 por persona. Junto a la hospedería, un restaurante y una tienda de recuerdos.

Pensión Juma. Tel 53 00 07. Hostal-Residencia de una estrella, situado en un bonito edificio, y que conserva el nombre tradicional: *Bar Juma*; *Café-Copes*. Recomendable.

PORT DE POLLENÇA

"Desde hace tres semanas llevamos aquí, en Pollensa una vida vegetativa de bañistas y estamos encantados con este lugar...

Pollensa es la antigua Pollentia de Plinio y no es preciso viajar hasta Pompeya si se quiere saber cómo era una ciudad pequeña en tiempo de los romanos. Hay aquí, en las Baleares, bastantes sitios que sólo ahora está empezando a invadir la máquina...

...Tampoco hay todavía una industria turística, y por consiguiente falta el enjambre de pordioseros de toda laya que los alemanes han criado desde hace siglos a lo largo de las grandes rutas italianas."

(Ernst Jünger, 1931, a su hermano).

Con el tiempo, las cosas han cambiado...

De interés

Oficina Municipal: Tel. 53 11 72.
Oficina de Información Turística: Pça. Miquel Capllonch (Pollença 07470). Tel. 53 46 66.
Real Club Naútico Port de Pollença. Moll Vell, s/n. Tel. 86 46 35. Fax. 86 46 36.
Camp Nord Ultraligeros. Camí de can Xino. Tel. 908-63 63 49. Alquiler de ultraligeros; no es barato pero merece la pena volar sobre la bahía viendo a la gente como si fuesen hormigas...
Rancho Grande. Tel. 86 54 80. Alquiler de caballos, excursiones diurnas y nocturnas que terminan con sangría y barbacoa...

Agradable y distinguido, con respetables mansiones flanqueadas por pinos y tamarindos, el Port aparece cerrado por la Punta de la Avançada, donde se alza la torre de finales del XVII coronada por un faro que emitió sus primeras luces allá por 1905.

Comer algo en...

Bar Llorens. Tradicional y con sabor.
Celler Bona Cepa. C/ d'el Canó. Bar-resturante.
Restaurante-Cafetería El Pozo. Juan XXIII, 29. Tapas variadas, menús, etc. Asequible.
Restaurante Stay. Situado en el muelle del Club Naútico, su ubicación es inmejorable.
Restaurante Can'n Pep. Fielding/Virgen del Carmen. Tel. 53 00 10. Cercano a La Gola, ofrece cocina mallorquina, pescado, marisco, etc. Precios medios.
Bodega Restaurante Ferra. San Pedro, 3. Tel. 53 10 06. Tapas, platos combinados, paellas, cocina mallorquina, etc. Precios medios.

Artesanía

Arte Casa. Cecilio Metelo, 29. Artesanía, piezas antiguas, reproducciones, etc.
L'Encruia. Roger de Lauria, 24. Tel. 86 41 85. Artesanía del hierro combinado con cristal, madera, mármol...
Xaloc. Formentor, 15. Artesanía variada y objetos de vidrio.
Godoy. Calle Cano. Cerámica, barro, etc.

Una bombonería: **La Maina**, en Anglada Camarassa, 1.

Una discoteca

Discoteca Chivas. Una de las más tradicionales; decoración de los años 70 y clientela variada; cierra por la mañana.

Alojamientos

Entre hoteles y apartamentos, el Port de Pollença acoge medio centenar; te damos referencia de los más representativos, y de una casa de turismo rural.

Una **Pensión** en Saralegui, 118. Tel. 86 59 02.

Hoteles de una estrella

Hostal Corró. Juan XXIII, 68. Tel. 86 50 05.
Hostal Bahía. Paseo Vora Mar, s/n. Tel. 53 10 93.
Hostal Residencia Bauza. Juan de la Cosa, 32. Tel. 86 54 74.
Hotel Carotti. Gola, 20. Tel. 86 55 18.

Dos estrellas

Hostal Residencia Borrás. Miquel Capilong, 14. Tel. 53 14 47.
Hostal Residencia Eolo. Gabriel Roca, 2. Tel. 53 15 50.

Tres estrellas

Hotel Capri. Anglada Camarassa, s/n. Tel. 53 16 00.
Hotel Daina. Atilio Boveri, 2. Tel. 53 12 50.
Hotel Illa D'Or. Paseo Colón, 265. Tel. 86 51 00.
Hotel Miramar. Pto. Pollença. Tel. 53 14 00.

Apartamentos de tres llaves

Aparthotel Oro Playa. Ctra. Formentor, s/n. Tel. 86 44 41.
Aparthotel Puerto Azul. Pere Meliá, 4. Tel. 53 36 00.Situado a noventa metros de del mar.

Turismo Rural Can Cap de Bou. Camino de Almadraba. Tel. 83 94 44. Situada a 500 metros de la playa y propiedad de un ingeniero, dispone de caballos, piscina, barca, pista de tenis, etc. Comprende cuatro viviendas (dos plazas cada una), y dos casas (ocho plazas); en todas, cocina, neveras, y cuarto de baño. Dependiendo de la temporada el precio diario de una unidad de dos plazas oscila entre 10.000 y 13.000, y el de las casas entre 16.000 y 25.000.

FORMENTOR

Uno de los mejores lugares de la isla, al que se accede por una carretera desde la que contemplarás hermosas vistas. Verás la ladera cubierta con malla metálica para proteger los automóviles de los desprendimientos de rocas.

Playas

Cala Murta (30 por 8 metros), Cala Figuera, y Playa de Formentor, de unos quinientos metros de longitud por quince de fondo, con chiringuitos bastante caros.

Te quedan también las apacibles Cala Engosauba, Cala Gentil...

En el pinar de Cala Murta puedes ver el monumento a Costa i Llobera, y en la capilla, "La Virgen de Formentor".

Alojamientos

Un campamento y un hotel de cinco estrellas, no hay término medio.

Campament de Cala Murta. Cala Murta-Formentor. Tel. 53 01 92. Abierto de julio a septiembre. Dos tipos de alojamiento:

a) Campamento de Santa María de Cala Murta, con cabañas con una capacidad total de sesenta plazas, comedor, cocina, e instalaciones sanitarias.

b) Zona de acampada de l'Alzinar -muy próxima a la playa-, con espacio para unas 15 tiendas de campaña.

Hotel Formentor *****. Tel. 86 53 00. Formentor. Levantado en 1931 por el argentino Adán Diehl, gracias a él la península de Formentor se dio a conocer a nivel internacional: todas las estaciones de tren francesas tenían un cartel publicitario de Formentor... Aún así, al bueno de Adán no le iba bien el negocio, y, presionado por los acreedores, abandonó la isla en 1934, pasando el hotel de mano en mano hasta 1954, año en que la familia Buades se hizo con el negocio, y así hasta ahora. Charlot, John Wayne, Edward G. Robinson, Ava Gardner, Douglas Fairbanks, Anthoni Quinn, Charles Boyer, George Sanders, Conde de Barcelona, Juan Carlos y Sofía, Churchill, Onassis... todos ellos pasaron por aquí... El hotel Formentor habilitó una construcción como agroturismo rural y así consta en el Registro de Actividades Agroturísticas de la Consellería de Turismo. Dispone de seis habitaciones dobles y de todas las ventajas que pueden ofrecer las infraestructuras y equipamientos de un hotel.

CALA SANT VICENÇ

Oficina de Información Turística: Pça. Cala Sant Vicenç (Pollença 07469). Tel.53 32 64.
Taxis: en la calle Cala Molins, junto a la playa del mismo nombre.
Dispensario: junto a la parada de taxis.

Un núcleo turístico como tantos otros, pero repleto de restos arqueológicos: cuevas en Cala Sant Vicenç, más cuevas en Arinat de Baix, en L'Alzinar, en El Pinar de les Arenes... Hasta aquí llegaron Russiñol, Sorolla, y algún pintor más, atraidos por la luz...

Visitar

Cuevas Prehistóricas. Cuevas funerarias de la edad del bronce, consideradas las mejores de su clase en el mediterráneo occidental. Destaca la número siete.
Calas. Cala Clara, Cala Molins, Cala Carbó, Cala Barques...

Bares y cafeterías en las calles Cala Clara y Torrente.

Restaurantes

Ca'l Patro, en las afueras (Tel. 53 38 99), y **Cavall Bernat**, en la calle Temporal (Tel. 53 02 50)

En la urbanización Los Encinares, un restaurante: **Voramar**. Tel. 53 14 55.

Alojamientos

Una estrella

Hotel Niu. Cala Clara, s/n. Tel. 53 01 00. Al principio fue una pensión, y por ella anduvieron Anglada Camarassa, Sorolla...

Dos estrellas

Hostal Mayol. Cala Molins, s/n. Tel. 53 04 40.

Tres estrellas

Hotel Don Pedro. Cala Clara, s/n. Tel. 53 00 50.
Hotel Cala Sant Vicente. Temporal, s/n. Tel. 53 02 50.
Hotel Simar. Temporal, s/n. Tel. 53 03 00.

CALA BÓQUER

Cercana a la urbanización del mismo nombre, y protegida por la sierra del Cavall Bernat. Junto a ella, un talayot, restos de la prerromana ciudad de Bocchoris, una fuente de agua potable, avifauna variada, y alguna orquídea.

Y además, es un excelente lugar para bañarse.

Los cronicones dicen que Bocchoris fue fundada nada ménos que por Bokenrauf, rey de la XXIV dinastía egipcia, hacia el XVIII antes de Cristo; con la llegada de los romanos fue respetada, y en el año 6 era ciudad confederada a Roma...

Talaia de Albercuix

Construida a finales de XVI por mandato del Gran y General Consell para advertir de las molestas "visitas" de los turcos.

Situada a unos 380 metros de altitud, desde ella se domina visualmente la bahía, el Castell del Rei, y la Atalaya de Alcúdia. Junto a ella se encuentran algunas construcciones y túneles de cuando la Guerra Civil.

Para llegar hasta ella, debes caminar unos veinte minutos desde el aparcamiento del Mirador de la Creueta, en la carretera de Formentor.

MUNICIPIO DE ALCÚDIA

Alcúdia, y Port d'Alcúdia.

ALCÚDIA

De interés

Ayuntamiento: Major, 9. Tel. 54 80 71.
Policía Local: Tel. 54 50 66.
Información turística: Tel. 89 26 15.

La península de Alcudia, flanqueada por dos bahías se te presenta en toda su explendor: lagos naturales comunicados con el mar por medio de canales, y una inmensa zona turística que se extiende desde el puerto deportivo hasta el Parque Natural de la Albufera.

La visita a la ciudad

El casco antiguo. Las murallas empezaron a levantarse en tiempo de Jaime II, y aún queda lo que vés. Paseo recomendable es seguir la calle interior del cordón amurallado (**camí de ronda**), acercarse hasta las dos puertas (Porta del Moll o de Xara, y Porta de Sant Sebastiá), ver la Biblioteca Can Torró, la Iglesia de Sant Jaume, y las fachadas de Can Fondo, Can Doménech, Can Calvó, Can Canta, perderse un poco...

Ciudad Romana de Pollentia. Fundada por Quinto Cecilio Metelo hacia el 123 a. C., y ubicada sobre un antiguo poblado talayótico -como lo demuestran unos restos hallados bajo la calle porticada-, ocupa unas doce hectáreas de extensión.

Bastante activa hacia el año 100 a.C., vivió su esplendor en la época del Alto Imperio (siglos I al III), época de la que datan el teatro y varias grandes casas; Plinio dice que era municipio que disfrutaba del derecho romano, mientras que Mela afirma que simplemente era una colonia; allá ellos.

Se cree que su declive se inicia hacia la segunda mitad del

siglo III, y en todo caso, en 425 llegaron los vándalos, hicieron el ídem, y quedó destruida.

Entre las ruinas de Pollentia puedes ver:

-La Casa de la Cabeza de Bronce, de la que queda alguna pared.

-La Calle Porticada, de 26 metros de longitud, y con bases de columnas alineadas.

-La Casa de los Tesoros, con un atrio y cuatro columnas.

-La Casa del Nordeste, la Calle Norte-Sur, la Muralla, con unos cien metros de longitud, y especialmente,

El Teatro. Construido aprovechando una elevación natural del terreno, tenía una capacidad de unas dos mil plazas. Bajo la cávea se hallaron restos de cuevas prehistóricas y sobre el escenario se han hallado sepulturas de las épocas tardo-romana y medieval.

El Museo. Conserva alguna de las tablas o teseas de patronato (cualquier estudiante de Derecho Romano te puede explicar lo que es una tesea), el Thoracato, que es un guerrero con coraza decorada con motivos mitológicos, una maqueta de casa romana, etc.

Oratorio de Santa Ana Cercano al teatro romano, y a unos 300 metros de la ciudad romana.

Biblioteca Can Torró. Serra, 15. Tel. 54 73 11. Perteneciente a la Fundación Can Torró, además de biblioteca organiza exposiciones, actos culturales, etc.

Un paseo. Al norte de la ciudad, siguiendo el Camí de Barcares llegarás hasta el Passeig de Voramar, que transcurre paralelo al mar, y podrás ver el embarcadero, la Avda. Camp del Mar, el Morer Vermell, el Passeig de Tirant lo Blanc, Manresa, la Playa de Sant Joan, y el Mal Pas por cuyo camino retornarás a Alcúdia formando un bucle.

Entre el Morer Vermell y Mal Pas discurre el llamado Camí de L'Hort des Moros: pinares, encinas, almendros, algarrobos, higueras, etc. Camino para hacer en bici.

Otro. Acercarse hasta la Albufereta, formada por lagunas rodeadas de exuberante vegetación. Paseo apropiado para realizarse en bici.

Alojamientos

La oferta hotelera de la zona se concentra principalmente en el puerto de Alcudia. En Alcúdia, junto a las murallas, los **Apartamentos Carlos V.** Pollentia, 2. Tel. 54 84 75.

Un campamento, dos casas de colonias, una hospedería, y una instalación de turismo rural completan la oferta.

Campamento de la Victoria. Ctra. del Cap Pinar, km. 4'9. Información y reservas: Institut Balear de Serveis a la Juventud. Tel. 17 64 00. Zona de acampada de doscientas plazas de capacidad; sala de proyecciones, cocina, comedor, duchas interiores y exteriores, etc. Abre en junio, julio, y agosto.

Cerca de aquí, el Alberg Juvenil D'Alcúdia (Tel. 54 53 95).

Hospedería de la Ermita de la Victoria. Cuenta con dieciseis habitaciones dobles. Cerrada al público por reformas durante 1995, cuando lleges aquí ya habrán terminado. Dependiente de la parroquia de Alcúdia, allí te darán información.

Casa de Colonias y de Espiritualidad Son Fe. Ctra. Palma-Alcúdia, km. 46. Tel. 54 76 36. Información y reservas: María Ignàsia. Tel. 51 61 86. Situada a unos siete kilómetros de Alcúdia, cuenta con 35 dormitorios individuales y tres dobles. Minigolf, pista de tenis, y piscina; dispone de servicio de cocina. Abren de mayo a agosto.

Casa de Colonias de GESA. Ctra. de Aucanada, s/n. 07400 Alcúdia. Información y reservas: Tel. 46 71 11. En invierno, en el 72 60 18. Cuarenta y seis plazas de capacidad en dos dormitorios comunales; cocina, comedor, y calefacción. Cuenta con campo de fútbol pista de tenis, y piscina, permaneciendo abierta todo el año.

Agroturismo Can Faveta. Ctra. Palma-Alcudia Km 46. Tel. 53 01 52. Situada a seis km de Alcudia, cuenta esta casa con jardín, piscina y solarium. La instalación, que se alquila en su totalidad, dispone de cuatro habitaciones dobles, dos cuartos de baño, cocina, nevera, lavadora, fregaplatos, y antena parabólica. La casa entera por unas 25.000 al día.

PORT D'ALCUDIA

De Interés

Oficina de Información Turística del Port d'Alcudia: Juan Carlos I, 68 (07410 Alcúdia). Tel/Fax. 89 26 15.

Guardia Civil: Tel. 54 51 49.

Policía Municipal: 54 50 66.

Alquiler de Coches: Alfa Car: Tel. 54 83 10. Canaves: Tel. 54 52 96. Colber: Tel. 89 05 47.

Comunicaciones

Autobuses

-Pto. Alcudia-Palma: Salen desde Vicealmirante Moreno, 86.
-Palma-Alcudia: Salida desde la Plaza de España.

Autocares Aumasa (Tel. 55 07 30) comunica con Porto Cristo, Cala Millor, Cala Bona, S'Illot, Sa Coma, Manacor, Artá, Cala Ratjada, y Calas de Mallorca.

Autocares Mallorca (Tel. 54 56 96) te comunica con muchas poblaciones haciendo parada frente a complejos turísticos; estas son sus líneas:

1) Camping Cala Blava-Alcudia Pins-P.Esperanza-Playas de Muro-Ses Fotges-Gaviotas-Condesa Bahía-Eden-Platja D'Or-Concha Lago-Ciudad Blanca-Delfín Azul-Magic-Alcúdia Garden-Viajes T.S.I.-Piscis-Alcúdia-Inca-Binissalem-Consell-Santa María-Palma.

2) Can Picafort-Gran Vista-Tonga-Baulo Pins-Exagon-Son Bauló-Picafort Park-Ayuntamiento de Can Picafort-Calipso-gran Playa-Camping Playa Blava-Alcúdia Pins-Playas Mallorca-Playa Esperanza-Ses Fotges-Playa de Muro-Gaviotas-Eden-Condesa Bahía-Platja D'Or-Concha Lago-Ciudad Blanca-Delfín Azul-Magic e Hidropark-Alcúdia Garden-Club Carabel-Viajes T.S.I.-Piscis-Alcúdia-Posada Verano-Club Pollentia-Galeón-P.Park-Puerto de Pollença.

3) Can Picafort-Camping Cala Blava-Alcúdia Pins-Ciudad Lagos-Ciudad Blanca-Puerto de Alcúdia-Alcúdia-Club Pollentia-Puerto Pollença-Formentor.

4) Palma-Santa María-Consell-Binissalem-Inca-Alcúdia-Puerto Pollença-Formentor.

5) Puerto Pollença-Cala San Vicente-Pollença-Lluc-Sóller-Puerto de Sóller.

6) Bellevue-Alcúdia-Puerto de Alcúdia-Aucanada.

Minitren: En verano, un "tren" de pega une Alcudia con Ca'n Picafort.

Ocios y diversiones

Hidropark. Avda. Tucán, s/n. Tel. 54 70 72. Parque acuático con las diversiones propias de estos sitios: toboganes, etc.

Excursiones Marítimas Safari. Tel. 54 58 11. Viajecitos en barco con fondo de cristal; parte desde el puerto y sigue hasta Cabo Menorca, Cabo Pinar, y Formentor. A veces recoge viajeros en las cercanas Sunwing, Ciudad Blanca, y las gaviotas.

Boat Charter. Tels. 28 44 83 y 908-53 74 53. Alquiler de lanchas con y sin conductor; no es caro si se alquila para un grupo de hasta ocho personas.

Rent-Boat. Local nº 14 del Club Naútico. Tels. 54 76 31 y 908-53 59 73. Alquiler de lanchas desde cinco hasta quince metros.

Escuela de Parapente Alfabia. Tel. 89 13 66. Vuelos en parapente biplaza desde el Puig de Sant Martí, sobrevolando en silencio la bahía...

Tenis Las Palmeras. Tel. 89 14 23. Por si hace calor, tienen una pista cubierta; también hay pista de Squash.

Minimotos. Junto al Magic Center. Alcanzan hasta setenta km. por hora; tambien cuentan con minikarts.

Paseando verás...

Club Naútico En su recinto y alrededores, pubs, restaurantes, etc. Uno de los mas conocidos, El Port, también conocido como La Cantina del Puerto, ubicada sobre la escollera; otros lugares de moda, Marblau Café, Café Es Varadero

La Playa

Por supuesto, tiene Bandera Azul y todos los servicios; azul, tranquila, y cristalina, en ella tienes velomares, hamacas, sombrillas, chiringuitos, espacios reservados para voleibol, vuelo en paracaidas arrastrado por una lancha (frente al Hotel Sunwing), etc. Un tema divertido: La Banana, consistente en un tubo de goma tirado por un barco; la jugada consiste en cabalgar sobre la Banana sin caerse.

La Playa de la Marina de Alcúdia tiene algo más de un kilómetro de extensión, con unos veinte metros de anchura; destaca en ella la finura de su arena: por término medio, 0'07 milímetros de calibre.

Paseos

Cova de San Martí. Camino del Puig de Son Martí.

A veces se utiliza para actividades culturales (v.gr conciertos). Cercana al monte homónimo, desde el que pueden verse Alcúdia, Pollença, la Albufera, las montañas, el Pla...

Isla de Alcanada. Se encuentra frente a la zona de Ses Pedreres. Frente a ella, la playa de Aucanada, de quinientos setenta metros de longitud por unos escasos nueve metros de anchura; el calibre de su arena, de los más finos: 0'07 milímetros.

Playa del Coll Baix. Situada a unos seis kilómetros, está sin urbanizar: tendrás que llevar tus propias vituallas. Cercana al Coll Baix, al que se llega a través del Camí de la Muntanya.

Ermita de la Victoria. Muy buenas panorámicas con posibilidad de alojamiento. Se llega hasta ella por el camino de el Mal Pas, cruzando después por Bonaire, hasta llegar al camino de la Victoria. Verás el Torrente de les Fontanelles, L'Illot (aquí hay un bar), Cap del Pinar, etc. Hasta aquí puedes llegar en coche, después hay que caminar.

Desde la ermita hay dos excursiones alternativas: llegarse hasta la Talaia de Alcúdia o hasta la Penya del Migdia.

La Albufera El Parque Natural de la Albufera constituye la zona húmeda más importante de Baleares; Sobre el Pont dels Anglesos se halla la entrada al Parque (gratuita, por cierto). Los ingleses intentaron desecar parte de la Albufera durante el siglo pasado, y seguramente este puente es obra suya.

A un km. de la entrada se halla la oficina de recepción, donde debes inscribirte como visitante; allí te facilitarán información sobre el Parque, normas a seguir, alquiler de prismáticos, etc. Te prevenimos que no aceptan la entrada de animales de compañía.

Dentro del Parque tienes cuatro circuitos señalizados, que pueden hacerse tanto a pie como en bici, así como cuatro puntos de observación (derribados en parte durante el temporal del otoño del 95, ya han sido reparados).

Horarios: del 1-X al 31-3, de 9 a 17, y el resto del año, de 9 a 19.

Copas, tapas, y restaurantes

Toda la zona está literalmente plagada de locales, orientados en su mayor parte hacia el turismo extranjero; ya te hemos comentado que para comer bien a precios razonables conviene acudir a zonas no turísticas, pero de todas formas, aquí va mención de algunos sitios:

Mar Blau. Recinto del Club Naútico. Bonita terraza con ambiente pijo-guapo; está bien en verano.

Wimpy. C/Pedro Mas Reus. Junto al Hotel Bocaccio y la oficina de información turística

Cafetería Coral. Reina Sofía, 8. Famosa por sus helados y sandwiches, suele adornarla la presencia de Carlos pintando caricaturas de los clientes

Kentucky Fried Chicken. Cercano al hotel Astoria y al Wimpy.

Restaurante S'Albufera. Ctra. Pto. Alcúdia-Artá (Las Gaviotas). Cocina mallorquina, pescado fresco, carnes a la parrilla, etc. Precios medios.

Restaurante Aucanada. Calle del Mirador. Tel. 54 70 87. Cocina española e internacional. Bueno y caro.

Topolino. Ctra. Artá-Pto de Alcúdia (Las Gaviotas). Tel. 54 80 33. Restaurante-Pizzería; cocina mediterránea, carnes y pescados, etc. En verano, musica en vivo.

Es Forne. Gabriel Roca, 31. Tel. 54 50 77. Ubicado detrás del puerto pesquero, dispone de una terraza frente al mar; especializado en pescado fresco, no es barato.

Tio Pepe. Mare de Déu del Carmen, 1. Tel. 54 89 42. Pizzería, bar, y restaurante; abierto hasta las dos de la mañana, no es caro, y si les enseñas ésta guía, seguramente te invitarán a algo.

Restaurante Pizzería Nova Marina. Vicealmirante Moreno, 10. Tel. 54 53 09. Paellas, pescados, y cocina italiana; precios medios.

Restaurante Tussilago. Mariscos, 19. Tel. 54 68 74. Pasta, ensaladas, y pizzas para llevar; ambiente familiar.

Pizzería Il Cardinale. Magic Center. Pasta, hamburguesas, helados, zumos naturales...

Toc's Bier. Magic Center. Pub situado en el mismo complejo que la pizzería citada más arriba.

Sissi's Bistro-Bar. Coral, 7. Copas, tapas, pinchos, ensaladas, etc; cierra de madrugada.

Cafetería-Pub New Pacific. Recuerda a una tienda de muebles caros, y cuando pagues el café, creerás que te han traido la factura de la silla.

Peach Pit. Junto a los hoteles Sun Garden y Sol de Alcúdia. Karaoke-Restaurante cuyo interés reside en que permanece abierto durante todo el día.

Magic-Center. Ctra. Alcudia-Artá. Hay casi de todo y cierra a las tantas; entre otras cosas, un Burger King.

El Cubano. Cisne Blanco, 1. Algo más tranquilo que los karaokes y pubs de *marcha ibicenca*, proyecta vídeos de Cuba, sirve mojitos, etc.

El tema nocturno

Pubs, disco-pubs, karaokes y discotecas parecen surgir por generación espontánea; los locales más conocidos, Menta, Stadium, Imagine (en el Magic Center), Magic...

Alojamientos

Unos setenta hoteles y edificios de apartamentos, casi todos parecidos como un huevo a otro huevo...

Hostales

Hostal Calma. Teodor Canet, 25. Tel. 54 53 43. Muy bien ubicado, junto al Club Naútico y el paseo Marítimo.
Hostal Paraiso. Ctra. Alcúdia, 2. Tel. 54 80 12. Más alejado de la playa que el anterior.
Hostal Mal Pas. Vell de la Victoria, 1. Tel. 54 51 43. Ubicado en la zona del Mal Pas, esto es, en Alcúdia, en la costa, pero no en el Port .
Hostal Puerto. Teodoro Canet, 47. Tel. 54 54 47. Muy bien situado.
Hostal-Residencia Vista Alegre. Paseo Marítimo, 10. Tel. 54 73 47. El más centrico y mejor situado.

Hoteles de tres estrellas

Hotel Condesa de la Bahía. Roselles, 4. Tel. 89 01 20. Todas las comodidades y escuela de windsurf. Está en primera línea de playa.
Hotel Marítimo. Ctra. Artá-Albufera. Tel. 89 01 93. Se encuentra en un extremo de la bahía, casi fronterizo con el término municipal de Muro.
Hotel President. Camí de Alcanada, s/n. Tel. 54 53 05. Disfruta de buenas vistas y se ubica en la zona de Alcanada, al otro extremo del Hotel Marítimo.
Hotel Condes de Alcúdia. Avda. Platja, s/n. Tel. 54 59 20. Céntrico y relativamente próximo al mar.

Tres hoteles de la misma cadena, todos ellos próximos al Estany Menor (no son céntricos):

Hotel Júpiter. *** Avda. Tucán, s/n. Tel. 89 16 00.
Hotel Saturno. *** Avda. Tucán, s/n. Tel. 89 17 00.
Hotel Marte. ** Avda. Tucán, s/n. Tel. 89 13 12.

COMARCA DEL RAIGUER

Municipios de Campanet, Búguer, Selva, Inca,
Mancor de la Vall, Lloseta, Alaró, Binissalem, Consell,
Santa María del Camí, y Marratxí.

Comarca situada en la parte oriental de la isla, entre la Serra de la Tramuntana y la Comarca del Pla, constituye un corredor asentado en una falla que se extiende desde Palma hasta Alcúdia sobre el que se fueron asentando los materiales de aluvión proporcionados por los torrentes de la sierra.

Al ser una zona que tuvo una alta densidad demográfica, su patrimonio histórico-artístico es bastante notable

Artesanía del Raiguer

Cerámica en Marratxí, vino en Santa María, Consell, y Binissalem, tejidos y calzado en Lloseta y Santa María, calzado y piel en Inca, cristal en Campanet, cucharas de madera en Búger, piel y aceite en Selva...

La Ruta del Vino del Raiguer

Podría ser esta: Sa Cabaneta-Pórtol-Santa María-Consell-Binissalem-Inca-Campanet-Búger.

En la entrada de cada pueblo tienes un gran panel con el mapa de la localidad y la señalización de los puntos de interés de la localidad.

Siendo como es, comarca de interior, los alojamientos no abundan.

MUNICIPIO DE CAMPANET

De interés

Ayuntamiento y Policía Local: Tels. 51 60 05/51 60 06.
Dispensario Médico: Tel. 51 60 05.

Pueblo dedicado a la piel, el calzado, el vidrio, etc. Aquí fabrican artesanales cucharones de madera, así como resistentes alpargatas (*esperdenyes*) para tus futuros paseos ("estas me las compré en Campanet, ¿os lo cuento?" etc.), etc. En cuestiones de jamancia, has de probar las empanadas y los *rubiols*.

Dos temas interesan más que otros en Campanet: las cuevas, y Ses Fonts Ufanes.

Cosas de Campanet

Iglesia Parroquial. Levantada entre 1717 y 1774. En ella, una reliquia de Sant Victoriá, traida desde Roma por el Cardenal Despuig, famoso por su colección de esculturas clásicas que viste en el castillo de Bellver. El cardenal era hijo del Conde de Montenegro, cuyo caserío-palacio (Ullaró) se encuentra cercano al pueblo, siguiendo el camino de Son Borrás. El conde invitaba a sus amigotes con un licor (xarop de magrana) cuya fórmula no reveló nunca, pero que descubrió el historiador Gabriel Mateu Mirata.

Tras la iglesia, un cuidado jardín, y cerca, el monumento a Llorenç Riber.

Cuevas de Campanet. Tel. 51 61 30. Visitas: en verano, de 10'00 a 19'00, y en invierno, de 10'00 a 18'00. Descubiertas por Tomeu Palot Bennàser "Xineta" en 1945, les da fama su antigüedad, su belleza, el descubrimiento en ellas de uno de los últimos *Myotragus Balearicus* que habitó la isla, y las películas que se han rodado en su interior. A poco de que se descubriesen, casi todo el pueblo acudió a visitarlas, incluida la Guardia Civil, que se extravió y no podía salir...

Con unos seiscientos metros de extensión y una temperatura constante de 20 grados, constan de tres grandes salas: Sa Palmera, Sala del Lago, y Sala Romántica. En ésta última, dos estalactitas únicas en el mundo: cuatro metros de altura y cuatro milímetros de espesor. Otra curiosidad de esta sala es su impresionante acústica: la han visitado ciéntificos alemanes interesados en descubrir los primitivos sonidos que dieron origen al lenguaje, y cada año la visita una coral germana para cantar.

Vidrios Menestralia. Ctra. Alcúdia, km. 36. Tel. 87 71 04. Artesanía del vidrio en todas las formas y técnicas imaginables (burbuja, excavación, espuma, rústico, fino, doblado, opaco...), sin contar con el tema azulejos, que también es como para marearse.

Un eslogan de Menestralia: "*En Hierro y orfebrería, vd. nos da su idea y nosotros la realizamos*".

Ses Fonts Ufanes. En el encinar de la finca Gabellí Petit, algunos inviernos, brotan, sin que se sepa predecir el momento, multitud de pequeños caudales de agua. El fenómeno es tan interesante que cuando se produce, multitud de mallorquines colapsan con sus coches los accesos a la finca para ver el tema.

Oratorio de Sant Miquel. Fundado en el siglo XIII, es conocido el oratorio por su espadaña gótica. Sant Miquel des Missatges marcaba la fecha en que se hacían los contratos de aparceros para el campo mallorquín.

Bares en la Plaça Major (también una panadería), y en Llorenç Riber, y **calzados** y alpargatas a unos 800 metros de Menestralia.

Un poco de arqueología...

La Cova Massana (pretalayótica), Es Claper des doblers (talayot), cercano a Ses Fonts Ufanes...

Andando...

Puedes llegar hasta las cuevas, el Puig Tomir, o incluso hasta Lluc, excursión ésta en la que invertirás unas cuatro horas.

MUNICIPIO DE BÚGER

Ayuntamiento: Tel. 51 61 46.
Unidad Sanitaria: Tel. 87 72 12.

El municipio de menor extensión de la isla, conocido por sus *campanas de vidrio* (ramos de caracoles y conchas protegidos por una campana de cristal), sus *picarols* (cencerros), sus cucharas de madera, y, por que no, su industria de sillería metálica.

Lo más característico de la población son sus molinos, de los que aún quedan una decena en la población, casi todos en las zonas conocidas como Es Puig, Es Pujols y Es Molins (detrás de la iglesia).

Búger cuenta asimismo con una larga tradición musical: aquí tiene su sede la Fundación ACA (Área de de Creación Acústica), en la calle Ramón Llul.

El paseo por el pueblo

Parroquia de Sant Pere. Concluida a mediados del siglo XVIII, en ella se conserva un histórico órgano procedente del convento de Campos, y la majestuosa imagen de Sant Pere.

Cruces de término. Las de Son Pauló, Es Pous, y Sa Tafona.

En el local de la tercera edad, (Ramón Llul, 2.) un **bar** (ni máquina ni bacalao), y otro en Major, 10.

-En la calle Lluc, verás una ventana sobre cuyos marcos de piedra están grabados pentagramas bastante curiosos.

Un restaurante: **S'Hostal**, en el km. 36'2 de la ctra. Palma-Alcúdia. Tel. 51 62 65.

Festa des Jai

El primer domingo de mayo se rememora el retorno de los artesanos provenientes de la en su día- la feria mas importante de la isla, en Sineu.

Bugenburg

Así se conoce a la Urbanización Es Pujol, diseñada en 1930 por el arquitecto alemán Alfred Heller (desterrado de Alemania por antinazi) en 1930. la forman una veintena de chalets ocupados por alemanes y holandeses fundamentalmente.

MUNICIPIO DE SELVA

Selva, Biniamar, Caimari, y Moscari

SELVA

De interés

Ayuntamiento: Tel. 51 50 06.
Centro Sanitario: Tel. 51 55 51.
Una revista del municipio: **Sa Plaça.**

Del latín Silva (bosque) la viene el nombre al pueblo, que se halla dividido en tres barrios: Es Puig, Valella, y Camerata.

Visitar

Iglesia de San Lorenzo. Una gran escalinata del siglo XVII da acceso a su fachada.

Fuera del pueblo, pero no del municipio, pueden visitarse el Puig de Cristo Rey, las Comunas de Selva y Biniamar, o la pequeña aldea de Binibona.

Un bar

Kollflex. Tel 51 50 27. Se encuentra a la salida del pueblo, en dirección a Lluc, esta factoría de piel y calzado, en la que al igual que en Perlas Majórica, puedes comprar a precios de fábrica, y/o ver como fabrican sus artículos. Además, un pequeño bar y tienda de souvenirs. Entrada gratuita.

BINIAMAR

Cerca de Lloseta se encuentra este llogaret que tomó su nombre del árabe Beni-Ammar, hijos de Ammar.

Iglesia del siglo XVIII dedicada a Santa Tecla, calles tranquilas, y bonito paisaje.

CAIMARI

Delegación del Ayuntamiento de **Selva**: Tel. 87 50 64.

Pequeño llogaret de bellas fachadas y farolas de estilo antiguo.

Ver

La Iglesia de la Concepción, del siglo XIX, la fuente, las calles, y anda que te andarás, la Comuna de Caimari, espacio natural de ocio y recreo.

Bares

Ca'n Tomeu (Tavernes), **Vila** (Ntra. Sra. de Lluc), y **Ca S'Hereu** (junto a la Banca March).

La Comuna de Caimari

En su tiempo era una fuente de riqueza para la población, que la utilizaba para elaborar carbón vegetal, etc. Así, verás muchos restos de *Rotlos de Sitja* y de barracas de carbonero. Cuando lleges, quizás ya estén acondicionados algunos refugios de montaña.

La población cuenta con su propio grupo dramático, el grupo Disbauxa, que de momento ensaya en la iglesia vieja, abandonada al culto.

Alojamiento

Turismo Rural Ets Atbellons. Bini Bona. Caimari. Tel. 51 54 88. Bonita y tradicional casa situada en la montaña, a unos cuatro km de Caimari, que cuenta con piscina y solarium, y que dispone de nueve habitaciones dobles; en todas ellas, cuarto de baño, calefacción, aire acondicionado, teléfono, TV y mini bar. Elaboran personalmente sobrasadas y embutidos; comida por 2.000. Con desayuno incluido, una doble por 21.000 al día, y una individual por 10.500.

MOSCARI

Pequeño llogaret del que destaca su iglesia del siglo pasado dedicada a Santa Ana.

Moscari cuenta con un monumento al Sagrado Corazón de Jesús, construido sobre antiguas ruinas talayóticas.

Conservan en el pueblo un acustodia y un terno que les regaló Isabel II allá por 1866.

MUNICIPIO DE INCA

Direcciones de interés

Ayuntamiento: Plaza de España, 1. Tel. 88 01 50.
Policía Local: Pau, 1. Tel. 88 08 18.
Biblioteca y Archivo: Dureta, 7. Tel. 88 02 50.
Seguridad Social: Antoni Torrandell. Tel. 50 20 90.
Guardia Civil: Quarter Gral. Luque. Tel. 50 14 50.

Correos y Telégrafos: Pl. Angel. Tel. 50 04 23.
Estación de Ferrocarril: Tren, 25. Tel. 50 00 29.
Información turística: Plaza de España, 1. Tel. 88 01 05
Teatre Principal: Teatre, 8. Tel. 50 02 13.
Cine Novedades: Juníper Serra, 31. Tel. 50 07 60.

Cuatro asuntos dan fama a Inca: el tren, la industria de la piel, los cellers, y las galletas.

La visita a la ciudad

Iglesia de Santa María la Mayor. Barroco y de una sola nave, construido entre 1706 y 1893. Fachada de portada neoclásica y campanario del siglo XVII.

En el interior, una tabla gótica de Santa María de Inca, una estatua de Santa María la Mayor (siglo XIV), y unos cuantos retablos barrocos y renacentistas.

Convento de Sant Francesc. Barroca y de planta rectangular, se terminó de levantar a principios del siglo pasado. Lo más interesante de él es su claustro (siglo XVIII).

Monasterio de Sant Bartomeu. De estilo barroco, guarda en su interior interesantes tablas góticas y retablos barrocos. Es además residencia de las mongas Jerónimas, que elaboran los famosos congrets, dulces confecionados con harina, azucar, y huevos.

Antiguo Convento de Santo Domingo. Al igual que el de Sant Francesc, tiene un excelente claustro.

La Estación. Del siglo pasado, rectangular, y de dos plantas. La línea que une Palma con Inca, inaugurada en 1875, tiene un trazado actual de 30 kilómetros, y es la única que queda de una red que llegó a contar con más de doscientos kilómetros, desmantelados en su mayoría en los años sesenta. Los mallorquines no cesan de reclamar la puesta en servicio de las antiguas líneas, pero incomprensiblemente, las autoridades competentes callan y miran para otro lado.

En el término municipal, el abandonado ensamble de Son Bordils, con estación, apeadero, etc. Interesante y triste.

Teatro Principal. Construido en 1913 y reformado en 1945. Ornamentos de yeso y robustas barandillas de hierro forjado.

Plaça D'Orient. Quizás la mas bonita de la ciudad; en ella, una magnífica fuente.

Molinos harineros. Los encontrarás en la parte alta de la ciudad, en la calle Des Molins.

Cellers. Hasta que a finales del XIX llegó la filoxera, la vid era el principal cultivo de Inca, y en sus cellers (bodegas) envejecía el vino. Muchos de ellos se han reconvertido en restaurantes, conservando las grandes botas de madera, herramientas, etc. Etnología para ver y tocar, al fin y al cabo.

Casi todos ellos están ubicados en edificios urbanísticamente protegidos a causa de sus valores arquitectónicos y etnográficos. Destaca el Celler Can Lau (en éste no se sirven comidas).

Modernismo. En la calle Hostals, en el edificio Can Piquero, podrás ver un bonito invernadero modernista en el que aún se puede leer *Banco Agrícola Inca 1912*.

Cuartel General Luque. Ocupado durante mucho tiempo por la Benemérita, ha revertido al municipio, que lo dedicará a temas culturales.

El Mercado. Ya existía en época musulmana, y durante siglos ha constituido el eje articulador de toda la industria manufacturera del Raiguer.

El Dijous Bo. Cada jueves, un impresionante mercado de artesanía, productos agrícolas, ropa, calzado, etc. Y el tercer jueves de noviembre, el Dijous Bo, con exposiciones de toda clase, concursos ganaderos, conciertos...

Durante el Dijous Bo de 1920 fue inaugurada la Quartera (Alhóndiga), al final de la calle Bisbe Llompart; De las dos plantas previstas, sólo se hizo una.

Plaza de Toros. Recientemente reformada

Beber, comer...

Café Mercantil. Plaça Major. Ubicado en un edificio de factura racionalista, es un clásico en la ciudad; tranquilo y apacible en laborables, y más agitado en fines de semana; tapas variadas, meriendas, y en las paredes, exposiciones pictóricas. Cierra los lunes.

Celler Ca'n Ripoll. Jaume Armengol, 4. Tel. 50 00 24. Situado en un impresionante edificio, es uno de los cellers más renombrados de la isla; cocina variada con platos tradicionales; la relación calidad-precio es ajustada.

Ca's Italiá. Passeig des Born. Pasta italiana, ensaladas, carta, y menús a buen precio.

Restaurante Chino Hong Kong. Esmero y rapidez en la atención al cliente con la sencilla decoración china; es aconsejable pedir los ménús para dos personas que permiten probar las diversas especialidades (ostras, gambas, langosta...).

Una excursión

La subida al Puig de Inca, enclavado en una zona natural donde también se encuentran el Puig de la Minyó y el de Santa Magdalena. En este último se encuentra la ermita de Santa Magdalena, de estilo gótico y con un bonito retablo; en el exterior, la hospedería-restaurante.

En el kilómetro 30 de la carretera Palma-Alcúdia (C-713), la factoría de piel **Munper**, de visita libre, donde puedes adquirir excelentes calzados, prendas de piel, y complementos, pero a alto precio.

Dormir

Hospedería del Puig de Santa Magdalena. Tel. 50 18 72. De sus seis habitaciones, cuatro son utilizadas por los responsables del restaurante.

Agroturismo Son Vivot. Camino Artá-Lluc, s/n. Aptdo. 434. Tel. 88 01 24. Antigua casa con torre de defensa situada a tres kilómetros del minúsculo pueblo de Buger. Cuenta con piscina, jardín, salón-biblioteca, etc; también alquilan bicicletas y sugieren excursiones. Dispone de tres habitaciones dobles con dos cuartos de baño a compartir. Una doble con desayuno incluido por unas 12.000 al día.

MUNICIPIO DE MANCOR DE LA VALL

Ayuntamiento: Tel. 88 17 00

Dicen que el nombre le viene del latín Mons Tauri, ya que el predio en el que se ubica la villa se llama Montaura, y hace años aquí se encontraron vestigios de un templo y un becerro de bronce.

Pueblecito de montaña rústico y con encanto, bastante tranquilo, y que fue famoso por la calidad de su carbón vegetal.

Pasear

En las paredes del bar-cafetería de la plaza del ayuntamiento, un par de dispensas papales.

Iglesia Parroquial. Bajo la advocación de San Juan, fue levantada hacia 1850.

Únicamente hay un restaurante en el pueblo, **Ca'n Jano**, también conocido como **Turixant**, en la calle Bartomeu Reus, 22 (Tel. 50 32 92); de alta calidad y no menos altos precios.

Alojamiento

Monasterio de Santa Llucía. Tel. 50 18 77. Abierto durante todo el año, tiene una capacidad de treinta plazas en una sala con somiers. Servicio de cocina.

La imagen de la ermita tiene una curiosa historia: durante una restauración se descubrió que realmente era una imagen de María, a la que se sustituyó el niño Jesús por el plato y los dos ojos representativos de la santa italiana.

Biniarroi y Masanella

Pequeños llogarets casi deshabitados. en el segundo, los Arcs d'en Fontanet, un curioso acueducto.

MUNICIPIO DE LLOSETA

Ayuntamiento: Tel. 51 40 33.
Policía Local: Tel. 51 94 39.
Unidad Básica de Salud: Tel. 51 97 60.

El término Lloseta proviene, según parece, de Lauseta, del latín *laus* (alabanza) y el griego *eta* (castillo)...

Municipio conocido en su día por sus yacimientos de lignito de no demasiada calidad, en la actualidad destaca su fabricación de calzado, cerámica, y sobre todo, el famoso tejido *roba de llengos*.

Visitar

Iglesia Parroquial. Comenzada a levantar en 1769 bajo

la advocación de la Mare de Déu de Lloseta, no fue terminada hasta mediado el siglo XIX. dentro, la Virgen de Lloseta, quizás la imagen románica más antigua de Mallorca, restaurada en 1971.

Palacio Ayamans. Tels. 51 96 74/51 49 13. Visitas concertadas (Tels. 51 96 74/51 49 13). El monumento más importante de la ciudad; palacio y jardines. En 1927, el conde de Ayamans ya no tenía ninguna propiedad en Lloseta, y murío en Madrid en 1933 en la miseria...

Ermita del Cocó. Situada a la entrada del pueblo.

Y pasear por Es Morull, Es Quatre Cantons, el Pujant, la Avda. del Cocó...

Bares en las calles Cristófol Colón, y Baltasar Bestard, y en la Avda. Cocó, un bar-restaurante para tapear, y piscina.

Alojamiento

Una famosa instalación de Agroturismo, con restaurante no ménos reputado:

Residencia Bethania. Camí de l'Estació, 21. Tels. 51 44 11/51 44 13. Situada a un km del pueblo, cuenta esta Bonita casa con estanque natural, restaurante, mini gimnasio, sauna, y jacuzzi. Dispone de ocho habitaciones dobles, contando todas ellas con baño, teléfono. y aire acondicionado. Una doble por 15.000 al día con desayuno incluido.

Su restaurante es bastante recomendable: cocina catalana y mallorquina sabiamente preparada (escalivada, empedrat de bacalá, fricandó, etc.).

MUNICIPIO DE ALARÓ

ALARÓ

Ayuntamiento: Tel. 51 00 02.
Policía Municipal: Tel. 51 81 11.
Ambulatorio: Petit, 1. Tel. 87 91 44.

Los Amunts y Los Avalls

Son las dos partes del pueblo, separadas por un torrente...

Hay que callejear por el casco antiguo, por los alrededores del ayuntamiento (en los bajos del edificio está el bonito mercado municipal)

Iglesia Parroquial. Construida bajo la advocación de Sant Bartomeu.

Castillo de Alaró. Un espectacular camino, empedrado en su tramo final, conduce hasta él. Situado a 800 metros sobre el nivel del mar, te puedes imaginar las vistas... Las murallas son del siglo XIII, pero se piensa que por aquí ya estuvieron los romanos... En su interior, una capilla dedicada a la Verge del Refugi, la hospedería, y una casa de comidas. Visita muy recomendable.

Alojamientos

Hospedería del Castell d'Alaró. Tel. 51 04 80. Abierta todo el año, dispone de 18 habitaciones de diferentes capacidades con cuartos de baño comunes; 900 por persona y día. Abre todo el año.

Junto a ella, un restaurante especializado en carnes y platos tradicionales.

MUNICIPIO DE BINISSALEM

Binissalem y Biniagual

BINISSALEM

Ayuntamiento: Tel. 51 10 43.

Pueblo que antiguamente se llamaba Rubines, conocido fundamentalmente por sus vinos, algo fuertes algunos, por cierto...

Pueblo también, que es interesante de callejear, en especial por su casco antiguo, en el que verás bastantes casas señoriales...

En las dependencias del Ayuntamiento, un bonito y cuidado bar-restaurante, con interesantes precios.

En la plaza de la iglesia, la pareja de *vermadors*.

Pou Poal. Situado a la salida del pueblo, cerca de la vía de tren, se encuentra este pozo que hasta hace poco no despertaba ningún interés. Recientes labores de limpieza, adecentamiento e investigación, han puesto de relieve lo que es: un ingenio hidráulico medieval, que en su día elevaba el agua por medio de un cigüeñal; además, todo el pozo está rodeado de un empedrado del que ni siquiera los más viejos del pueblo tenían noticia, y del cual se sospecha que continúa su recorrido bajo las vías del tren.

Foro de Mallorca. Ctra. Palma-Alcúdia, km. 25. Tel. 51 20 55. Engloba un modesto Museo de Cera, piscina, restaurante, castillito, etc. Bueno para llevar a los niños.

Alojamientos

Campament de Can Arabí. Tel. 51 10 43. Abierto todo el año. Zona de acampada de unas ochenta plazas de capacidad; cocina, comedor, pista polideportiva, y piscina.

Hotel Scotts's. Plaça Esglesia, 12. Tel. 87 01 00. De alta calidad, cuenta con siete habitaciones, todas ellas con distinta decoración.

BINIAGUAL

Pequeño pueblecito que pertenece en su totalidad a una hotelera alemana que lo cuida con primor. en sus calles, no encontrarás ni una colilla en el suelo.

No tiene bares ni ningún tipo de establecimiento.

MUNICIPIO DE CONSELL

CONSELL

Tels. del Ayuntamiento, Policía Municipal, y dispensario: 62 20 95.

Toma su nombre el municipio del latín Consilium o Concilium, ya que por aquí cerca se reunían los generales romanos, según afirman los entendidos. Pueblo de buenos vinos y de no ménos buena artesanía de cuchillería y alpargatería (*trinxeters y espardenyers*).

Gastronómicamente destacan el embutido conocido como camaiot, el frit de pasco, y las sopes de matançes, siempre, claro, con vino de Consell.

Pueblo no demasiado cómodo de callejear, pero por contra, muy interesante por la cantidad de talleres de artesanía que pueden encontrarse; en el Ayuntamiento te pueden proporcionar una relación de ellos: artesanos de la cerámica, del vidrio, del latón, ebanistas, herreros, tapiceros, vidrieros, panaderos, etc.

MUNICIPIO DE SANTA MARÍA DEL CAMÍ

SANTA MARÍA DEL CAMÍ

Ayuntamiento: Pza. de la Vila, 1. Tel. 62 01 31.
Centro Sanitario: Tel. 62 12 57.
En Santa María publican una revista de actualidad municipal: **Coanegra.**

Al llegar a este pueblo hay que tener cuidado con el enlace con la autopista PM-27 (cruce de las calles Jaime I, P. Jaume Pons, y Gabriel Bibiloni): los tortazos son continuos.

Los domingos se celebra en Santa María uno de los mercados más concurridos de la isla.

En Santa María nació Llorenç Rosselló Horrach, más conocido como Lorenzo Santamaría.

Otra primicia: aquí, olvidada de las instituciones, se encuentra la magnífica colección de fósiles Can Conrado, reunida pacientemente por Jaume Conrado i Berard.

Iglesia Parroquial. El campanario, levantado en 1751, ha sido recientemente restaurado. Pere Rosselló, el rector, te podrá informar sobre la iglesia si ese es tu deseo.

Convento de los Mínimos. Conocido también como Can Conrado, se ubica en la Plaza dels Hostals. Soberbio claustro y bonito jardín. Los Mínimos, perteneciente a la familia Conrado, alberga un museo de monedas, cuadros, y muebles antiguos. Su iglesia, del siglo XVII, cuenta con un interesante campanario.

Can Sanxo. Antiguo celler bien conservado que se utiliza para muestras de artesanía, Mostra de Vi, etc. Está entre la Plaça de la Vila y el camino a Sencelles.

Es Tancat. Casa con jardín situada en la Ctra. Santa María-Sencelles. En ella vive el interesante escultor Xavier Llul; utiliza mármol de Bunyola, piedra de Santanyí, marga gris, fósil marino, etc.

La Fira

La primera fue en 1886, y desde entonces, cada último domingo de abril, se repite puntualmente.

En ella, muestra artesanal, exhibición de caballos, exposición de automóviles y motos antiguas, concursos de ca de bestiar, degustaciones, etc. Y desde hace poco, paralela a ella, se celebra la Fira Alternativa con referencia a productos ecológicos, energías renovables, agricultura ecológica, salud, materiales ecológicos, etc.

Artesanía y compras

Por supuesto, en Santa María hay que probar el vino de sus cellers.

La rama de pino

Cuando en la fachada de una casa veas colgada una rama de pino, significa que hay vino a la venta; si la rama está verde, ya hay vino del año, y si está seca, es vino del año pasado.

Casi todos los caldos provienen de las viñas del Plá de Buc, Sa Vinya Vella, Es Torrent Falls, y Ca'n Cerdó.

Para ahorrarte la búsqueda de la rama de pino, aquí van las direcciones de unos cuantos cellers:

Vins Pastor (Ca'n Vinagre). Paborde Jaume, 17. Tel. 62 03 58. Vino a granel tinto, rosado, y blanco; marcas propias: Sa Vinya Vella y Es Torrent Fals; tienen también moscatel de elaboración propia, almendras, huevos, fruta, etc. Todo de primerísima calidad.

Ca Sa Consellera. Mossen Joan Vich Salomón, 16. Tel. 62 01 42. Vino tinto de las variedades manto negre y callet.

Ca Sa Consellera II. Baronía de Terrades, 36 (Sa Vileta). Tel. 62 05 20. Con el mismo nombre que la anterior, elaboran tinto de la misma variedad.

Es Cabas. Carrer Llarg, 100. Tel. 62 05 46. Vino tinto y rosado de la variedad manto negre.

Ca'n Cerdó. Ctra. de Inca, km. 16. Tel. 62 01 97. Vino tinto y rosado de la variedad manto negre.

Jaume de Puntiró. Plaça Nova, 23. Tel. 62 00 23. Tinto, blanco, y rosado, de las variedades manto negre, callet, tempranillo, y prensal blanc.

Cañellas. Rey Sancho, 3. Tel. 62 01 66. Destilería de licores; Palo, hierbas dulces, secas, etc.

Pastelería Ca'n Paco. Antoni Gelabert, 7. Para comprar la merienda.

Otras compras

Galerías Rustic. Ctra. Palma-Inca, km. 14. Antigüedades, muebles rústicos...

Arcilla en Can Cadufa (saliendo del pueblo hacia Consell), Can Bernat (calle Bartomeu Pascual), y Cañellas (calle Molinets).

Sa Gerrería. Ctra. Inca-Palma, km. 15'2. Cerámica, barro, objetos de decoración, etc.

Cafés, bares, restaurantes...

De toda la lista, dos cafés brillan con luz propia por su solera: Can Calet, y Es Comerç.

Cafetería-Pizzería Fuensanta. Marqués de Fuensanta, 19. Menús, tapas, pizzas, paellas, comida para llevar, etc.

Café Ca'n Calet. Pza. Hostals, 31. Cafetería y heladería.

Café Ca'n Menut. Paboerde Jaume, 14. Especialistas en callos.

Celler Sa Sinia. Pza. Hostals, 20. Ubicado en un edificio del siglo XVI, junto a el hay un pozo del que se dice que ya era utilizado en época talayótica. Cocina mallorquina, pambolis, y pizzas para llevar.

Restaurante Sierra de Gredos. Ctra. Palma-Alcúdia, km. 13'5. Tel. 62 08 11. De precios medios, es un asador al estilo castellano (cordero, cochinillo, chuletones, etc). Junto a el, El Convento, dedicado a banquetes.

Café Es Molinet. Lluc Mesquida, 5. Un café de toda la vida...

Ca'n Carol. Bernardo de Santa Eugenia, 30. Bar de tapas variadas, bocadillos, etc.

Sa Taverna. Plaza Hostals, 8. Tel. 62 01 22. Bar-Restaurante especializado en cocina mallorquina; carne, pescado, marisco...

S'Estaca. Marqués de Fuensanta, 40. Bar de ambiente juvenil.

Bar Comercio. Plaza Hostals, 27. Tradicional y tranquilo.

Alojamiento

Hotel Read. Ctra. Sta. María-Alaró (PM-202-1). Situado en el campo, en la finca Can Morages, al momento de escribir estas líneas, su situación urbanística es equívoca, y quizás lo encuentres cerrado a tu llegada.

Una excursión (o dos)

Es de las más clasicas de la isla: el Camí de Coanegra, paralelo al torrente del mismo nombre, y en cuyo final se encuentra la sima conocida como Avenc de Son Pou.

Si en Orient viste el magnífico Es Freu, sabe que esta es la misma agua.

Avenc de Son Pou

Cavidad natural conocida también como Cova des Coloms o avenc de Coanegra, se comenzó a explorar a mediados del siglo pasado. Consta de una sala de unos 130 metros de longitud por 56 de ancho, alcanzando 53 metros de altura en su mayor punto.

A menudo se celebran en ella encuentros literarios, conciertos de la Capella Mallorquina, actos culturales, etc.

MUNICIPIO DE MARRATXÍ

Marratxi, Sa Cabaneta, Pórtol, Pont d'Inca, Pla de Na Tessa

Ayuntamiento: Tel. 78 81 00.
Una revista municipal: **Portula**.

Del árabe Marraksi, decir Marratxí es decir artesanía del barro, que encontrarás principalmente en los alfares de Pórtol y

Sa Cabaneta. Y de Marratxí son los populares Xiurels, pequeñas figuras antropomorfas, blancas y con rayas verdes y rojas, y con silbato añadido, y por supuesto, de barro.

Desde 1985, del 3 al 12 de marzo, se celebra la Fira del Fang, en el complejo Ses Tres Germanes (Ctra. de Inca, km. 8'5), que también es apreciable restaurante.

Municipio cuya proximidad con Palma le convierte en ciudad dormitorio, aún tiene rincones de interés.

Alojamiento

Casa de Colonias de Marratxinet. Marratxinet. Font, 10. Tel. 62 01 17. Abre todo el año. Treinta y cinco plazas distribuidas en treinta y un dormitorios. Comedor y calefacción; no hay piscina ni instalaciones deportivas.

SA CABANETA

Cabeza del municipio, en ella se encuentran el ayuntamiento y la Iglesia de Sant Marçal, y a mitad de la cuesta, un buen restaurante.

Bodega Can Membre. Situado en es Pla de Na Tesa, es el local más antiguo del municipio; por la tarde mayores, por la noche jóvenes, y los fines de semana, de todo.

PÓRTOL

Asentado sobre una pequeña colina, el núcleo más artesanal del municipio toma su nombre de Portulus, puerto o paso de montaña.

En el antiguo edificio del matadero, un centro cultural y la sede de la Escola Municipal de Cerámica de Marratxí.

Y al igual que en Sa Cabaneta, varios talleres de cerámica.

Café de Can Jaume. Ubicado en el Carrer Major y abierto en 1928, es el típico bar de toda la vida.

PONT D'INCA

Mesón Tio Pepe. Ctra. de Inca, km. 6. Tel. 60 08 80.

Frente al aeródromo de Son Bonet. Precios medios. Ocupa la casa payesa conocida como Ca'n Miot, que en su día fue posada. Está bastante bien.

PLA DE NA TESA

Situado entre el Pont d'Inca, Sa Creu Vermella, y Es Figueral, comprendiendo también la urbanización Cas Capitá, se llega hasta aquí a través de los caminos de Son Alegre, Sant Llázer, y Muntanya, uniendo este último la zona con las carreteras de Sineu y Alcúdia.

Cuatro restaurantes, otros tantos colmados, una droguería, una papelería, y poco más.

En esta población, en la bonita posesión de Son Ametler Vell, se encuentra la conocida escuela The Academy, dedicada a la enseñanza primaria en inglés.

Iglesia Parroquial de Sant Llázer. Del siglo pasado y tonos neoclásicos, destaca su campanario, de 1889. En el interior, una escultura de la Mare de Déu (1897).

Cerca de ella, en el cruce de las Calles Weiler y Son Alegre, el **Forn de's Pla de Na Tesa**, modesto local donde podrás comprarte una ensaimada.

Monjas Agustinas. Se conserva el sobrio edificio que habitaron, alegrado por algún naranjo cercano.

COMARCA DEL PLA

Municipios de Sa Pobla, Santa Eugenia, Muro,
Santa Margalida, Llubí, María de la Salut, Ariany, Petra,
Sineu, Costix, Sencelles, Lloret de Vista Alegre, Sant Joan,
Vilafranca de Bonany, Porreres, Montuiri, y Algaida.

Comarca eminentemente de interior, aunque con salida al mar por los municipios de Muro y Santa Margalida, es, para muchos, una isla dentro de una isla, algo a lo que el turismo no ha afectado en sus raices con la misma virulencia que en la costa, la esencia de lo mallorquín...

Dos son los factores que forman la idiosincrasia del Pla: la agricultura y la Iglesia; de lo primero, molinos harineros, construcciones dedicadas al aprovechamiento del agua, tales como pozos, norias, y aljibes, posesiones, etc. De lo segundo, iglesias, algunas muy antiguas, como las de Sineu, Petra o Porreres, santuarios, ermitas...

En el Pla, veranos muy secos, e inviernos fríos y húmedos, lluvias en otoño, y frecuentes nieblas.

Poca actividad industrial, ligero número de restaurantes, y muy pocos establecimientos hoteleros.

MUNICIPIO DE SA POBLA

Tel. Ayuntamiento: 54 00 50.
Policía Local: 86 22 86.
Unidad Básica de Salud: 54 04 10.

Tierra de patatas, alubias, hortalizas, excelentes embutidos, y, en la albufera, anguilas; buen sitio para comer. Tierra que para producir las mentadas patatas y hortalizas hubo que desecarse previamente: A partir de 1871 el ingeniero inglés Jonh Frederick Baterman comenzó a desecar parte de la Albufera...

En 1845 se introdujo la patata en Sa Pobla, y sus cosechas tempranas de éste tubérculo son muy apreciadas y bien pagadas en los mercados ingleses.

Visitar

Dos museos, ubicados ambos en el señorial edificio conocido como Ca'n Planes.

Museo de Sa Pobla. Similar al de Muro, alberga elementos etnográficos: herramientas, aperos antiguos, el notable archivo municipal, arqueología local, ornamentos sagrados, etc.

Museo de Arte Contemporáneo de Mallorca. Tel. 54 23 89. Abre los martes, miércoles, jueves, y viernes de 18 a 21; los sábados de 11 a 14 y de 18 a 21, y los domingos de 11 a 14. Muestra de arte contemporáneo con fondo pictórico adquirido a través de las *Trobades de Pintors*. También alberga exposiciones itinerantes.

Iglesia Parroquial. Terminada en 1763, más tarde que el campanario (1665). Destaca en ella el órgano.

Casa Consistorial. Inaugurado en 1822, el edificio divide la Plaça Pública en dos plazas: Plaza Mayor, y Plaza de la Constitución. Frente al ayuntamiento, un bonito templete para los músicos.

Completarás el recorrido visitando la Plaza Mayor -muy animada los domingos-, el Oratorio de Son Mascord, la Creu des Sagrat, el, el patio interior de la oficina de Sa Nostra, el casal de Can Socies...

Bares, restaurantes...

Bar Rapinya. Situado en una esquina de Sa Plaça y recientemente decorado, conserva el sabor de antaño: fotos antiguas y clientes de toda la vida; los domingos, día de mercado, se llena. Son renombradas sus tapas de callos.

Bar Poliesportiu. Se encuentra en el polideportivo municipal. Simplemente auténtico y real.

Forn Can Moranta. Fadrins, 75. Pasteles y dulces como encontrarás en pocos sitios.

Dos restaurantes de precios medios

Ca'n Pau. Comerç, 1. Tel. 54 16 27. Cocina mallorquina: Cabrito, anguilas, etc.

Marina. Marina, 15. Tel. 54 09 67. Cocina mallorquina, berenjenas rellenas de verdura, anguilas...

Compras

Pasteles en Moranta (Fadrins, 75), y **vino** y aceite en Torrens (Costa y Llobera, s/n).

Alojamientos

Una fonda, y una bonita casa de alquiler por días, semanas..

Fonda Europa. Misteri, 3. Tel. 54 03 03. Conocida también como *Ca'n Patena*, es de toda la vida...

Ca Na Francisca. C/Santa Catalina Tomás, 23. Tel. 54 11 90. Casa con sabor situada en el interior de la población, y que dispone de cuatro habitaciones dobles, dos cuartos de baño, chimenea, patio interior, etc. Se alquila tanto en su totalidad como por habitaciones sueltas. Te la recomendamos como lugar tranquilo, pero bien comunicado, con buenos precios, etc.

Por las afueras

Oratorio de Crestatx. Restaurado en multiples ocasiones, la última en 1906, es lugar de celebración de populares romerías. Cuenta con unos muy bien cuidados jardines. Dicen que en sus inmediaciones se encuentra abundante cerámica romana, alguna moneda, etc.

Talapi Es el nombre de una mansión señorial ubicada al sur de la población; en ella, al igual que en Costix, se halló un bronce en forma de cabeza de toro.

Sa Canova. Granja experimental propiedad de Sa Nostra; como ellos mismos dicen, investigan, experimentan, y difunden. Suelen estar al tanto del último grito en materias agrarias.

Pasear

Sa Pobla y Alcúdia comparten **S'Albufera**, cuya información tienes referida en las páginas correspondientes a Alcúdia. Aquí, como curiosidades dignas de un paseo, tienes la **Paret des Moros**, que no es otra cosa que restos de un poblado talayótico con su muro de protección; normalmente, al igual que en la península, y durante mucho tiempo, a los restos no datables se les fichaba como "del tiempo de los moros". Tienes otras **Paret des Moros** en Andratx (cerca de La Trapa), en Puigpunyent...

MUNICIPIO DE SANTA EUGENIA

Santa Eugenia, Ses Olleríes, Ses Alqueríes, y Ses Coves.

SANTA EUGENIA

Ayuntamiento: Tel. 62 03 97.

Llegar

Desde Palma, en coche, por la autopista en dirección a Santa María, o por la PMV-301-1. En autocar, con la línea Pau Canyelles (Palma-Santa María-Santa Eugenia-Biniali-Sencelles-Costix).

Anteriormente a la conquista se llamaba Benita-Hari, y tras esta, el caballero Bernat de Santa Eugenia, hermano de Guillém de Montgri (conquistador de Ibiza), le dió su nombre actual. Son conocidos sus vinos caseros y especialmente su llet d'ametla (leche de almendra), aunque esta última solo suele elaborarse previo encargo.

En la actualidad, su proximidad a la capital lo revitaliza, y algunos palmesanos lo han elegido como primera residencia. Santa Eugenia es también el único pueblo de la isla que cuenta con cementerio judío.

Pasear

La Iglesia Parroquial. Se terminó a principios del XVIII; en su portada, la imagen de Santa Eugenia y un reloj de sol. En el campanario, otra imagen de la Santa. En el interior de la nave, de planta de crucero, una bonita cúpula pintada al fresco. En el retablo Mayor, Santa Eugenia, y en la capilla, la Inmaculada Concepción. También verás -si quieres-, las reliquias de San Pío mártir.

Convento de las Franciscanas. C/ Ses Monges, 1. Bajo la invocación de San Roque y con la Inmaculada (de Murillo) presidiendo la capilla de arcos ojivales, ahí lo tienes. Aquí también están San Gabriel, San José, Santa Bonaventura, San Francisco de Asís, y San Antonio de Padua.

Para terminar el paseo, liquidando la calle Putxet, verás tres molinos harineros, y de postre, el aljibe (Aljub).

Dos Restaurantes

Can Topa, en la Calle Mayor, y **Can Prim**, en la calle de la Iglesia.

De excursión...

El Puig de Son Seguí. Partiendo desde el ayuntamiento, y subiendo por una cuesta, comienza el camino que lleva hasta este interesante lugar; en el, encinas, garriga, sotobosque, y variada fauna de pluma.

En lo alto, el monumento al Corazón de Jesús, erigido en 1945. Desde aquí verás la bahía de Palma, los montes de Llucmajor y Randa, el Puig d'Inca, la llanura hacia Artá, etc.

Cueva de Lourdes. Situada en las afueras del pueblo, está formada por cinco pequeñas cuevas. Después de subir un centenar de escalones, encontrarás en la cueva mayor las imágenes de la Virgen de Lourdes y de Bernadette. Dicen que la cueva es mas grande que la de Masabielle.

Llogarets. Son pequeñas agrupaciones de casas que aunque en ocasiones tienen delimitación de suelo urbano, no llegan a entidad de población; aquí van algunos que encontrarás en el municipio.

Ses Olleries. Es un pequeño conglomerado de casas agrupadas a lo largo del camino que conduce a la población; en ellas, un restaurante: **Can Puceta.**

Ses Alqueries. Situado a un kilómetro del pueblo, cuenta con unos cuarenta habitantes escasos. Destaca la posesión de La Torre y un par de molinos restaurados.

Ses Coves. Más pequeño que el anterior, comienzan a aparecer en él numerosas segundas residencias. Se denomina así por la gran cantidad de cuevas existentes en los alrededores.

Artesanía

Hierro en Carrer Calvo Sotelo, 7.

Madera: Carrer Olleries, 33, Carrer Balanguera, 13, Carrer Balanguera, 23, y Carrer Major, 28 (Maquetas).

Bordados, hilados y encordados: Carrer Son Miquelet, 13, Carrer s'Escaleta, 5,Carrer de Aljub, 8, Carrer de s'Estació, 4, y Carrer d'es Puig, 24.

Y Ademas

Pan de higos en el Carrer de Ses Monjes, 9.
Flores secas y juegos en el Carrer de Ses Coves, 27.
Chirimías en el Carrer José Socias, 23: aquí, el Xeremier Antoni Bibiloni las fabrica.
Vino en el Celler de Cas Pinar, en la Ctra. de Sta. Eugenia a Sta. María.

Dormir

Agroturismo Sa Torre. Predio Sa Torre. Alqueríes. Tel. 62 10 11. Situada a un km del pueblo, dispone esta bonita casa de cuatro apartamentos; en cada uno de ellos cocina, cuarto de baño, televisión y calefacción. Piscina, y un interesante *celler* (bodega).

MUNICIPIO DE MURO

Muro y Playa de Muro

MURO

De interés

Ayuntamiento: Tel. 53 70 03.
Centro de Salud: Tel. 53 81 88.
Policía Local: Tel. 53 74 63.
Oficina de Información Turística Platja de Muro: Ctra. Artá-Alcúdia, km. 27'7 07408 Muro). Tel. 89 10 13.

Del latín Muru, muralla o pared, es un pueblo interesante de callejear: la tranquila Plaça del Conde de Ampurias, la animada Plaça de Sant Martí, el *Comtat*, el *Convent*, las calles de Fornés, Santos Doctores, Sant Joan, la Plaça de Sa Creu...
Al norte del municipio, la albufera, de la que salen las exquisitas anguilas que podrás zamparte acompañadas de *fideus*.

Lugares de interés

Museo Etnológico. Major, 14. Tel. 71 75 40. Abre de 9 a

13 y de 16 a 19; los domingos de 10 a 14, y los lunes cierra sus puertas. Similar al de Sa Pobla: herramientas, aperos de labranza, trajes, cerámica, sala de oficios artesanos, etc. Ubicado en la casona de los Simó, del siglo XVIII. Junto a la entrada, en el solar que une los dos edificios, una antigua alberca-acequia, y en el porche, carros y una galera de paseo.

Coso de Muro. A principios de siglo era una cantera, y su propietario, Jaume Serra Palou, decidió aprovechar la concavidad que se iba formando para convertirla en plaza de toros, así que ordenó que el marés de la cantera se extrayera formando escalones... Así, la enfermería, las cuadras, y los establos están excavados en la roca, formando túneles bajo las gradas. Años después, en 1924, se inauguraba el Coso, que ha visto pasar a figuras de la talla de El Cordobés, Palomo Linares, El Soro, Ortega Cano, El Niño de la Capea, etc. Ya hacia 1900, en el predio de Son Martí, Muro contaba con una ganadería de reses bravas.

Iglesia de Sant Joan Baptista. Terminada en 1730, guarda en su interior un hermoso cáliz de plata con esmaltes polícromos del escudo de Muro, de la Virgen, y del patrono, por supuesto.

Un bar

Bar Cafetería Sa Placeta. Santa Ana, 2. Bar de toda la vida.

Fira de Sant Francesc

Muestra de artesanía, exposición canina, de ganado, de aves, de maquinaria agrícola, pirotécnia, conciertos, etc.

Dormir

Turismo Rural Son Serra. Tel. 53 79 80. Abierta únicamente de mayo a octubre, dispone esta instalación de 15 habitaciones dobles, todas ellas con cuarto de baño. Piscina, caballos, excursiones en barco... La playa queda a unos cinco km. Para los precios, conviene consultar previamente.

PLAYA DE MURO

Veintitrés hoteles con una capacidad aproximada de

13.000 plazas, cinco kilómetros de playa, dunas, pinares, área recreativa del ICONA, y un Parque Natural.

A grandes rasgos, es una playa de turismo familiar; a lo largo de la playa, bares-restaurantes, baños, duchas, etc.

De interés

-En Rodriguez de la Fuente, la delegación del Ayuntamiento
-En la calle Canyes, un consultorio médico y la parada de taxis; cerca de ella, la parada de autobús.
-En la Plaça de Ses Foges, el mercado.
-Junto al Gran Canal, la entrada al Parque Natural de La Albufera.
-Rodeado por el **Circuit del Llac**, el Estany de las Gaviotas.

Un restaurante, **Oasis**, con pizas, parrilla, etc. también tiene mini-golf, y está en la C-712. Tel. 89 19 71.

MUNICIPIO DE SANTA MARGALIDA

*Santa Margalida, Can Picafort, Son Bauló,
y Son Serra de Marina.*

SANTA MARGALIDA

Tel. Ayuntamiento: 52 30 03.

Los festivos y domingos se restringe la circulación en la Plaza y en algunas calles céntricas; estás avisado. En la Plaça dels Dimonis, una placa que recuerda que es la Plaça d'en Ramón i d'en Panxo, que suelen representar el papel de Dimonis (demonios) en las fantásticas Festas de la Beata de Santa Margalida, Sor Catalina Thomás, que se celebran cada primer domingo de septiembre.

Necrópolis de Son Real. Cercana a la C-712, y en las inmediaciones de Can Picafort, fue utilizada desde la época pretalayótica hasta la edad media. En palabras del escritor Carlos Garrido, también constituye *el escaparate más vergonzoso de la conservación patrimonial de la Mallorca Moderna*, y no le falta razón: normalmente, las autoridades culturales (?) de la isla solamente prestan atención a neotonterias, y esto es lo que se comenta en los cenáculos y tertulias.

Ubicada al borde del mar, cuenta con más de setenta tumbas de formas variadas, y lo que en su día fue un lugar sagrado, hoy hay basura, rastros de práctica de ciclocross, y algún listo merodeando con su detector de metales.

CA'N PICAFORT

Oficina de Información Turística: Plaça Gabriel Roca, 6 (07458 Santa Margalida). Tel. 85 03 10. Fax. 85 18 36.

Urgencias médicas: Paseo Colón, 158 (junto al Café Paris). Tel. 85 04 44.

Comunicaciones

El autobús que comunica Ca'n Picafort con Palma tiene su parada en Isabel Garau, 28. De Palma a Ca'n Picafort, en la Plaza de España.

En verano, un "minitren" une Ca'n Picafort con Alcúdia.

Flanqueada por las dunas de Son Real y el Parque Natural de S'Albufera, y con una longitud de mil doscientos metros por veinte de ancho, la Playa de Can Picafort, constituye el núcleo turístico más importante del municipio; bares, restaurantes, hoteles, servicio de hamacas, sombrillas, duchas, velomares, excursiones en barca, club naútico, y en fin, agua de un clarísimo azul y arena de finísimo calibre (0'15 mm). El Premio Planeta de 1964, Las Hogueras, está ambientado aquí.

Bares, restaurantes, pubs...

Bar Caty. Avda. José Trías. Tapas y cocina mallorquina.

Wimpy. Paseo Colom, 119.

Papagayo Pub. Calle José Trías. Bar con decoración tropical y bebidas idem; junto a el, una disco: Disco Skau.

Rancho Sebastián. Ctra. Artá-Alcudia. Tel. 85 08 54. Alquilan caballos y ponys, y tambien organizan excursiones diurnas y nocturnas. También tienen bar.

Minigolf en el Sport Club Rojo Vivo, en la Ronda Tamarindos.

Tablas de **surf** y temas parecidos en el Club Gregal (junto al Bar Gregal).

Artesanía

Ca'n Picafort. Ctra. Alcudia-Artá, 52. Artesanos del mimbre y del bambú.

Alojamientos

Hostal Horizon Blau. Cervantes, s/n. Tel. 85 01 56.
Hostal Marbella. Cervantes, s/n. Tel. 85 01 50.

Tres estrellas

Hotel Janeiro. Via Diagonal, 41. Tel. 85 00 06.
Hotel Jaime II. Jaime II, 89. Tel. 85 02 14.

Camping Platja Blava. Ctra. Artá-Alcudia (C-712). Tels. 53 78 63 / 53 75 11. Fax. 71 78 96. Abre todo el año y es de primera categoría; situado entre pinos y chopos, y a unos doscientos metros de la playa, cuenta con tiendas de campaña, pista de tenis, piscina, alquiler de bicicletas, bar, restaurante, etc. Cerca, una zona de la playa de Can Picafort llamada Caseta des Capellans.
Sun Club Can Picafort. Ctra. Artá-Alcúdia, km. 23. Tel. 71 71 16. Contiguo al anterior, dispone de bungalows dobles con baño y tiendas de dos, cuatro o seis plazas totalmente equipadas. Instalaciones sanitarias, duchas de agua caliente, piscinas, supermercado, etc. Abierto de mayo a octubre.

SON BAULÓ

Prolongación de Ca'n Picafort, esta urbanización recibe su nombre de uno de los últimos monumentos megalíticos descubiertos: el pretalayot de Son Bauló, el único enterramiento dolménico hallado en la isla; no es nada del otro mundo, pero si pasas por aquí, puedes echarle un vistazo: se le supone el monumento más antiguo de Mallorca, y lo encontrarás junto al polígono industrial.

Además, están los restos prehistóricos de s'Illa des Porros (tumbas excavadas en la roca), y a unos cien metros, las construcciones funerarias de Son Real (S. VII A.C.) y los conjuntos talayóticos de es Figueral de Son Real.

Por toda la zona, dunas, encinares, savinas, monte bajo, y entre los torrentes de Son Real y Son Bauló, una pequeña zona húmeda donde se concentran diversas aves.

Una buena playa donde se suele jugar voley-playa y un pequeño talayot situado a la entrada de la urbanización completan los puntos de interés de este lugar.

SON SERRA DE MARINA

Una tranquila urbanización cuyas segundas residencias suelen ser propiedad de los vecinos habitantes de Muro. Dos o tres restaurantes y otros tantos bares completan la oferta. De ellos destaca **Can Mireiet**, frecuentado por ciclistas.

En las cercanías, Sa Canova, zona declarada Área Natural de Especial Interés; y cerca, la desembocadura del Torrente de Na Borges, zona húmeda poblada por variada avifauna.

también, la bonita y solitaria playa de Sa Canova.

MUNICIPIO DE LLUBÍ

LLUBÍ

Ayuntamiento: Tel. 85 70 01.

Los romanos lo llamaban Castro-Lupino, topónimo que derivó en Castell Llubí, y aún se habla de la existencia dentro del casco urbano de una fortificación ("del tiempo de los moros").

, Llubí es famoso por sus alcaparras (táperes) y toda suerte de encurtidos (pepinos, pimientos, etc). Además son bastante conocidos los licores de sus destilerías. El plato típico: Llengo amb táperes (lengua con alcaparras).

Paseando por Llubí

Iglesia de San Feliu. Su parte mas antigua data del siglo XVII, y recientemente se hicieron reformas colocando nuevas vidrieras. En el retablo mayor, San Feliu, flanqueado por San Pablo Apóstol y San Antonio Abad. Para terminar la visita, el retablo de Sant Marçal, y el museo de la sacristía.

Cruces de término. Las encontrarás en la Plaça del Molí de Son Rafal, en Carrer del Born, 38, y en la calle Cruz.

Molinos. Existen unos cuatro dentro del núcleo urbano: Molí d'en Serra, de Can Suau, de Son Rafal, etc.

Ermita del Sant Crist de la Salut del Remei. Se encuentra al noroeste del pueblo, aproximadamente a un km. de distancia. Interesante especialmente por ser una buena excusa para dar un pequeño paseo.

Cerca de ella, la antigua estación de tren, y si quieres hacer un paseo más extenso, en dirección a Muro, siguiendo la calle Creu, la Posesión de Vinagrella, con una interesante torre defensiva.

Bar-Museo de animales deformes. Carretera, 54. Tel. 52 20 23. Su nombre ya lo indica todo: ovejas y todo tipo de animales disecados con los que la naturaleza no se portó bien; apto para gente morbosa.

Bares-cafés

Ca na Caleta, y **Can Pere Jaume**, ambos en la Plaza de la Carretera; y en la calle del mismo nombre, junto al polideportivo, otro bar.

Un restaurante: **Sa Taperera**, en Dr. Fleming, 5. Tel. 52 21 95 .

Otro: **Polisportiu**, en el km. 9 de la Ctra. Inca-Artá (PM-344).

Artesanía

Además de cuatro o cinco **margers**, puedes encontrar:
Cerámica y barro en Santa Margalida, 80.
Hierro en: Jose Antonio, 40, y Creu, 114.
Madera en: Jose Antonio, 47, Rector Tomás, 3, Bernat de Riparia, 47, Jaume I, 14, y Jose Antonio, 73.
Relojero en Creu, 81.
Embutidos en Plaça Església, 5.
Panaderos en Creu, 48, y Jose Antonio, 48.

Dormir

Zona de acampada de la Ermita de Llubí. Información

y reservas: Tels. 52 21 50/37 50 60. Zona de acampada con instalaciones sanitarias.

Agroturismo Sa Casa Rotja. Ctra. de María a Llubí, km 3'2. Tel. 908-63 17 67. Bonita edificación situada a cuatro km de Sineu, con piscina; dispone de cinco apartamentos: tres de ellos con dos habitaciones dobles, uno con una doble, y uno con tres dobles; en todos, cocina, cuarto de baño, y salón. Una unidad de cuatro plazas puede salirte por unas 20.000.

MUNICIPIO DE MARÍA DE LA SALUT

Ayuntamiento: Tel. 52 50 02.

Desde lejos sorprende la oriental cúpula del campanario. Para unos, el nombre del pueblo proviene del hallazgo de una imagen de la Virgen, tradición repetida en muchos pueblos de España; Para otros, la cuestión es árabe: al igual que Almería, cuando los moros instalaban una atalaya en lo alto de un cerro, la denominaban María o Mería.

El centro de la población se halla en los alrededores de la iglesia (calles Mayor, Ses Monges...), y a partir de aquí surgió el ensanche.

Ver

En María encontrarás arquitectura gótica (Son Roig), árabe (fachadas con portal adintelado), molinos (de viento y agua), y arquitectura moderna (Caixa d'Estalvis, en la Plaza d'es Pou).

Iglesia Parroquial. Construida en el XVIII y ampliada el siglo pasado, es de sencilla factura exterior, destacando su mencionado campanario. En el interior, el retablo mayor, y en su centro, un nicho giratorio de la Mare de Déu de la Salut.

Casal de Roqueta. Edificio inspirado en los modelos del arquitecto Palladio, se remonta al siglo XVI, habiendo sido ampliamente reformado; dos portales de entrada, empedrado, clastra, jardín con esculturas, etc. Lo encontrarás a la salida del pueblo, bajando, bien por la Calle Mayor, bien por el Carrer Nou.

Son Roig. De tipología gótica con alguna mezcla, arco de medio punto y patio abierto, se halla en la calle Font i Roig.

Molinos de viento. Uno en la calle Son Puig, 45, otro en Ses Corbates, 25, otro en la calle Major...

En la calle Comte d'Empuries, un bonito abrevadero.

Un restaurante: **Ses Tarragones**, en el km. 6'6 de la ctra. de Santa Margalida (PM-334). Tel. 52 53 16.

Desde 1993, en María se celebra la Fira des Mercat d'Ocassió, cada año más consolidada.

Artesanía

Hierro y similares en: Bartomeu Jorda, s/n, Escola, 2, Faust Morell, s/n, y Antoni Monjo, 35.

Carpintería en: Arraval, 2 y 100, y Antoni Monjo, 17.

Tapicería en: Nou, 6, y Bernat Quetglas, 5.

Encordado de sillas en: Sant Miquel, 9 y Santa Margalida, 13.

Bordados e hilados en: Major, 51 y Nou, 1.

Pintura sobre vidrio en: Conte d'Empuries, 5.

Productos de **matanza** en: Plaça des Pou, 10 y Nou, 13.

Panaderos y pasteleros en: Toni Monjo, 1, Carrer de l'Esglesia, 5, y Plaça des Pou, 16.

MUNICIPIO DE ARIANY

ARIANY

De interés

Ayuntamiento: Major, 18. Tel. 56 11 82.

Unidad Sanitaria: María, 3.

Correos: en Menorca, 7.

S'Esbart d'Auberg: la agrupación de ball de bot, una suerte de baile regional es toda una institución municipal.

Ariany es el municipio más joven de la isla (se segregó de Petra en 1982), y no es lugar de paso, por lo cual no es demasiado conocido, circunstancia que le salvó del desarrollo urbanístico de los ultimos años.

Como llegar

En coche, por la PMV-330-1 que parte de Sineu, y en autocar, con AUMASA (Ariany-Petra-Vilafranca-Sant Joan); el autocar se detiene en la calle Sol.

La etimología del pueblo es oscura (Ariant, Jariant...). Nicolás Cotoner, que fue jefe de la Casa Real, ostenta el título de Marqués de Mondéjar y de Ariany.

Un cronista de 1789 lo describía así: *el lugar está en paraje alto, pedregoso y árido, pero sus cercanías son tierras húmedas, fértiles y enfermizas por un torrente...*

Esta situación hace que desde él puedan disfrutarse vistas del Pla y de la bahía de Alcudia.

Que ver

Nuestra Señora de Atocha. Terminada en 1828, se reformó en 1910 con la construcción del crucero. En una de las esquinas podrás ver un reloj de sol con fecha de 1792. Planta de cruz latina, pórtico de tres arcos ojivales, y en el interior, la patrona, Sant Gaietá (co-patrón de la villa), San Juan Bautista, y San Sebastián.

En la plaza de la iglesia verás un pozo que no es tal: cubierto su brocal con un cristal, el llamado a secas S'Aljub (El Aljibe), tiene una capacidad de 800 metros cúbicos.

Cerca, en la calle S'Auberg, la magnífica casa del mismo nombre.

Cruces de término. La más moderna (1970), en la plaza de la iglesia; otra, la Creu de Ses Voltes, en las afueras del pueblo, en dirección a María, y la más interesante, Sa Creu (1856), en la plaza del mismo nombre.

Por las afueras

Molinos de viento. En dirección a María de la Salud, agotando la calle del mismo nombre, encontrarás el Molí d'en Marinero, del siglo XVIII, con una escalera de caracol bastante interesante. Hay otros cuantos de menor entidad: Molí d'en Rigó (c/ Vista Alegre), los de en Guillem Gener y en Bernat Gener (Sa Canova), Molí d'en Piuló, etc.

Comer

Destacan en el pueblo sus asados de porcella, el frit de porc, y los derivados del cerdo; si te gustan los ajos, los de Ariany son considerados los mejores de la isla.

Restaurante Ses Torres. Tel. 83 04 29. Se encuentra en el cruce de la PMV-330-1 con la PM-334-1; no se come mal, y tiene de todo excepto ambiente intimista.

Artesanía

Madera en Carrer Jesus, 34, y Carrer Sol, 25.
Hierro en Carrer Forá, 32, y Carrer Menorca, 24.
Bordados en Carrer Lladó, 19, y Carrer Forá, 45.
Encordado de sillas en Carrer Forá, 59.

Y ademas

Productos de **matanza** en el Carrer María, 13, y **horno** en el Carrer Major, 30.

MUNICIPIO DE PETRA

De interés

Ayuntamiento: Tel. 83 00 34.
Correos: Sol, 5.
Centro Sanitario: Pça. de sa Creu. Tel. 56 13 25.
Mancomunidad del Pla: Hospital, 24. Tel. 83 00 00.

Llegar

Dos líneas de Aumasa (Tel. 55 07 30) llegan hasta aquí: Inca-Manacor, y Palma-Montuiri-Petra-Palma.

La visita al pueblo

El Carrer Major es el eje principal del pueblo y en el se encuentran los principales edificios, y la zona del Barracar el núcleo histórico original.

Casa de Fray Junípero Serra. Se encuentra en la parte antigua del casco urbano conocida como Barracar Alto. Típica casa campesina del siglo XVII, conserva muebles de época. La casa fue cedida a la ciudad de San Francisco, y hasta 1958 la gestionaba la Society of California Pioners; actualmente se encarga de ello la Societat d'Amics del Pare Serra.

Museo de Fray Junípero Serra. Conocido también como Centro de Estudios Juniperianos, fue construido en 1959 por los mismos que gestionan la casa natal de Fray Junípero. Encontrarás temas relacionados con la vida y obra del beato, documentación y cartografía de los parajes por donde anduvo, la campana de la Misión de Santa Bárbara del Camino Real...

Iglesia de Sant Pere. Aunque se construyó durante los siglos XVI y XVII, es de estilo gótico. Su fachada del XVIII, y el retablo de la misma época; en el, una talla de sant Pere. También está la pila donde fue bautizado Junípero, un bajorelieve del XV, un retablo de Sant Sebastiá, etc.

Convento de San Bernardi. Aquí estudiaba el Beato; situado en el Carrer Major, contiene un altar barroco con la Inmaculada, y otro con San Francisco de Asís. Frente al convento, un monumento a Junípero con escenas de su vida.

Para completar la visita

Cruces de término. En la Plaça de sa Creu, en el Carrer Ciutat, y en el cementerio.

Molinos de viento. Varios de ellos en el Carrer dels Molins, y en la costa dels Molins.

Por las afueras

Santuario de La Mare de Deu de Bonany. Después de años de sequía, la Mare de Déu trajo las lluvias y fue un buen año (Bon Any). Lo que ves se construyó entre 1920 y 1925; en el, Sant Pau, Sant Antoni, Santa Catalina Thomás, y la Mare de Déu de Bonany. Muchos de los acontecimientos sociales y festivos del pueblo se celebran en este santuario. Desde aquí se contemplan buenas vistas.

El Puig. El Santuario se asienta sobre un monte de 317 metros de altitud, siendo todo él Área Natural de Especial Interés. Encinas, sotobosque, garriga, y abundante fauna de pluma.

Pitanza

Café Can Tomeu. Plaza Ramón Llul. Es el café más antiguo del pueblo; abre muy pronto y cierra muy tarde, lo cual está muy bien.

Bar-Restaurante Es Celler. C/Hospital, 46. Tel. 56 10 56. Cocina mallorquina típica: caracoles, sopas mallorquinas, lomo con col, etc; cierra los lunes.

Dormir

Hospedería del Puig de Bonany. Tel. 56 11 01. Cuenta con cinco habitaciones dobles. Precios: 750 por persona si traes tus propias sábanas o saco, y 1.000 si la ropa de cama la facilita la hospedería. Dentro del santuario, una tienda de souvenirs.

Artesanía

Cerámica y barro en: Carrer Rectoría, 2, Carrer Pare Miquel, 22, y Carrer Villasota, s/n.

Hierro en: Carrer Llevant, 9, Carrer Bellavista, 13, y Ctra. Petra-Manacor, s/n.

En cuestiones da **carpintería y ebanistería**, en el pueblo hay censados más de quince artesanos; te damos la dirección de unos cuantos: Carrer Antoni Ripoll, 58, 64, 76 y 91, Carrer Convent, 6, y Carrer Llevant,12. Uno de los mas interesantes, Salvador Femenias, en la calle Veracruz, s/n.

Bordados y similares en: Carrer del Sol, 81, y Carrer d'en Font, 7.

Productos de matanza en: Carrer Francesc Torrens, 25, Carrer Manacor, 52, y Carrer Ordines, 25.

Hornos en: Pare Palou, 1, Carrer Major, 42, y Carrer Collet, 17.

Vino en: Carrer Ordines, 19, y en el Carrer Font, 26, Miquel Oliver elabora el conocido Blanc de Blancs del Celler Son Caló, con las variedades de uva Prensal y Macabeo, recogidas en Felanitx.

Hacia octubre, la Mostra de Art i Empresa, con productos artesanales y agropecuarios del municipio.

MUNICIPIO DE SINEU

SINEU

Ayuntamiento: Tel. 52 00 27.

Un poco de historia

Etimológicamente procede del topónimo Sinium, citado por **Plinio** en su *Historia Natural* como una de las pocas poblaciones existentes en la isla en época romana; los árabes la denominaron Yiynau.

Pedro Martell, el mercader catalán que le puso los dientes largos al Rey Jaime al hablarle de las delicias de la Mallorca mahometana, recibió tras la conquista una buena parte de Sineu. En el siglo XIII, Inocencio IV, en una bula, lo llama Santa María de Sineu.

Un siglo después, Jaime II ordena que le construyan un alcázar en Sineu; al fin y al cabo la población está en el centro geográfico de la isla.

Como llegar

Si vienes en coche conocerás una de las dos o tres carreteras más bonitas de la isla (además de la de La Calobra y la que comunica Son Maciá con Manacor y Calas de Mallorca). Así, la llamada carretera vieja de Sineu comunica Palma con esta población sin cruzar un sólo núcleo urbano; aunque es una sola carretera pero oficialmente son varias (301-1, 310-1, 311-1, y 314-1).

En autocar tienes dos líneas, la que enlaza Manacor con Inca (Tel. 55 07 30), y la que partiendo de Palma llega hasta Pina, Lloret y Sineu, siguiendo hasta María y Santa Margalida (Tel. 75 47 56).

En su día, el tren llegaba hasta aquí (en 1975 llegó el último); ahora, la bonita estación se utiliza como sala de exposiciones.

La visita

Iglesia Parroquial. En su fachada, un reloj de sol de 1664, y en un costado, otro de 1783. La torre exenta, de siete cuerpos, se unió a la iglesia por medio de un paso elevado. Nave de cruceria ogival, con Santa María de Sineu en el presbiterio, retablo mayor del siglo XVI, vidrieras policromadas, un retablo barroco, un órgano del XVII, reliquias de Santa Valeria, Sant Nicolau, la Adoración de los Reyes, etc. En conjunto, una iglesia interesante; aquí tienes también la rectoría, con una colección de cerámica musulmana; junto a la iglesia, el monumento al ciclista Francesc Alomar.

Convento de San Francesç. Al igual que en Manacor, parte de sus dependencias son utilizadas por el ayuntamiento, correos, la Benemérita, etc. Lo mas interesante, el claustro. Y en el archivo, la Barcella de Sineu, recipiente de bronce del siglo XIV usado como medida de capacidad.

Hospital de Sineu. También llamado Hospicio de Sineu, y fundado en el siglo XIII, en la actualidad es residencia de ancianos; en su interior, el Oratorio de Sant Josep, con numerosas piezas de alto valor artístico.

Cruces de término. Las encontrarás en las calles Rafel Rotger, Palma, y en la confluencia de Creu y Maura.

Molinos de viento. Quedan una docena aproximada; algunos están habitados, otros no, los hay que sirven omo almacén...

Y además...

En la Plaça de Santa Catalina, el León de Sant Marc, monumento de 1945: un león alado con cara de pocos amigos que sostiene un escudo.

En la Plaça Fossar, el mercado cubierto y el abrevadero (S'Abeurador)

En Sineu reside Antoni Mariner, escultor que compone sus figuras a base de materiales de desecho -auténtico arte póvera-; en ocasiones, algunas de sus creaciones pueden verse en la Plaça de Sant Marc.

Fuera del pueblo, la posesión Delfa, donde conservan los restos del monumento a Isabel II derribado de la Plaza de La Reina en Palma durante la primera República.

Comer

Al igual que en Inca, comer es ir a un celler; aquí van las direcciones de cinco:

Celler Es Palau. Esperanza, 28. Tel. 52 08 72. Cocina mallorquina: frit, lengua, cordero...

Celler Can Castanyer. Esperanza. Otro celler, ubicado este en un edificio del siglo XV; quizás es el más auténtico y el menos turístico.

Celler-Bar Son Toreó. Es Fossar, 1. Tel. 52 01 38. Situado en un interesante y antiguo edificio, es uno de los mas renombrados de la localidad. El restaurante ocupa la parte superior del edificio; clientela de toda la vida, y ambiente señorial sin estridencias. Precios medios.

Celler de Ca'n Font. La Rosa, 1. 52 03 13

Celler Es Grop. Major, 18. Tel. 52 01 87.

Pub Es Fossar. Plaça de's Fossar.

Pub Sa Mola. Ctra. Santa Margalida 1.

Café Petit Arlequí. Major, 2.

Artesanía

Cerámica y barro en: Carrer Campana, 5, Carrer Major, 43, y Ctra. Lloret, s/n.

Más de una docena de **herreros** en el pueblo; los encontrarás en las calles Rafel Rotger, Bons Aires, Constitució, Fray Joan Riera, y Plaça del Mercat; destaca, en la Calle Ramón Llul, 26, un trinxeter (trinxet=cuchillo-navaja).

Nada menos que 21 **carpinteros** censados como artesanos por la Consellería d'Economia i Hisenda; aquí van las direcciones de algunos: Carrer d'es Bous, 8, Carrer Tramuntana, s/n, Carrer Bons Aires, 30, 33 y 41, y Carrer del Fang, 25.

Productos de Matanza en: Plaça del Mercat, 6, Carrer Esperança, 4, Carrer Gran, 2, y Sa Plaça, 6.

Pasteleros en: Plaça dels Reis de Mallorca, 3, y Sa Plaça, 3.

Un **Tamborer-Ximbomber** (tambores y zambombas) en el Carrer des Vent, 7.

Restauradores en: Carrer Aljub, 15, Carrer Bons Aires, 9, Carrer de s'Alou, 18, y Carrer Tramuntana, s/n.

El mejor momento para llegar a Sineu, el primer domingo de Mayo, inicio de la feria agrícola y ganadera, una de las mas importantes de la isla y cuyos orígenes se remontan al siglo XIV; y si no estás aquí en ese mes, ven cualquier miércoles, día de mercado (el único de animales vivos en la isla).

Dormir

León de Sineu. Carrer dels Bous, 129. Tel. 52 02 11. Un pequeño hotel típico de población de interior; en sus instalaciones, un restaurante: **Sa Bóveda.**

MUNICIPIO DE COSTIX

COSTIX

Ayuntamiento: Tel. 51 30 02.

Como llegar

Desde Palma, por Santa María, o desde Sineu por la PM-324; autocares Pau Canyelles cubre el servicio Palma-Sta. María-Costix.

Los romanos lo llamaban Costa (=cuesta), y le añadieron la terminación icium, pronunciada por los árabes ic o ix. Hoy, dos temas lo hacen famoso y conocido: el Observatorio Astronómico, y las famosas caps de bous (cabezas de toro).

Observatorio Astronómico de Mallorca. Tel. 17 65 00. Inaugurado en 1991, e integrado en la red GEA, es el observatorio español más oriental y cumple fines científicos y didácticos. El teléfono que te facilitamos corresponde a la Consellería de Cultura, encargada de gestionar las visitas.

Els Caps de Bous. En 1894, en el yacimiento talayótico de son Corró, encontraron tres cabezas de toro de bronce datadas aproximadamente en el siglo V antes de Cristo, además de otros objetos y cerámica.

Las cabezas viajaron al Museo Arqueológico Nacional, y ahí están; no obstante, puedes contemplar unas réplicas en la Casa de Cultura. Els Caps de Bou, después de constituirse en bandera de reivindicación de los expolios culturales y económicos centralistas, fueron cedidas durante unos meses al Museo de Mallorca durante el otoño de 1995; lo que prometía ser una avalancha de visitantes no despertó casi ningún interés en la sociedad palmesana y mallorquina.

Los bous no fueron la última sorpresa: en marzo del 95, con motivo de unas excavaciones orientadas a delimitar el perímetro del santuario, comenzaron a aparecer fragmentos de cerámica talayótica y romana, algunas monedas, y, separadas por unos cinco centímetros de profundidad, dos bellas estatuillas de bronce.

La más antigua, un guerrero que perdió el casco y la lanza quién sabe cuando, es similar a las encontradas en Son Favar (Capdepera) y Sa Roca Rotja (Sóller). La más moderna, de época romana, es una bella figura masculina que sostiene un plato y una copa; para unos expertos es un Mercurio, y para otros, un Sátiro. (desde aquí, aventuramos osadamente que también podría ser un camarero, a juzgar por sus implementos).

Iglesia de la Natividad de Ntra. Señora de Costix. Finalizada en el siglo XVIII, es defachada lisa con rosetón. en su interior, una talla del siglo XIV, un órgano, la imagen de la Mare de Déu, y los restos de Margalida Amengual, na Cativa, cuya casa puedes ver en la calle que lleva su nombre.

Casa de la Fauna Íbero-Balear. Tel. 51 31 98. Horario: de 9'30 a 13'00 y de 15'00 a 19'00. Colección de animales situada en la Casa de Cultura; todo tipo de vertebrados e invertebrados.

Cruces de término, molinos y pozos. Para terminar, puedes ver una cruz de término en la calle Luna, y algún molino de viento en las calles Pau, Molins, y Sant Tomás.

Comer

Restaurante Can Font. Tel. 51 32 16. Ubicado en el edificio de la Casa de Cultura, ofrece cocina mallorquina a precios medios.

Un paseo

Acercarse hasta el Pozo de Costix, que realmente son dos; se llega hasta el siguiente, primero la carretera de Sencelles, para tomar a continuación el Camí dels Horts.

Artesanía

Madera en: Carrer Sant Sebastiá, 8, Crta. Sencelles, Km 4'5, y Carrer Pau, 19.

Pintura en el Carrer des Bous, 7.

Taxidermista en Carrer Rafel Horrach, s/n.
Productos de matanza en la Plaça Jardí, 5.
Horno y pastelería en Plaça de la Mare de Deu, 17.

MUNICIPIO DE SENCELLES

Sencelles, Biniali, Ruberts, y Jornets.

SENCELLES

Ayuntamiento: Tel. 59 10 16.
Centro sanitario: Tel. 59 15 96.

Accesos

Varias carreteras llegan hasta aquí; en autocar, la línea Palma-Santa Eugenia-Costix (Tel. 62 04 83) pasa por aquí.

Municipio situado en pleno centro de la isla, conocido por su vino, su artesanía del hierro y la madera, y sus *xeremiers*. Es también un buen lugar para comer platos de caza.

Visitas

Iglesia de Sant Pere. Del siglo XVIII, con portal mayor barroco y portada lateral renacentista. En el interior, retablo mayor con Sant Pere, grupo escultórico de la Asunción, e imágenes de Sant Pau y Sant Jaume.
Convento de la Caridad. Edificio cedido por la beata Sor Francinaina Cirer, en su interior pueden visitarse la celda que ésta ocupaba, la cocina, etc. Horario: de 9'30 a 13'00 y de 15'30 a 19'00.
Cruces de término. En las calles Antoni Maura, Rector Molinas, Bons Aires, Sor Francinaina Cirer...
Molinos harineros. En las calles General, Molins, Papa, Capitá, etc.
En las afueras, el interesante observatorio astronómico de l'Amo en Bonet, construido por el mismo. Verás una casa con cúpula galvanizada; ahí es.

Ubicado a menos de tres kilómetros del observatorio de Costix, l'Amo comenta sobre ellos: "estaban interesados en que les regalase todo mi equipo sin darme nada a cambio; me negé rotundamente".

Demasiado espabilados los de Costix, quizás.

Un restaurante

Can Ramis, en la Plaza de Son Morey, 14. Tel. 59 10 88. Cocina mallorquina tradicional.

Por las afueras

Talaiot de Son Fred. Se encuentra camino de Jornets, siguiendo la calle de Antoni Maura. Planta circular, muros de hasta cuatro metros...

Área recreativa de Sarissal. Buen sitio para merendar a la sombra de una higuera. En ésta finca la Beata de Sencelles rezaba... Un pequeño refugio por si llueve, y una caseta-museo.

Artesanía

Hierro en el Carrer Son Arrom, 1.

Madera en Carrer Bons Aires, 13, 20, 31 y 35.

Productos de matanza en: Carrer Es Rafal, 29, Carrer Jardins, 20, Carrer Rafel, 6, y Carrer Caritat, s/n.

Horno (pan y pasteles) en: Carrer Sor Franciscaina Cirer, 4.

Instrumentos musicales (flabioler y xeremier) en el Carrer Sor Franciscaina, 113.

Dormir

Campamento Escolta Sa Torrentera. Zona de acampada. Informan en el Tel. 72 51 68.

Agroturismo Son Xotano. Ctra. Pina-Sencelles, km 1'5. Tel. 40 04 00. Situada a 1'5 km del pueblo de Pina, dispone de piscina, caballos, bar-restaurante, etc. La casa ofrece seis habitaciones dobles y seis suites; todas las habitaciones tienen baño completo y televisión. Una doble con desayuno incluido por 18.000, y una individual por 13.500.

BINIALI

Perteneciente al municipio de Sencelles, se llega hasta aquí por la PM-302, y desde Binissalem, por la PMV-302-1.

Sobre Biniali puede hacerse el mismo comentario que hacemos más abajo de Ruberts: la viña en su día, y la segunda residencia actualmente.

Visitar

Iglesia de Sant Cristófol. Parte de ella es del siglo XVII, y parte del XIX; sencilla y bonita. En su interior, Sant Cristófol, Santa Catalina Thomás, y las reliquias de Sant Faustí.

Cruz de los Caidos. Es de finales del siglo XVIII, y al acabar la guerra civil, la pusieron una placa convirtiéndola en Cruz de los Caidos; la encontrarás en el km. 8'2 de la PM-302.

Artesanía

Encordador de sillas en el Carrer Molí, s/n.
Vinatero en el Carrer Fiol, 9.

RUBERTS

Otro llogaret perteneciente a Sencelles, formado por apenas una veintena de casas y unos cuarenta habitantes, que celebran la Virgen del Carmen cada 16 de julio con baile y merendola.

Pasear y visitar

Iglesia de la Mare de Déu del Carme. Se comenzó a construir en el XVIII. Pequeña y sencilla, alrededor de su plaza se agrupan las casas. Rosetón policromado, y en el interior, la Mare de Déu del Carme y Sant Antoni.

JORNETS

Se llega a este pequeño llogaret desde Sencelles por la PM-312, o bien desde el camino asfaltado que comunica Jornets con Biniagual y Santa María.

Como en otras localidades de la isla, el cultivo de la viña le dió prosperidad hasta la aparición de la filoxera a finales del siglo pasado. Así, actualmente su población no alcanza el medio centenar, cifra sensiblemente inferior a los más de 300 habitantes que llegó a tener, aunque últimamente está siendo elegido como segunda residencia por mas de uno.

Ver

Oratorio de Sant Josep. Edificado en el siglo XVIII, al principio era un oratorio privado perteneciente a las casas de la posesión a las que se encuentra adosado. En su interior, un retablo de Sant Josep, y lienzos de Sant Bartomeu, Ramón Llul, etc.

MUNICIPIO DE LLORET DE VISTA ALEGRE

Ayuntamiento: Tel. 52 01 89
Correos en S'Arracó, 10.

Llegar

Desde Sineu, por la PM-313, y desde Palma, por la C-715, o por la PMV-301, etc. en autocar, con la misma línea que cubre el trayecto de María de la Salut; se detiene en el Bar Pou.

Hasta 1616 se llamaba Manresa, pero poco a poco, la devoción a la Virgen del Loreto le dió el nombre actual. El pueblo es famoso por su tradicional fabricación de fuegos de artificio.

A visitar

Iglesia de la Mare de Déu de Loreto. Del siglo XVII, y con campanario del XVIII. Portada con arco de medio punto, rosetón, y reloj de sol. En el interior, Santo Domingo, la Mare de Déu de Loreto, y vitrinas con objetos de culto en la sacristía.

Molinos. En la Calle Mayor, en el Camí de Sa Font, en el de Sa Rota, etc.

La Cruz. Conocida como Sa Creu, es una cruz de término del siglo pasado ubicada en el cruce de la calle Costa des Pou con la carretera.

Comer

Bar Es Pou. Plaza des Pou. Tel. 52 01 98. Ofrece menús a asequible precio, y frente a el se detiene el autocar de Palma.

Restaurant Poliesportiu. Camí des Camp de Futbol. Tel. 52 06 49.

Restaurant Can Bernat. Agustí Puigserver, s/n.

El paseo

La Comuna de Llorito. Utilizada desde hace siglos como zona de esparcimiento y celebraciones populares, en 1927 fue declarada monte de utilidad pública. Ocupa 131 hectáreas de garriga y pinar, poblados de abundante fauna de pluma.

Alojamientos

Campament de Sa Comuna de Lloret. Información y reservas: En invierno, en el Ayuntamiento (Tel. 52 01 89), y en verano, en el Institut Balear de Serveis a la Joventut (Tel. 17 64 00). Zona de acampada de unas cien plazas de capacidad, con cocina, comedor, piscina, pistas polideportivas, campo de fútbol, servicios, y duchas.

Artesanía

Madera en: Carrer del Fum, 10, y Camí de Sa Font, 17.
Hierro en el Carrer d'es Vent, 13.
Productos de **Matanza** en el Carrer de Ses Parres, 25.
Hornos en: Carrer d'es Vent, 13, y Plaça Sant Jaume, 16.
Pirotecnia en el Carrer Major, 50.

MUNICIPIO DE SANT JOAN

SANT JOAN

Ayuntamiento: Tel. 52 60 03.
Unidad Sanitaria: Tel. 52 63 11.

Llegar

Con autocares Aumasa (Tel. 55 07 30) línea Ariany-Petra-Vilafranca-Sant Joan-Montuiri-Palma).

Villa de interesante casco urbano, en especial el barrio conocido como del Ravellar.

Sitios a visitar

Els Calderers de Sant Joan. Ctra. Sant Joan-Vilafranca, km. 37. Tel. 52 60 69. Abre todos los días. Una Possesió, conservada tal como era en lejanos tiempos. El amo, Antonio Oliver Gayá viajaba por Europa trayendo a la finca todas las novedades en maquinaria agrícola que encontraba; es hijo ilustre de Sant Juan, y una calle del pueblo lleva su nombre. En la actualidad, la finca pertenece a los descendientes del Conde de Ribas, quienes llevaron a cabo las reformas y acondicionamiento. En el patio, una cisterna cuya fresca agua alabó el Archiduque Luis Salvador, un gran salón, el despacho del cura, capilla, celler (bodega), sala de caza, sala de música, grandes salones, baño de época, etc. Despacho, cocina, horno, corrales, carpintería, herrería, carros y guarnicionería, etc.

Iglesia de San Juan Bautista. El campanario y algunas capillas son del siglo XIX, y la iglesia, del actual; en el interior, de tres naves, pinturas con las vicisitudes del Bautista, un retablo de Jesús, etc.

Santuari de la Mare de Déu de la Consolació. Arcos de medio punto, la Mare de Déu, capillas de Sant Pere, Santo Domingo...

Pou de Sa Sínia. Pozo con acequia recientemente restaurado, lo encontrarás al final de la calle Petra.

Molinos. En las calles Amistad, Luna, Mirador, etc.

Cruz de término. La verás en la calle Sol, y antiguamente, cada tres de mayo, a su pié se bendecían los frutos del campo.

Bares, pubs...

Pub Dialegs. C/Ramón Llul, s/n.

Bar Sa Torre de S'Aigo. Amistat, 23. Tel. 52 63 00. Cocina típica: arroz brut, pollastre, piteres, bacallá.

Restaurante Can Tronca. Palma, 1. Tel. 52 60 97.

Sa Cova. Tel. 52 63 02. Situado en las afueras, abre únicamente sábados y domingos.

En los km. 36'5 y 38 de la carretera de Manacor, dos restaurantes más: **Es Sortidor** y **Ses Teuleres**.

Artesanía

Barro (fundamentalmente tejas) en: Ctra. Sant Joan, s/n, Ctra. Palma-Artá, s/n, y Ctra. Palma-Villafranca, 37.

Hierro en: Carrer Consolació, 17, y Carrer Mestre Mas, 23 A.

Madera en: Carrer Major, 29 y 30, y Carrer Molins, 10.

Encordado de sillas en el Carrer Fra Lluís Jaume, 2.

Productos de matanza en: Carrer Pau, s/n, y Carrer Major, 67.

Hornos en el Carrer Major, 31 y 100.

Flores secas en el Carrer Consolació, 2.

Instrumentos musicales (flabioler) en el Carrer Llevant, 6.

Un alojamiento

Santuario de la Consolación. Información y reservas: 52 60 41. Abierto todo el año. Zona de acampada con comedor y cocina.

MUNICIPIO DE VILAFRANCA DE BONANY

VILAFRANCA DE BONANY

De interés

Ayuntamiento: Tel. 56 00 03.
Poliía Local: Tel. 56 00 03.
PAC: Tel. 56 05 50.
Campo de vuelo de ultraligeros: Tel. 83 20 73.

Llegan hasta aquí desde Palma los autocares de Aumasa (Tel. 55 07 30).

Conocida principalmente por sus puestos de venta de productos agrícolas que se sitúan a ambos lados de la carretera.

A la salida del pueblo, un puesto de venta de escarabajos Volkswagen, con precios para todos los gustos.

Paseando por Vilafranca...

Iglesia de Santa Bárbara. En su portada, una imagen de Santa Bárbara, y dentro, un Cristo yacente, la Mare de Deu del Remei, un retablo de la Santa Cena, etc.

Casas de Sant Martí. Ubicadas fuera del pueblo, parte de ellas es del siglo XIV; claustro, capilla, y un retablo del XIV.

Además...

Al final de la calle Sant Martí, el **Molí Nou**, torre de molino de respetables dimensiones.

En la calle Santa Bárbara, **Ca Ses Monges**.

Comer, beber, dormir tal vez...

Restaurante Es Cremat. Costa i Llobera, 5. Tel. 83 21 50. Carnes rellenas, cocina mallorquina, un poco de todo.

Ses Teuleres. Ctra. C-715 (Palma-Manacor), km. 37'5. Tel. 56 01 23. Carnes al grill y comida mallorquina.

El Cruce. Tel. 56 00 73. Situado a 4 km. del anterior, y en la misma carretera, ofrece comida mallorquina y un horario interesante: los festivos, sábados y domingos, permanece abierto hasta las dos de la mañana.

Pasear

A unos tres kilómetros del pueblo, el Pozo y la caseta de Son Pere Jaume, de época medieval, al que llegarás siguiendo el camino del mismo nombre.

Artesanía

Cerámica en: Carrer Rocabertí, 17, Ctra. Palma, s/n, Carrer Afores, s/n, y Carrer de Sa Punta, s/n.

Hierro en: Ctra. Palma, 4 y 35, y Carrer Principal, 38.

Madera en: Carrer Principal, 64, Avinguda Ses Escoles, 24, Carrer Sant Martí, 22, Carrer Rocabertí, 29, y Carrer Sant Josep, 14.

Bordados y encordados en: Carrer Sant Martí, 54, Plaça Major, 20, Ctra. Palma, 13, Carrer Pare Jaume Roselló, 13, y Carrer Jaume I, 9.

Productos de matanza en: Carrer d'es Vent, 6, y Ctra. Palma, 100.

Higos secos: En la Ctra. Palma, en los números 107, 124, 103 y 142, y en el Carrer de Na Llobera, 1.

Hornos en: Carrer Palma, 80, y Ctra. Palma, 55.

Dormir

Ermita de Bonany. Información y reservas: Tel. 56 11 01. Abierta todo el año. Cuenta con quince plazas de capacidad distribuidas en cinco habitaciones. Comedor con chimenea.

MUNICIPIO DE PORRERES

PORRERES

Ayuntamiento y Policía Local: Pça. de España, 17. Tel. 64 72 21.

Unidad Sanitaria: Tel. 64 73 00.

Correos: Veiet, 17.

Llegar

Con el autocar de la empresa Caldentey (Tel. 58 01 53), que prosige hasta Felanitx.

El nombre de Porreres proviene del primer propietario cristiano, Guillermo de Porrera.

En las dependencias del Ayuntamiento, el Museo y Fondo Artístico.

La Fira (último fin de semana de octubre), ofrece interesantes actividades culturales (excursiones a Son Redó, con la visita al talaiot de Es Pagos y la cova, subida al puig), y muestra de ganado ovino en la plaza de toros.

Paseando por Porreres

Monti-Sion. Su nombre completo es Santuari de la Mare

de Deu de Monti-Sion: un monte, y sobre él, el oratorio. La carretera que lleva hasta aquí fue adecentada por todos los vecinos de Porreres en un sólo día, el 14 de enero de 1954. Entre el pueblo y el oratorio, siete cruces y varios pequeños monumentos que sirven como hitos de viacrucis. Claustro con arcos de medio punto, nave de crucería, imagen de la Mare de Déu, etc. En Monti-Sion se prestan servicios de alojamiento, cuyas características te comentamos más abajo.

Iglesia de Nostra Senyora de la Consolació. Del siglo XVII, es de grandes dimensiones y notable valor artístico. Catorce capillas, columnas corintias, San Juan Bautista y San Juan Evangelista (patronos del pueblo), Nuestra Señora de la Consolación, un órgano del XVIII, y la joya: una cruz procesional de plata datada en 1400. Sobre el reloj del campanario, su ubicación es un tanto extraña.

Si sobra tiempo, quedan por ver La Rectoría, las calles del Call y Passaraitx, la Iglesia de Sant Felip Neri, el Pou de la Placeta, el edificio del Centre Xatólic, la calle Bisbe Campins, el monumento que le hicieron a este señor, la calle Mayor, la Casa Consistorial (y junto a ella un buzón para tus postales), la puerta de el Molí d'en Tófol, el Molí d'en Doncell, la Iglesia de l'Hospitalet, los porrerenses, las porrerensas...

Cruces de Término. La Creu del Creuer, la Creu del Port, la de Monti-sion...

En Porreres, pero fuera del nucleo...

Molí de Son Porquer. Situado en la carretera de Campos (PM-504), cerca de Camp Roig, y de tan abultadas dimensiones, que su base cuadrada parece una fortificación.

Restos arqueológicos. El Talayot de Baulenes, el de Pou Celat, el de Es Pletons, la necrópolis de sa Figuerassa, la Cueva de Son Apol. lónia... Hay muchos más, y en el ayuntamiento, quizás te señalicen algunos en un croquis, o en alguna fotocopia de las Normas Subsidiarias...

Bares, restaurantes...

Bar Can Miquel. Céntrico, tradicional, y con sabor
Sa Fonda Café.
Bar Plaça, en la Pça. de España.

Restaurante Centro. C/ Obispo Campins, 13. Tel. 16 83 72. Especialistas en pescados, no son demasiado caros: un menú en laborables por ménos de 800; los domingos y festivos, por mil.

Paseos

Desde la calle Santa Creu parte el camino que lleva hasta el oratorio del mismo nombre; cerca de ahí se inicia un viejo camino -actualmente asfaltado-, que conectaba Porreres con Montuiri.

En dirección a Felanitx (Camí de Son Mesquida), los restos del poblado talayótico Pou Celat: un pozo, un talayot, y restos de una muralla.

Finca Sa Bastida

Gestionada por Joan Miralles, y denominada finca agrocinegética, ocupa una extensión de 500 hectáreas ocupadas por unas diez mil perdices, mil patos, conejos, etc. la topografía y vegetación de la finca permiten practicar la caza en casi todas sus modalidades.

En Sa Bastida se puede cazar desde primeras horas de la mañana hasta primeras horas de la tarde.

Dormir

Hospedería de Monti-Sion. Tel. 64 71 85. Dispone de cinco habitaciones dobles, alguna de ellas con baño; abre todo el año, y su precio, 800 por persona y día, con precios especiales para familias y grupos. Comedor, baños, cocina, y patio. Abre todo el año. Junto a la hospedería, un restaurante que cierra en agosto.

Artesanía

Barro en: Carrer Major, 121, y Carrer Jaume I, 72.

Hierro en: Carrer Parents, 16, Carrer Mossén Cabrera, 2, Carrer Major, Carrer Molina, 9, y Carrer Lluna, 5.

En cuestiones de **madera y carpintería**, más de quince *artesanos*; aquí van algunos con sus direcciones: Carrer Major, 61 y 97, Carrer Call, 44, Carrer Doncella, 52, y Carrer de Sa Galla, 66.

Piel y cuero en el Carrer Parents, 11.

Bordados y similares: Carrer Santa Creu, 2, Carrer de Sa Galla, 67, y Carrer Frai Juniper Serra, 25.

Productos de matanza por ejemplo en Carrer 31 de Desembre, s/n, Carrer Paxarais, 37, Carrer Bisbe Campins, 7, y Carrer de Sa Galla, 44 y 99. Y en el km. 0'5 de la Ctra. de Felanitx, Embutidos Munar: Sobrassada, patés...

Un fideuer (fabricante de fideos) en el Carrer de Sa Galla, 99.

Hornos y pasteles en: Carrer Goya, 3, Carrer de Sa Galla, 101, Carrer General Barceló, 6, y Carrer Molí d'en Negre, 2.

Un famoso **vinatero** (Bodegas Mesquida) en el Carrer Veiet, 1.

En el Carrer Doncella, 48, un **emplomador de vidrios**.

MUNICIPIO DE MONTUIRI

MONTUIRI

Direcciones y teléfonos

Ayuntamiento: Tel. 64 60 29.
Correos: Ses Corregudes, s/n.
Centro Sanitario: Santa Catalina Tomás, 1.

Sobre una pequeña elevación se construyeron algunos molinos, que posteriormente dieron nombre a la calle en cuyu final se encuentran; poco a poco surgieron nuevas casas, y ahora hay lo que ves. Sobre su etimología, la cosa parece clara: del latín Montorium o Montuariu, esto es, **Promontorium.** A Montuiri llegará la fábrica de perlas Orquídea, que no ha podido continuar su actividad en Manacor.

Llegar

En autocar, con Aumasa (Tel. 55 07 30), que cubre la línea Palma-Montuiri-Sant Joan-Vilafranca-Petra-Ariany.

Desde Palma, en coche por la C-715

La ciudad

Iglesia de Sant Bartomeu. Construida en el XVI y restaurada en el XVIII, se halla situada sobre un terraplén empedrado conocido como Els Graons. Como viene siendo habitual, sendos relojes de sol en sus fachadas, y el escudo de la villa. Campanario de cinco cuerpos rematado octogonalmente, ábside trapezoidal, y capillas de crucería. En el interior, vidrieras policromadas, un retablo del XVIII, un cuadro de Sant Antoni, una bonita pila bautismal, y un órgano del XVII.

Rectoría de Montuiri. Portal de medio punto, y una csiterna de una sola pieza cuya agua tiene fama.

Los molinos de viento. Encontrarás todos los que quieras en la barriada del Molinar.

Las cruces de término. En las calles Sa Torre, Pou Nou, Plaça de les Tres Creus, etc.

Pou del Rei. Pozo público con lavadero que encontrarás a la salida del pueblo siguiendo la calle del mismo nombre.

Por las afueras

Poblado Talaiótico de Son Fornés. Se encuentra no muy lejos de la población, a unos dos kilómetros y medio en dirección a Pina; datado en el siglo VII antes de Cristo y ocupando unas dos hectáreas, lo conforman una muralla, cuatro o cinco casas, y dos talayots circulares. Muy interesante.

Santuario del Puig de Sant Miquel. Su nombre completo es Santuario de la Madre de Dios de la Buena Paz del Puig de San Miguel, y se sabe poco de el con anterioridad al siglo XVI; En 1395 había por aquí un ermitaño que habitaba en el monte Puig D'En Romanya, pero se desconoce si se trata de la misma colina.

En el, La Mare de Déu, Sant Joan Baptista, Sant Miquel, Santa Bárbara, y unas excelentes vistas.

Comer

Restaurante Ca's Carboner. Ctra. Manacor, Km. 28. Tel. 64 65 04. Cierra los martes este restaurante de comida mallorquina; orientado en gran parte a la celebración de banquetes, no es demasiado barato.

Restaurante Es Cantó. Tel. 16 82 23. Situado a un kilómetro del anterior.

Es Puig. Es Puig de Sant Miquel. Tel. 64 63 14. Comida mallorquina tradicional.

Restaurante Son Bascos. Ctra. de Manacor, km. 29. 07230 Montuiri. Era una finca de cereales y ahora es granja de codornices y restaurante de comida mallorquina. A unos diez km. disponen de un coto de caza de 400 ha. donde se organizan cacerías; Son Bascos está catalogado como *turismo rural sin alojamiento.*

En el kilómetro 30 de la carretera Palma-Artá, la factoría de piel **Munper**, de visita libre, donde puedes adquirir excelente calzado, pero a alto precio; junto a Munper, el restaurante del mismo nombre, con menús a precios asequibles.

Las celebraciones más importantes, y la Feria de la Perdiz (Fira de Sa Perdiu).

Artesanía

Cerámica y barro en: Carrer Metge Mateu Castelló, 4, y Carrer Cossiers, 3.

Hierro en Ctra. Vella de Manacor, s/n, y en el Carrer Baix, 48.

Madera en: Carrer Pujol, 59 y 67, y Carrer Palma, 100 y 154.

Piel y **cuero** en la Plaça Vella, 33.

Productos de matanza en: Carrer Jaume II, 45, Carrer Sa Torre, 49, Carrer Garrover,38, y Carrer Palma, 52.

Hornos y **pastelería** en: Carrer Calvari, 4, Carrer Baix, 72, y Carrer Jaume II, 17.

Encuadernador y carasser en: Carrer Palma, 63.Carrer del Molinar, s/n.

MUNICIPIO DE ALGAIDA

Algaida, Randa, y Pina

ALGAIDA

Llegar

En autocar, con la empresa Caldentey (Tel. 58 01 53), que

cubre la línea Felanitx-Porreres-Algaida-Palma cinco veces al día; para en la Plaça d'Algaida.

En coche, desde Palma por la C-715, desde Llucmajor por la PM-501...

Ayuntamiento: Tel. 12 50 76.
Correos: Unió, 2.

Los árabes, la llamaban *Al-gajad*, esto es, "el Bosque"... Municipio famoso por sus restaurantes, sus embutidos, y sus herreros.

Por la ciudad

Iglesia de Sant Pere i Sant Pau. De estilo gótico, data de los siglos XVI y XVII; en el interior, un retablo de notable factura y dimensiones, talla gótica de la Mare de Déu de la Mamella, y un excelente órgano.

Cruces de término. Puedes encontrarlas en las calles Colomer, Ribera, y Quarterada.

Fuera de la ciudad, entre Algaida y Randa, en **Castellitx**, el Oratorio de la Mare de Déu de la Pau, cuyo origen se remonta al siglo XIII; contiene un retablo gótico, una imagen -también gótica- de la Mare de Déu, etc.

Artesanía

Cerámica y barro. En el Carrer Sant Cosme, 17, y en Sol, 49.

Hierro. En la Ctra. de Palma, 32, Carrer Metge Verger, 6, Carrer Tanqueta, 71, Ctra. de s'Aigua, 28, y Carrer Sitjar, 22.

Madera en: Carrer Antoni Maura, 35, Colomer, 16, Ctra. de Palma, 88, Carrer Amargura, 26, y Carrer de la Roca, 46.

Productos de **matanza** en: Carrer Mitgdia, 1, Carrer Palma, 87, y Carrer Bartomeu Pou, 14.

Hornos en: Carrer Laberint, 16, Carrer Pare Bartomeu Pou, 22, Carrer Colomer, 1, y Carrer Bisbe, 1.

Instrumentos musicales en: Carrer es Colomer, 13 (flabioler i tamborer), y Carrer del Sol, 49 (ocarinera).

Museo del Vidrio. Ctra. de Manacor, km. 18. Tel. 66 50 46. Los famosos Vidrios Gordiola, cuyo primitivo taller se encontraba en Palma, junto a la muralla, en la Portella, se trasladaron aquí en los años setenta. A principios de siglo llegó a Mallorca, procedente de Aragón un vidriero, y ya van siete generaciones dedicadas a este arte. El edificio, inaugurado en 1977, es de estilo exin castillos, y flanquean su entrada sendas estatuas de Nerón y Octaviano Augusto, que por lo visto eran una especie de patronos de los vidrieros en sus tiempos. El interior merece la pena: fábrica de vidrio, piezas que se remontan al siglo XVIII, maquinaria antigua, vidrio procedente de otros paises, biblioteca, retratos de los fundadores, etc.

En Palma, cerca del Ayuntamiento, en la calle Victoria, tienen una tienda.

Junto a Vidrios Gordiola, **Alorda**, donde puedes degustar licores mallorquines, comprar cerámica, etc.

RANDA y CURA

Toda la zona, especialmente Cura, está ligada a la figura de Ramón Llul, asiduo visitante de estos parajes.

Visitar

Iglesia de la Inmaculada y el Beato Ramón Llul. Edificada en el siglo XVIII, en su fachada puede verse un rosetón, y una imagen del beato. En el interior, un retablo mayor barroco con otra imagen de Ramón Llul, y en una capilla, la Virgen del Carmen.

Santuario de Cura. En la entrada, el escudo de los franciscanos y la media luna lluliana, y franqueado el portal, un gran claustro con encinas diseminadas. En la iglesia, la Mare de déu de Cura, el Sant Crist, Sant Francesc, y Ramón Llul. Cerca del santuario, la cueva donde según la tradición, allá por 1275 Ramón Llul meditaba su sitema filosófico según las inscripciones que aparecían en las hojas de una mata; también aquí hay colocada una estatua suya.

Ermita de Sant Honorat. Una explanada sirve de acceso a esta ermita cuyo origen remontan las tradiciones hasta el siglo XIV, aunque el oratorio actual data del siglo XVII. En el interior, Sant Honorat y los beatos Ramón Llul y Francesc Palau.

Font de Randa. La fuente tiene una acequia, y la acequia sirve agua al lavadero público, de tres arcos de medio punto.

Comer y dormir

Celler Bar Randa. Iglesia, 20. Tel. 66 09 89. Cocina típica mallorquina a precios medios.

Hospedería del Monasterio de Cura. Tel. 66 09 94. Dispone de veinticinco pequeños apartamentos con capacidades variadas: dos, cuatro, y seis personas. El precio, mil por persona y día, y si la estancia es larga, te harán rebaja. En el monasterio también tienes un bar, restaurante, y tienda de souvenirs.

Hostal Es Recó de Randa. Església, 20. Tel. 66 09 97. Tranquilo, acogedor, y de precios normales; excelentes vistas, y piscina.

Artesanía

Una **pintora** (Rosario Arroyo) y un **ceramista** (Joan Pedemonte) en el Carrer Puig, 11.

PINA

Visitar

Iglesia de Sant Cosme i Sant Damiá. Del siglo pasado, dos esbeltas torres flanquean su fachada; en el interior, pinturas para dar y tomar, retablo de la Mare de Déu de la Salut, San Cosme, San Damián, y órgano.

Font de Pina. Una fuente cubierta agradable de visitar.

Artesanía

Un **herrero** en la Ctra. Sineu, 2.
Un **horno** en el Carrer Ramón Llul, 7.
Un **carpintero** en el Carrer de Sant Francesc, 5.

En el Carrer Sant Plácid, 2, Gabriel Sastre Amengual, Mestre de Molins i Sínies (**molinos y norias**).

COMARCA DE LLEVANT

*Municipios de Artá, Capdepera, Son Servera,
Sant Llorenç des Cardassar, y Manacor.*

Delimitada por las sierras de Llevant, que transcurren en la misma dirección que las sierras de la Tramuntana, sus elevaciones principales son las cumbres de Farrutx (520 m) y Son Morei (562 m). Abarca esta comarca una extensión de unos 570 kilómetros cuadrados.

Comarca variada al fin y al cabo, con tradicionales y agrícolas zonas de interior, y también con zonas costeras de explotación turística intensiva, cual es el caso de Calas de Mallorca, Cala Bona y Cala Millor, etc.

MUNICIPIO DE ARTÁ

Artá y Colónia de Sant Pere.

ARTÁ

De interés

Ayuntamiento: Plaça d'Espanya, 1. Tel. 83 50 17. Fax. 83 50 37.

Hospital: Tel. 83 50 01.
Guardia Civil: Tel. 83 61 55.
Taxis: Tel. 83 62 02, 83 63 21 y 83 60 97.
Una revista de actualidad municipal: **Bellpuig**.

Municipio tranquilo y de poca actividad turística, del que son famosas sus artesanías de de obra de palma y rafia (sombreros, etc), su cerámica, y sus bordados.

Pasear por Artá

Iglesia de Santa María. Enclavada donde estuvo una

almudaina árabe, de estilo gótico decadente, se terminó de construir en 1818.

Museo Regional. Situado en la Plaza del Ayuntamiento, permanece abierto los lunes, miércoles y viernes de 10 a 12. Salas de prehistoria y época romana, cerámica, estelas funerarias, espadas de bronce, etc. En fin, siete grandes vitrinas llenas de casi todo.

En Can Cardaix, la **Galería de Arte** Aina María Lliteras.

Otra Galería de Arte: **Na Batlesa**, en la Plaza del Conqueridor.

Cementerio. Tómese un jardín botánico, introdúzcasele un museo escultórico, déjese reposar, y tendrá el cementerio de Artá.

Por las afueras

Subir a la *Atalaya de Morey*, o visitar el Parque Natural de *Sa Canova*...

Ermita de Betlem. Quedan los restos de la iglesia y el monasterio premostratense...

Sant Salvador. Fue una almudaina árabe, y en ella los mencionados premostratenses levantaron su templo. Antes que los árabes estuvieron los romanos, y también se han hallado restos talayóticos. Desde aquí se domina el pueblo. Se llega hasta la ermita subiendo una amplia y sombreada escalinata reformada en 1913.

Ses Països. Importante poblado talayótico recientemente limpiado y adecentado, con itinerario marcado, con guarda, guía de visita editada, etc. Datado hacia el 800 a.C., cuenta con murallas, portal, habitaciones, sala hipóstila, etc.

Dormir

Apenas hay alojamientos en la zona...

COLÓNIA DE SANT PERE

Delegación del Ayuntamiento de Artá: Tel. 58 92 97.

Lugar tranquilo y de casas blancas, lugar al fin, de veraneo, pero no de turistas...

Fundada en el siglo XIX acogiéndose a la *Ley de Colonias Agrícolas y Poblaciones Rurales* de 1860.

El especial microclima de estos parajes hace que sus viñedos sean muy apreciados. Uno de sus vinos ganó en una ocasión el trofeo **Baco**, en Sevilla. Son famosos los caldos de Miquel Oliver (celler Son Caló).

Por esta zona resistieron un par de miles de moros a las tropas del rey Jaime durante diez días.

Dormir

Apenas hay alojamientos en la zona...

Casa de Colonias de Sant Pere. Rosell, 5. Tels. 58 91 50/ 55 41 28. Abre todo el año. Situada a trescientos metros del mar, tiene una capacidad de 100 plazas. No tiene piscina pero sí campo de fútbol, pista de basquet, ping-pong, etc.

Hostal Rocamar. Sant Mateu, 9. Tel. 58 93 12. Acogedor y agradable.

Camping Colónia de Sant Pere. Ctra. Artá-Port D'Alcúdia, km. 7'5. Tel. 73 03 65. Abre todo el año. Casetas de madera de cuatro plazas, cafetería, piscinas, campo de fútbol, pista de tenis, voleibol, básquet, espacio para acampar, cocina, enfermería, y alquiler de bicicletas. Próximo a la playa.

MUNICIPIO DE CAPDEPERA

Capdepera, Cala Ratjada, Son Moll, Cala Gat, Cala Lliteras, Font de Sa Cala, Cala Agulla, Cala Mesquida, y Canyamel.

CAPDEPERA

Ayuntamiento: Tels. 56 30 52/56 37 12/56 37 89.

Policía Local: Tel. 56 31 62.

A través de estos números facilitan los servicios de información, urgencias, robos, etc.

Ambulatorio: Tel. 56 43 11.

O.I.T.: Tel. 56 30 33.

Taxis. Tel. 56 34 22.

Del latín Caput y Petrae, Cabo de Piedra, le viene el nombre a éste municipio turístico al que aún le queda algo de artesanía del palmito (cestas, sombreros...).

Lugares Capdeperianos...

Casa del Gobernador. Sala de exposiciones.

Castillo de Capdepera. Abierto de martes a domingo (lunes cerrado). Precio: 200. Capdepera, a causa de su situación estratégica y la existencia de una fuente de agua dulce (Font de Sa Cala), era lugar atractivo para piratas, corsarios, y navegantes. Por este motivo se construían torres de vigilancia, como la de Sa Vetla, donde se alojó en una ocasión Jaime I (en 1231).

Posteriormente, Jaime II ordenó que los habitantes cercanos a la costa que se replegasen un poco, y su sucesor, el rey Sancho, empezó a considerar el tema de levantar una fortaleza. Así, en 1386, existía un recinto amurallado que albergaba una sesenta casas, siendo ampliado posteriormente. Por lo que respecta al castillo, las principales obras se llevaron a cabo a partir de 1572, y aún en 1702 seguían con las reformas.

Sus cuatro torres tienen nombre: Ses Dames, Sa Boira, de'n Banya, y de's Costerans. Entre las dos primeras verás la torrepuerta del rey Jaime (hacia 1418), y en el interior encontrarás la Casa del Gobernador (siglo XVIII), y el Oratorio de Nuestra Señora de la Esperanza.

El castillo fue abandonado en 1856, subastado en 1862, y recuperado por el Ayuntamiento de Capdepera en 1983. Una placa recuerda la estancia del rey mientras negociaba el Tratado de Capdepera con los musulmanes Menorquines: *"aquí estuvo del 12 al 17 de junio de 1231 el rey Jaime I para someter la isla de Menorca, y en este lugar firmó con los sabios y ancianos moros la rendición y vasallaje a su voluntad".*

Por lo visto, Jaime estuvo aquí, y también en Sa Vetla, pero dejamos el tema a los historiadores, a los que les gusta roer este tipo de polémicas.

Cuevas de Artá. Uno de sus ilustres visitantes afirmó que "la imaginación se eleva a consideraciones mágicas al caminar por sus maravillosos bosques de columnas..."

Conocidas desde hacía siglos (se han perdido algunas inscripciones musulmanas, pero aún se conservan algunos graffittis del siglo XVI), hasta 1860 su visita era toda una aventura al tener que utilizarse cuerdas colgadas de la montaña para acceder al interior. Ese año, la oronda Isabel II quiso visitarlas, y hubo que agrandar un poco la entrada y construir una escalera, siendo a partir de ese momento todo más facil.

Durante 1896, el geólogo Martel (el mismo que dío nombre al lago de las Cuevas del Drach), las recorrió levantando plano topográfico con esta conclusión: 450 metros de extensión, y 310 en línea recta.

En ellas, salas con nombres tan sugerentes como La gruta del Príncipe, EL Salón de las Mil Columnas, El Teatro, Salón de los Embajadores, Sepulcro de Napoleón, EL Teatro, la Reina de las Columnas (21 metros de altura), etc.

Ubicadas a nueve kilómetros de Artá, pertenecen al Municipio de Capdepera.

Un bar

L'Orient Café. Plaça de l'Orient, 4. Tapas y bocadillos.

Golf

Capdepera Golf-Club Roca Viva. Campo de Golf, S.A. Aptdo. 6. 07580 Capdepera. Tel. 56 58 75. Fax. 56 58 74. Ubicado en una finca denominada Son Sastres, en la carretrea Artá-Capdepera, en sus recorrido se peden encontrar algunos restos talayóticos, hornos de cal, y algún muro prehistórico, además de lagunas pobladas de variada avifauna.

CALAS DE CAPDEPERA

Reciben también este nombre, especialmente a efectos domiciliarios, toda la serie de calas que se extienden a ambos lados de Cala Ratjada y de las que te damos información aparte; a lo largo de esta zona existen unos 60 hoteles, apartoteles, y edificios de apartamentos: tienes mención de algunos en el apartado referente a cada cala.

Tienes tambien, dos paseos marítimos: uno va desde es Moll hasta Cala Gat, y otro une Cala Lliteres con Cala Agulla.

CALA RATJADA

De interés

Oficina de Información Turística (Patronato Municipal de Turismo de Calas de Capdepera): Plaça dels Pins (07590-Capdepera). Tel. 56 30 33. Fax. 56 52 56.

Guardia Civil: Tel. 56 32 11.

Ciclos Cala Ratjada. Campet, 8. Tel. 56 52 19. Acción sobre dos ruedas: bicis, motos, etc.

Eddis's Reitstall-Hípico Cala Ratjada. Ctra. a Capdepera por Can Patilla. Tel. 56 31 17. Excursiones a caballo, clases de equitación previa, y como curiosidad, cría de caballos apaloosa.

Dicen que el nombre de esta cala viene a propósito de la gran cantidad de rayas (ratjadas) que se pescaban en ella...

Visitas

Casa March. Lindante con el mar, cuenta con maravillosos jardines y una colección de más de cuarenta esculturas de arte moderno (Rodin, Henry Moore, Chillida, etc). En el camino que bordea la costa, y fuera de la casa, puedes ver y tocar una de ellas, formada por un conglomerado de anclas auténticas de considerables dimensiones.

En estos mismos jardines se celebran las populares Serenates D'Estiu, organizadas por Joventuts Musicals.

La información y venta de entradas (reservas con antelación), en la oficina de información turística. Precio: 350.

Además...

Cada primavera, a mediados de abril, el ciclo de música clásica Un Invierno en Mallorca, de entrada gratuita, y celebrado en la Iglesia de Cala Ratjada.

Durante casi todo el año, el Patronato de Turismo organiza diversas actividades: conciertos en la iglesia, excursiones a pie y en bicicleta con salida frente a la Plaza de Los Pinos, Fiestas Musicales, etc.

Un restaurante

Restaurante Ca'n Maya. C/ Leonor Servera, 80. Tel. 56

40 35. Especializado en pescado fresco y mariscos (tienen vivero de langosta), puedes imaginar sus precios.

Alojamientos

Hostal Marina. L. Servera, 60. Tel. 56 34 91. Muy céntrico y bien situado, inmediato al puerto. Una estrella.

Hostal Vista Pinar. Reyes católicos, 11. Tel. 56 37 51. Dos estrellas, bien situado, y agradable.

Hostal Casa Bauzá. Juan Sebastián Elcano, s/n. Tel. 56 38 44. Céntrico, y de dos estrellas.

Hotel Amorós. Llegitimes, 37. Tel. 56 34 54. Céntrico y confortable. Una estrella.

Hotel Lago Playa. Playa Son Moll, s/n. Tel. 56 30 58. Muy cercano a la playa. Buen servicio y buenas instalaciones.

Hotel S'Entrador Playa ****. Cala Ratjada. Tel. 56 43 12. Fax. 56 45 17. Practicamente tiene de todo y sus precios no son exagerados.

Hotel Restaurante Ses Rotges ***. Rafael Blanes, 21. Tel. 56 31 08. Fax. 56 43 45. Perteneciente a la cadena Reis de Mallorca, ocupa un bonito caserón de tradicional factura. Una veintena de habitaciones, cuatro suites, tradicional mobiliario, y serena elegancia.

Ciudad de Vacaciones Font de Sa Cala. Ctra. Cala Sa Font, s/n. Tel. 56 32 91. Abierta de abril a noviembre, es la de más alta categoría en la isla (tres estrellas).

SON MOLL

Cercana a Cala Ratjada, ocupa esta playa unos 150 metros de longitud por 35 de anchura, siendo un poco ménos tranquila que su vecina Cala Gat. Sombrillas, velomares, duchas, hamacas, windsurf, etc.

Bares, restaurantes y chiringuitos que surgen y desaparecen, que cambian de dueño y de estilo...

Los hoteles más cercanos a esta playa son:

Hotel Aguait ***. Tel. 56 43 68.

Hostal Gili **. Tel. 56 41 12.

Hotel Son Moll ***. Tel. 56 31 00.

Hotel Clumba **. Tel.56 31 50.

Hotel Serrano **. Tel. 56 33 50.

El más modesto, el hostal Gili, y el más interesante y no demasiado caro, este:

Hotel-Restaurante Pino Mar. C/ Faralló, 27. Tel/Fax. 00 34 71. A dos minutos de Son Moll y a cinco del puerto pesquero, abre todo el año.

CALA GAT

Cercana al puerto, es pequeña, tranquila, y recoleta.

Se accede hasta ella a través de un paseo que parte desde Sa Torre Cega (Jardines March).

CALA LLITERAS

Una pequeña cala rocosa paraiso de los practicantes de deportes submarinos; en ella, un bar, el Beach Club, y el Centro Turístico de buceo Mero, con tienda, cursillos, alquiler de scooters submarinos, excursiones a grutas submarinas, fotografía submarina, en fin, de todo.

Mero Club: Tel. 56 34 66. Fax. 56 53 84.

Alojamientos cercanos a Cala Lliteras

Apartamentos Samfora. Des Secret, 1. Tel. 56 37 45. Muy cercanos a Cala Lliteres.

Apartamentos Guya Playa. Secret, s/n. Tel. 56 50 17. Vecinos de los anteriores.

Apartamentos Parque Nereida. Eolo, s/n. Tel. 56 54 12. Cercanos a Cala Lliteras, y con tres llaves de categoría.

Hotel Cala Lliteras ***. Avda. cala Lliteras, s/n. Tel. 56 38 16. De los mejores de la zona. Situado en la zona de Cala Lliteras.

Aparthotel Diamant ***. Vía Romeros, 18. Tel. 56 59 00. Muy buen edificio, pero no tan próximo a la playa como otros.

Hotel Diamant **. Vía Romero, 10. Tel. 56 30 62. Bueno, pero no en primera línea de playa.

FONT DE SA CALA

Dicen que bajo el agua hay una fuente de agua dulce, y que

por esto, el agua de su playa es mas fría y menos salada... La cala tiene una longitud de 110 metros por 36 de anchura; el calibre de su arena, 0'15 milímetros.

Cerca, unas cuantas calas más pequeñas: es Carregador, N'Aguait, Cala Provençals, N'Aladern, etc.

Algunos alojamientos cercanos:

Fonda Las Palmeras. Gatova, s/n. Tel. 56 34 69. Mejor de lo que cabría imaginar.

Hotel Carolina **. Avda. Provensals, s/n. Tel. 56 31 58. Inmediato a la playa, casi la toca...

Hotel Na Taconera ***. Na Taconera, s/n. Tel. 56 35 62. Bueno, junto al pinar, y cercano a la playa.

Apartamentos Es Padón. Provensals, s/n. Tel. 56 32 91. Situados cerca de la playa, no están nada mal.

Apartamentos Carolina Park. Provensals, s/n. Tel. 56 41 00. Con muy buenas vistas, cercanos a la playa, y con tres llaves de categoría.

CALA AGULLA

Una carretera descendente que acaba en una rotonda donde podrás aparcar (de 7 a 19), te deja en ésta tranquila playa: no hay edificaciones; sólo un restaurante, dos chiringuitos, y un magnífico chalet. Todo lo demás, arena, agua, y pinos. La Asociación de vecinos Es Faralló, gestiona el parking, la limpieza de la playa, los urinarios, chiringuitos, hamacas, sombrillas, etc. La playa de Cala Agulla mide unos quinientos ochenta metros de longitud, con una anchuara de unos treinta. Sus finos granos de arena tienen un calibre de 0'15 milímetros...

A doscientos metros de la playa, el hotel de tres estrellas **Sol Lux** (Tel. 56 31 12), con piscina frente al mar y todas las comodidades.

Tras Cala Agulla, Cala Moltó, recogida, más pequeña, y un poco nudista.

Cala Agulla y Cala Mesquida fueron declaradas Área Natural de Especial Interés por el Parlamento Balear en 1991, y el Ayuntamiento de Capdepera aprobó limitar el tránsito de vehículos por los caminos públicos de la zona; en conclusión, hay poco ruido.

CALA MESQUIDA

Otra de las varias playas existentes en el municipio. En sus tiempos fue uno de los puntos calientes del contrabando de tabaco, que tantas satisfacciones proporcionaba al futuro financiero Juan March. Junto a la playa, un hotel, bungalows, un club de vacaciones, restaurante, y chiringuitos. Alguien de la zona te podrá contar la historia del barco francés naufragado frente a la playa en los años cincuenta; no fue el único engañado por éstas aguas, así que ándate con cuidado al bañarte. Cala Mesquida mide unos 300 metros de longitud por 90 de fondo, con fina arena (calibre de 0'18 mm).

En Cala Mesquida, un edificio de apartamentos no demasiado caros:

Apartamentos Atlantic. Tel. 56 36 84/56 33 86. Situados encima del Bar Atlantic, dispone cada uno de dos dobles, salón-comedor con sofá-cama, lavabo, cocina, y terraza; jardín, piscins, y parking. En julio y agosto, un apartamento completo no llega a las 8.000, y en otros meses, más barato.

CANYAMEL

Una bonita y tranquila playa cercana a las Cuevas de Artá. Junto a la playa, una atalaya del siglo XIV. La playa tiene unos doscientos sesenta metros de longitud por sesenta de anchura. Cerca de aquí, la elegantota Costa dels Pins, a la que se puede acceder atravesando un pequeño túnel.

Torre de Canyamel. De planta rectangular y triple recinto fortificado, ya la usaban los musulmanes; el aspecto actual es fruto de las reformas efectuadas durante la edad media.

Algunos alojamientos en Canyamel:

Hotel Castel Royal *.** Tel. 56 33 00. Muy buen edificio, inmediato a la playa.

Hostal Cuevas. Tel. 56 36 00. Bien situado y con buen servicio.

Apartamentos Caballito de Mar Tel. 56 38 50. Contiguos a la playa; buenas vistas.

Apartamentos Mi Vaca y Yo. Tel. 56 43 80. Están muy bien, pero ménos cercanos a la playa que sus compañeros.

Apartamentos Sureda. Tel. 56 49 65. Céntricos, pero no en primera línea.

Apartamentos La Cabaña. Tel. 56 52 12. Les pasa lo mismo que a los apartamentos Sureda.

Cerca de aquí, un golf:
Canyamel Golf Ctra. de las Cuevas, s/n. 07589 Capdepera. Tel. 56 44 57. Fax. 56 53 80. Diseñado por Pepe Gancedo, en palabras suyas "mi intención fue estropear Mallorca lo menos posible"; así, se conservaron las paredes de piedra seca, una caseta junto al 9, las higueras, etc. Ofrecen cursos intensivos de cinco días para principiantes al precio de 50.000 pesetas.

MUNICIPIO DE SON SERVERA

Son Servera y Costa dels Pins

SON SERVERA

Ayuntamiento: Tel. 56 70 02.
Policía Local: Tel. 56 71 56.
Unidad Sanitaria: Tel. 56 71 68.
En Son Servera se publica **Sa Font**, revista de información municipal.

Municipio que tomó su nombre de Jaime Servera, uno de los capitanes de Jaime III, se encuentra el pueblo en el valle que enmarcan dos montes mágicos, el Puig de Sa Font y el Puig de Son Lluc; en el primero se encuentra un caballo que eternamente da vueltas a una noria, y en el segundo hay un tesoro encantado... Si llegas aquí procedente de Manacor, pasrás bajo un gran arco, el **Pont d'en Calet**.

Pasear

La iglesia. Un historiador de la villa dijo de ella que externamente parece un almacén, e internamente un aljibe... Reformada recientemente, la definición anterior queda algo exagerada. En el interior, una notable imagen del Sant Crist.
La iglesia nueva (l'Esglesia Nova). Se comenzó en 1905, y aún no tiene techo esta *pequeña catedral inacabada*, proyec-

tada por Juan Rubió, discípulo de Gaudí. Se utiliza para actividades culturales y musicales, y merece tu visita. Cerca de ella, el monumento a los donantes de sangre.

La vía de tren. Desgraciadamente, el tren ya no circula, pero la vía sigue ahí; siguiéndola puedes pasear por bellos parajes sin miedo a extraviarte; Llévate la merienda.

Dos galerías de arte: **Sa Pleta Freda**, y **Ses Fragates**.

Bares y restaurantes

Bar Gredos. Ubicado en el centro del pueblo, entre la Iglesia de Sant Joan Bautista y las oficinas municipales, abre desde las seis de la mañana hasta las dos de la madrugada; espléndida terraza sombreada por respetable ficus. Agradable y recomendable.

Restaurante Ca S'Hereu. Ctra. Cala Millor. Tel. 58 54 49. Cocina mallorquina en bonito edificio de agradable ambiente. Precios medios.

Restaurante-Bar S'Era de Pula. Ctra. Son Servera-Capdepera, km. 3. Tel. 56 79 40. Un edificio del siglo XVI situado en un bonito paraje rústico, con ambiente agradable y cuidada decoración; por las tardes la gente suele ir a tomar té con pastas.

Alojamientos

Hostal Mon Bijou. Inmaculada, 4. Tel. 56 76 34.

Agroturismo Ca S'Hereu. Calle Elisa Servera, 1. Tel. 56 71 36. Situada en el casco urbano, dispone esta agradable y bonita mansión de un amplio jardín, y la posibilidad de estar en un pequeño núcleo de población. Cuenta con cuatro habitaciones dobles. Una doble por 12.500 al día, y desayuno por 600.

COSTA DELS PINS

Cercana al Cap des Pinar, constituye una exclusivista urbanización, frecuentada por la café-society; La familia Obregón y otros famosos veranean aquí.

Es Rajolí, Es Ribell, Port Roig, Sa Marjal, son algunas de las playas existentes en la zona; al sur, Cala Bona y Cala Millor, comentadas en otras páginas.

Club de Golf Son Servera. Urb. Costa de Los Pinos. 07550 Son Servera. Tel. 56 78 02. Fax. 56 81 46. Nueve hoyos.

Solamente hay un hotel en esta zona, y es de cuatro estrellas:

Eurotel Golf Punta Roja ****. Tel. 56 76 00. Fax. 56 77 37. Muy grande y con todos los servicios propios de su categoría, incluida una escuela de vela.

MUNICIPIO DE SANT LLORENC DES CARDASSAR

Sant Llorenç, Son Carrió, Cala Millor y Cala Bona, Sa Coma, S'Illot, y Punta de N'Amer.

SANT LLORENÇ

Tel. Ayuntamiento: 56 92 00.
Policía Municipal: Tel. 56 94 11.
Información turística Son Moro: Llevant, 2. Tel. 58 54 09.

Una revista de información relativa al municipio: **Flor de Card.**

Comunicado con Palma a través de la línea de Cala Ratjada, y entre sus zonas turísticas con un *mini-tren* que funciona en verano.

Municipio en el que casi todos los lugares de interés se encuentran en la costa (Punta de N'Amer, Sa Coma...).

Siglos atrás, el pueblo se llamaba Santa María de Bellver, y lo de Cardessar viene porque había campos de cardos...

Visitas

Museo Arqueológico Municipal. Se encuentra en el nº 2 de Parc de la Mar, y aloja buena parte de los objetos hallados en los yacimientos arqueológicos del municipio.

Ayuntamiento. Merece una visita, al igual que la plaza.

Molí d'en Bou. Sol, 5. Tel. 83 83 40. Ubicado en una construcción del XVII antiguamente denominada Pocafarina, más tarde se le denominó Ca Sa Mestra al utilizarse como escuela. Espléndidamente restaurado en 1991, destacan su escalera de caracol interior y su torre de base cuadrada; bar, restaurante con cocina vista, pub, y galería de arte; muy interesante.

Comer algo en...

Restaurant Sa Guátlera. Pou, 30. Tel. 56 92 60.
Bar Restaurante Sa Cova. Ctra. Palma-Artá, km.56.

SON CARRIÓ

Delegación del Ayuntamiento: Tel. 56 96 19.

Pequeño núcleo de población al que se accede por la PM-402-2, y en el que destaca sobremanera su gran iglesia, cuyos planos fueron revisados por Gaudí y Juan Rubió, sin que se sepa a cual de los dos atribuir el magnífico *ventall* de la fachada. De estilo neorrománico, se finalizó su construcción en 1907, con piedra arenisca vista y sin revoques procedente de las canteras de Ca N'Amer. En el interior, diez capillas y un retablo.

En Mosén Alcover, 11, un restaurante: **Es Ropit**.

Arqueología

Cerca del pueblo, Sa Cova des Fum, y la Cova de Sa Coma, y algo más lejos, las navetas de Ca N'Amer, donde se encontró uno de tantos bronces repartidos por la isla y conocidos como Mars Baliaricus.

CALA MILLOR Y CALA BONA

La extensa playa de Cala Millor-Cala Bona pertenece a dos municipios, Sant Llorenç y Son Servera, lo cual provoca alguna duplicidad de servicios que en algún caso no tiene sentido: así, la misma playa cuenta con dos oficinas de información turística, lo cual no deja de tener un punto de majadería.

También encontrarás en la playa de Cala Millor delegaciones de Policía Municipal de ambos consistorios. Cala Bona y Cala

Millor ocupan una longitud de casi dos kilómetros, disponiendo de todo tipo servicios: velomares, sombrillas, hamacas, excursiones en barca, escuela de surf, primeros auxilios, etc.

En las cercanías de la playa, los talayots de son Lluc y Can Ballester, cuya elevada ubicación te permitirá contemplar una buena panorámica de la zona.

Comunicaciones

En verano e invierno, línea de autocares con Palma, Manacor, Porto Cristo, Son Servera, Cala Bona, S'Illot, Cuevas del Drach, etc. Informan en el Tel. 55 07 30 (Autocares Manacor).

Únicamente en verano, "mini-tren" turístico (no es ferrocarril) con los siguientes itinerarios:
-Cala Millor-Cala Bona-Costa de los Pinos.
-Cala Millor-S'Illot.

De interés

Frente al restaurante Los Toros, **excursiones en barca** rumbo a Porto-Cristo, Cala Ratjada, y Canyamel.

Oficina de Información Turística: Parc de la Mar, 2 (Sant Llorenç-07560). Tel. 58 54 09. Fax. 58 57 16.

Asociación Hotelera de la Bahía de Cala Millor: Son Gener, s/n. Tel. 58 59 15.

Policía Municipal: los de Sant Llorenç en Parc de La Mar, 2 (Tel. 58 54 09), y los de Son Servera, en Pza. San Ignacio, 2 (Tel. 58 58 64). Puedes elegir.

Taxis

Frente a los hoteles:
Bahía del Este. Tel. 58 56 07.
Don Juan. Tel. 58 57 18.
Aptos Sabina. Tel. 58 58 25.

Correos y locutorios telefónicos en Luz, 1.

Supermercados: uno en la esquina de las calles Fetjet y Binicanella, y otro en la esquina de Son Janer y Es Moll.

Bares, restaurantes, mas bares... Como en zonas similares, todo esto en verano, y en invierno, nada o casi nada.

Algunos hoteles de tres estrellas

Hotel Bahía del Este. Avda. de Llevant, 4. Tel. 58 55 11. Frente a la playa, abierto de marzo a noviembre.

Hotel Girasol. Dofí, 8. Tel. 58 50 64. En la Urbanización Son Moro, frente al mar.

Hotel Talayot. Son Sart, 2. Tel. 58 53 14. Frente al mar, abre de marzo a noviembre.

Un hostal

Hostal Pizpaz. Paseo Marítimo, 29. Tel. 81 30 78.

SA COMA

De interés

Policía Municipal: Tel. 81 05 79.

Alquiler de coches en la Avda. de Ses Savines.

Delante del Hotel Playa Moreia, de 16 a 16'45, **correo móvil.**

Una **pastelería** en la Plaza Atzeroles.

Una galería de arte: **Llevant.**

Entre S'Illot y Cala Millor se encuentra esta playa de setecientos sesenta metros de longitud por unos setenta de anchura, de finísima arena, salpicada de hamacas, sombrillas, velomares, duchas, etc. Escuela de Surf, excursiones en barca, y bares, restaurantes, más bares...

Y cerca, el auto-safari.

Auto-Safari Reserva Africana. Ctra. Porto Cristo-Cala Millor, s/n. Tel. 81 09 09. Horario: de 9 a 17 todos los días. Precio por persona en coche particular: 1.200 los adultos, y 900 los niños (menores de dos años, gratis). Precio por persona en el Mini-Tren Safari: 1.300 los adultos y 900 los niños (menores de dos años, gratis). Con un recorrido de unos tres kilómetros que se puede realizar en coche o mini-tren, el Auto-Safari cuenta con unos mil animales de África y América del Sur: elefantes, cebras, jirafas, rinocerontes, avestruces, etc. Al final del recorrido, el Baby-Zoo, con jaulas en las que se encuentran tigres, cocodrilos, tortugas, papagayos, loros... Abierto todo el año, cuenta con un bar.

Hoteles en Sa Coma

Cuatro estrellas

Hotel Marfil Playa. Cards, s/n. Tel. 81 01 77.
Hotel Royal Mediterráneo. Avda. Savines, s/n. Tel. 81 01 05.

Tres estrellas

Hotel Club Royal Mallorca. Savines, s/n.Tel. 81 01 42.
Hotel-Aptos. Royal Mediterráneo. Coma, s/n. Tel. 81 00 71.

Y un autodenominado hotel ecológico, el **Mariant Park**, en Savines, s/n. Tel. 81 09 20. De ecológico no tiene mucho.

S'ILLOT

De interés

Taxis: Tel. 81 00 14.
En verano, un tren turístico comunica S'Illot con Cala Millor.
Centro médico: C/Gregal. Tel. 57 07 18.
Alquiler de coches en el Paseo Neptuno, 8, y en la calle Vell-Marí, 29.
Galería de Arte en Avinguda de la Mar, 21.

El Torrente de n'Amer separa S'Illot en dos partes y marca la frontera municipal entre Manacor y Sant Llorenç des Cardassar.
S'Illot es a la vez zona turística y zona de segundas residencias de vecinos de las poblaciones cercanas.
Playa de S'Illot. Conocida también como Cala Moreia, abarca unos doscientos ochenta metros de fina arena. En ella, bar, hamacas, sombrillas, velomares, duchas, excursiones en barca, y puesto de primeros auxilios.
Talaiot. Situado a unos doscientos metros de la playa, fue declarado Monumento Nacional en 1964. Datado en unos once siglos a.C., se conservan su muralla y restos de algunas construcciones circulares.

Comer

En la calle Gregal, tres restaurantes: **Bier Keller** (cocina alemana), **Pomodore** (italiano), y **Olimpic** (cocina internacional). Una **pastelería** en Romaní, 3.

Dormir

Hostal Mirgay. Paseo Neptuno, 14. Tel. 81 00 80.
Hotel Club S'Illot. Cala Moreia. Tel. 81 00 34.

PUNTA DE N'AMER

Situada entre Cala Millor y Sa Coma, y declarada Área Natural de Especial Interés en 1985, ocupa casi doscientas hectáreas de gran variedad: dunas, campos de cultivo, pinos, sabinas, etc. Desde ella se ve buena parte de la costa oriental de la isla.

En su interior, una curiosa torre de defensa del siglo XVII. En la zona está prohibido circular con vehículos de motor, acampar, hacer fuego, tirar basura, etc.

MUNICIPIO DE MANACOR

Manacor, Portocristo, Son Maciá, Calas de Mallorca, Cala Murada, y Cala Varques.

S'Illot pertenece a Manacor y A Sant Llorenç des Cardassar; te damos mención de él en las páginas referidas a este último municipio.

MANACOR

Teléfonos y direcciones de interés

Ayuntamiento: Pça. del Convent, 1. Tels. 81 91 00/.
Policía Local: Tel. 55 00 63/55 00 48.
Policía Nacional: Tel. 55 00 44.
Taxis: Pza. Rector Rubí. Tel. 55 18 88.
Radio Taxi: Tel. 84 35 17.

Autobuses (Aumasa): Plaça d'es Cos, 4. Tel. 55 21 81/ 55 07 30.

Correos: C/ Nou, 14. Tel. 55 18 39.

Asistencia Sanitaria: Ambulatorio de la S.S.: Camí de Conies, s/n. Tel. 55 42 02; Ambulancia: Tel. 20 41 11.

Actualidad manacorina en la revista municipal **Montaura.**

El centro neurálgico de la ciudad es Sa Bassa, lugar desde donde puedes empezar un recorrido que te puede llevar hasta estos lugares:

Ayuntamiento. Situado al final de la Calle Mayor, se encuentra ubicado en el Claustro de Santo Domingo; por este claustro pasó Jonh Lennon cuando el tema de la custodia de su hijo...

Iglesia de Santo Domingo. Colindante con el Ayuntamiento, en ella verás S'Alicorn, figura de difícil definición: cuerpo de hombre, cabeza de asno con cuerno, ropa de cura, y todo ello subido en un triciclo.

Iglesia dels Dolors. En ella, el Sant Crist de Manacor. Destaca la torre de su campanario, de ochenta metros de altura.

Iglesia de San Vicente Ferrer. Situada en la Plaza del Convento, destaca su retablo mayor churrigeresco.

Palau Reial. Jaime I lo ordenó levantar, y en 1309 estaba terminado. De la primitiva construcción queda la torre del homenaje.

Torre de Ses Puntes. Torre fortificada desde donde se recibían las señales emitidas por las atalayas costeras. En ella, una sala de exposiciones. Se encuentra en la Avda. Fray Junípero Serra, más conocida como S'Alameda des Semáfors (!).

La Estación. Manacor tuvo tren, y aún queda su estación abandonada y triste; junto a ella, la Plaza de Sa Mora, con su modernista fuente homónima culminada por una figura femenina que sostiene unfarol sobre su cabeza.

Plaza de Sant Jaime. En ella, una bonita fuente en la que cuatro peces miran a los puntos cardinales.

Un cine

Teatre Municipal: Avinguda des Parc. Tel. 55 45 49.

Cafés y restaurantes

S'Agrícola. Plaza de sa Bassa. Bar-Café con espacio reservado para los socios; con ambiente de casino tradicional, a veces sus paredes sirven como sala de exposiciones. Interesante.

Can Marit. Cercano al anterior, es un bar histórico; frecuentado por funcionarios, concejales, etc.

Bar Sa Torre del Palau. Frente al Templo de Los Dolores. Ubicado en pleno centro comercial de la ciudad, ocupa parte del edificio que fue en su día palacio del rey Jaume.

Café Can Andreu. Cos/Baix de Cos. Tradicional bar que ofrece bocadillos calientes, tapas, etc.

Can Jacinto. Menús y platos de calidad y buen precio.

Bar Manacor. Modesto pero concurrido local situado en el cruce de las calles Torrent y Colón, acoge el bullicio proyectado por el mercado semanal de los lunes.

Cafetería Es Parc. Avda. de es Parc. Ubicada frente al parque municipal, sirve meriendas, tapas variadas, y menús por menos de 1.000; los jueves, paella, y una de las especialidades, pollo al cangrejo.

Es Celler. Antoni Durán, 44. Una antigua posada acertadamente reconvertida en casa de comida tradicional mallorquina (fritos, guisados y asados), aunque no hay ningún plato de cuchara; agradable.

Celler Ca'n Pep. Avda. Salvador Juan, 50. Tel. 55 49 50. Comida mallorquina a buen precio; el menú de un día laborable no sobrepasa las 800 (cierra los domingos).

Compras

Perlas Majórica. Vía Majórica, 53. Tel. 55 02 00. Tienda, bar, restaurante y factoría, de visita gratis, en la que puedes ver como fabrican las perlas.

Perlas Orquídea. Pza. Ramón Llul, 15. Tel. 55 04 00. Más perlas.

Art de Mallorca. Convent, 4. Tel. 55 07 90. Objetos de barro y cerámica.

Olivart. Ctra. Palma-Artá, km. 46. Tel. 55 25 66. Todo tipo de objetos elaborados con madera de olivo.

Ca'n Garanya. Joan Lliteras, 69. Tel. 55 01 90. Artículos de esparto y cestería.

En Ramiro de Maeztu, 45, una tienda de artesanía.

Por las afueras

Museo Arqueológico. Ctra. Manacor-Calas de Mallorca

Tel. 84 30 65. Abierto los martes, miércoles y jueves, de 9 a 13 horas, su entrada es gratuita. Ubicado en la Torre dels Enagistes, en las afueras de la población y cercano al polideportivo municipal. Mezcla de palacio y torre de defensa, alberga un poco de todo: monedas, mosaicos de la basílica Paleocristiana de Son Peretó, anclas romanas, etc. En el vimos, aunque sin que su ubicación aquí fuese definitiva, una impresionante máquina del siglo pasado utilizada para fabricar peinetas.

Son Peretó. Basílica paleocristiana descubierta y excavada por Mossén Aguiló Pinya allá por 1912. Sus partes más importantes están protegidas con gruesas planchas de vidrio, y alguno de sus mosaicos se conserva en el Museo Arqueológico.

Es Velar. Poblado prehistórico situado en la finca S'Hospitalet Vell, cerca de Calas de Mallorca. Destaca en él un gran talayot cuadrangular magníficamente conservado.

Es Boc. Otro poblado prehistórico ubicado en la finca del mismo nombre. Ctra. Manacor-Felanitx (C-714), km. 4.

Entre el núcleo urbano y la Torre dels Enagistes, Fartárix, barrio en el que se agrupan unos cuantos molinos; destaca el conocido como Molí den Rafeló.

S'Espinagar, Son Forteza, Rafal Pudent... Posesiones con torre de defensa que recuerdan épocas intranquilas.

Hipódromo. Tel. 55 00 23. Se encuentra en la finca Es Pla, junto a la carretera de Artá. A lo largo del año se realizan unas cincuenta competiciones, principalmente de carreras de trotones. Las mas importantes, en junio, mes en el que se celebra la Gran Diada.

Dormir

Como en otros casos, los alojamientos se concentran en la costa; en el interior, un albergue, y unas cuantas casas de turismo rural.

Ermita de la Mare de Déu del Roser. Información en el ayuntamiento. En ella se instalará un albergue con 18 camas.

Turismo Rural Es Rafal Podent. Ctra. Manacor-Calas de Mallorca. Tels. 55 71 36/55 08 93. A unos siete km de Manacor se encuentra esta bonita posesión de 28 hectáreas, y que dispone de cuatro viviendas independientes; en todas ellas, cocina, nevera, y cuarto de baño. Piscina, solarium, barbacoa... Una vivienda de cuatro plazas viene a salir por unas 20.000 al día.

Agroturismo S'Aigo. S'Espinagar-Restaurante Ca'n Gustí

Tel. 83 30 50. Fax. 65 74 52. Explotación agroturística integrada por dos casas, cada una de ellas con piscina y amplio jardín, y separadas entre sí por unos 200 metros.

Casa Es Pí: Tres habitaciones dobles dos cuartos de baño, salón, cocina, barbacoa...

Casa Es Garrover: En la planta baja, tres habitaciones dobles, tres cuartos de baño, cocina y salón; en el primer piso, uan habitación doble, un cuarto de baño, sofá-cama, y cocina. El titular posee un llaut, típico barco mallorquín con el que organiza excursiones para los huéspedes. También disponen de bicicletas e información cartográfica de cicloturismo. Dependiendo de la temporada y la capacidad, los precios por día y casa oscilan entre las 16.000 y las 30.000.

Turismo Rural Es Pla Nou. Ctra. Felanitx-Petra, km 8. Tel. 83 87 15. Situada a ocho km de Felanitx, dispone esta bonita casa de cuatro habitaciones dobles y de tres unidades con dos habitaciones dobles cada una. Todas las dobles tienen baño propio y los apartamentos cuentan con cocina y baño. Piscina, solarium, caballos... En la propia casa se elaboran embutidos. Precios por día: unidad hasta cuatro clientes: 11.000; habitación doble con desayuno y comida incluidos: 12.000.

Turismo Rural Son Verd. Ctra. Manacor-Colonia de Sant Pere, km 11'9. Tel. 55 16 88 / 55 37 91. Bonita casa situada en una finca de 50 hectáreas, a 12 km de Manacor, y que dispone de piscina, pista de tenis, barbacoa, biblioteca... Cuenta con tres apartamentos: en uno, dos dobles, dos baños, y cocina; en otro, una doble, una cuádruple, baño, y cocina; en el último, una doble, dos individuales, y cocina. Precios por día: unidad de cuatro plazas: unas 16.000.

Turismo Rural Son Josep Baix. Ctra. Porto Cristo-Porto Colom. Tel. 83 31 55. Cercana a la playa y a 12 km de Manacor se encuentra esta casa que dispone de dos apartamentos independientes. Cada uno de ellos, con capacidad para cuatro personas, cuenta con cocina, nevera, y cuarto de baño. Una unidad de cuatro plazas por unas 16.000 al día.

PORTOCRISTO

Teléfonos y direcciones de interés

Oficina de Información Turística: Gual, 31 A. Tel/Fax. 82 09 31.

Taxis: C/ Sant Lluis, s/n. Tel. 82 09 93.
Autobuses (Aumasa): C/ Sant Lluis, s/n. Tel. 82 07 57.
Correos: C/ Sanglada, 10. Tel. 82 16 07.
Asistencia Sanitaria: Clínica Casa del Mar. C/ d'en Gual, 31. Tel. 82 07 84. Urgencias: Ctra. de les Coves, 9. Tel. 82 11 63.
Farmacia: C/ del Port, 5. Tel. 82 08 30.
Tenis Sol i Vida. Joan Servera Camps, 11. Tel. 82 10 74.
Piscina Club Naútico. Vela, s/n. Tel. 82 12 53.
Una revista de información de Porto Cristo: **Porto Cristo**

Equitación en

Mendia Vell. Ctra. Porto Cristo-Manacor, km. 7. Tel. 82 07 50.
Torre de Sa Cabana. Ctra. Manacor a Son Fortesa-Manacor. Tel. 84 48 57.
Club Punta Reina. Cala Mendia. Tel. 82 00 00.
Centro Ecuestre Son Crespí. Ctra. Manacor-Porto Cristo, km. 6 (Plá de Sta. Sirga). Tel. 55 13 06. Alquilan caballos, organizan excursiones, dan clases de doma vaquera y española, etc.
Cursos de Buceo en Nico Sport: Sureda, 11. Tel. 82 06 14.

Excursiones marítimas: desde el puerto, trayectos de una hora hasta S'Illot, Sa Coma, Cala Millor, etc. Los barcos, con fondo transparente, el *Gran Venezuela II* y el *Princesa de la Mar*. El precio, unas mil para adultos y la mitad para niños. También parten barcas hacia Cala Anguila, Cala Mendia, S'Estany d'en Mas, Cala Falcó, y Cala Varques.

Autocares

Desde Portocristo, hay líneas regulares que enlazan con Manacor, Palma, Porto Cristo Novo, S'Illot, Sa Coma, Cala Millor, Cala Bona, Cuevas del Drach, Cala Ratjada, Sineu, Ca'n Picafort, y Puerto de Alcúdia. Informan en la Oficina de Turismo y en Aumasa (Tel. 55 07 30).

Conocido también como Port de Manacor, fue aldea de pescadores y ahora es punto turístico y centro de ocio nocturno de la comarca, saturado a casi cualquier hora no sólo por los veraneantes, sino también por los turistas de otras zonas de la isla que acuden a visitar las cuevas del Drach y del Hams.

En la entrada del puerto, una torre de defensa del siglo XVI, y un monumento a los defensores de Portocristo: durante la guerra civil, el capitán republicano Bayo desembarcó aquí sin demasiada suerte; aún en 1993, jugando en la arena de la playa, los hijos de unos turistas extranjeros hallaron unos cuantos huesos, correajes, y vainas de munición...

Playas

La playa de Portocristo, tiene una extensión de 300 metros de longitud por 14 de fondo; arena fina (calibre de 0'15 mm), velomares, sombrillas, hamacas, y primeros auxilios.

Cerca se encuentran Playa Romántica (conocida también como S'Estany d'en Mas), de 150 por 90 metros, Cala Mendia (70 por 92), Cala Anguila, etc.

Cuevas del Drach. Horario de visitas: visitas con concierto a las 10'45, 12, 14, y 15'30; visitas sin concierto, a las 16'30. Precio de entrada: 800 (los menores de siete años, gratis). Permanecen abiertas durante toda la semana.

Las más famosas y visitadas de la isla, y con sobrados motivos. El recorrido se completa con un pequeño concierto en el lago Martel, acompañado de un muy bien logrado espectáculo luminoso.

Al terminar, se puede cruzar este pequeño lago subterráneo en barcas similares a las utilizadas por los músicos (está gentil cortesía sirve además para hacer un poco más fluido el desalojo).

Son varios miles de personas las que visitan diariamente las cuevas: en el ambiente flotan persistentemente la humedad y humanidad...

Cuevas del Hams. Tel. 82 09 88. Horario: todos los días, visitas con concierto (cada 20 minutos) de 10'30 a 13'15 y de 14'15 a 15'30; visitas sin concierto de 15'30 a 17. Precio: 1.000 (menores de 11 años, gratis).

Situadas a un km. de Porto Cristo, las descubrió Pedro Caldentey en 1905 y las iluminó su hijo Lorenzo en 1912; con una longitud de unos 500 metros, en su lago aún sobreviven unos pequeños crustáceos de prehistóricas características.

La sonoridad de su estructura cóncava permite llevar a cabo conciertos en su interior, serenatas que en ocasiones tienen el involuntario acompañamiento de algunos buhos y cigarras que se cobijan en el interior.

Cercana a ellas se encuentra una apreciable cantera de ónix, de la cual salieron los bloques con los que se talló el mausoleo de Rafael Merry del Val, arcipreste de la Basílica del Vaticano y canonizado por Pio XII.

Acuario de Mallorca. Tel. 57 02 10. Horario: de 11 a 15, todos los días. Precio: 500 los adultos, y 250 los niños (menores de 4 años, gratis). Se encuentra a unos 150 metros de las Cuevas del Drach, y en sus más de 100 vitrinas podrás ver peces australianos, pirañas brasileñas, y una variada muestra de fauna marina mediterránea.

Bares y restaurantes

Ca'n Bernat de Sa Parra. Ctra. del Port, 91. Bar y restaurante con cocina mallorquina e internacional.

Torrador Fravete. Ctra. Porto Cristo-Cala Millor. Situado junto al Sol Naixente, ofrece pambolis variados hasta las seis de la madrugada.

Carmi. Avda. Pinos. Tel. 82 13 48. Cafetería-Hamburguesería; croquetas caseras, sepia, escalopes, etc.

Ca'n Martí. Ctra. del Port, 98. Bar, restaurante, tapas, menús del día, y cocina mallorquina.

Sa Cantina. Muelle Club Naútico. Tel. 82 02 99. Cocina mallorquina, pescados, y mariscos. No es barato.

Ca'n Xisco. Avda. Cala Petita, 15. Bar-Restaurante que ofrece tapas, paellas, y menús del día.

Bar Monumento. Avda. Pinos, s/n. Terraza y granizada...

El Rinconcillo. Avda. Pinos, 19. Bar-hamburguesería con algún que otro plato típico (lomo con col), y pescados y carnes.

Bar San José. C/Mar, esquina Burdils. Gambas al ajillo, pescado frito, tapas variadas, etc.

Restaurante Siroco. C/Verí, 2. Tel. 82 23 18. Terraza con vistas al puerto muy recomendable para las noches de verano; pescado fresco amenizado con sonatas de un trio de la Orquesta Simfónica de les Illes Balears.

Restaurante-Bar Los Dragones. Avda.Juan Servera

Camps, 3. Muy cercano a las cuevas, se dedica principalmente a atender la continua riada de turistas de excursiones organizadas que acuden a visitar las mencionadas cuevas.

Pizzerías

Pizzería **Club Náutico**, en la calle Vela, y Pizzería **Salvador**, en Carrer Sureda, 1.

Chinos

Oro Negro, en Bordils, 1.

Una pastelería: **Ca'n Roca**, en el número 6 del Carrer Sureda.

Compras

Es Regalo. C/Monjas, s/n. Se encuentra detrás de la Casa del Mar esta tienda de tejidos y ropa donde puedes comprar las famosas robas de llengos.

Alojamientos

En Portocristo hay más de 15.000 plazas hoteleras...

Tres estrellas

Castell des Hams. Ctra. Porto cristo-Manacor. Tel. 82 00 07.

Dos estrellas

Drach. Ctra. de les Coves, s/n. Tel. 82 08 18.
Felip. Bordils, 67. Tel. 82 07 50.
Son Moro. Coves, s/n. Tel. 82 15 04.

Una estrella

Hotel Estrella. Curricá, 16. Tel. 82 08 33.
Hostal Sol y Vida. Joan Servera Camps, 11. Tel. 82 10 74.
Hostal-Residencia Santa María. Coves, s/n. Tel. 82 09 09.
Hostal-Residencia Aurora. Vilalonga, 3. tel. 82 07 50.

SON MACIÁ

Pequeño núcleo de población sin costa, surgido a principios de este siglo como consecuencia de la parcelación de la posesión de Son Maciá Vell.

Se encuentra enlazado con la carretera Felanitx-Manacor y con S'Espinagar, conectando con la bifurcación de la ctra. Felanitx-Porto Colom.

La vida del pueblo se concentra alrededor de la Plaça de la Iglesia. Cuatro cafés, tres tiendas, y una oficina bancaria completan la cuestión.

En S'Espinagar tienes un recomendable restaurante de asequibles precios:

Can Gustí. Ctra. Porto Colom-Porto Cristo, km. 4. Tel. 83 33 46. En su terraza puedes tomar paella, parrilada, frituras...

Arqueología

Velar de S'Hospitalet Vell. Impresionante talayot declarado Monumento Histórico-Artístico en 1946. De planta cuadrada, conserva parte de su cubierta; junto a el, un gran recinto defensivo bastante impresionante.

Cerca de aquí se encuentra la posesión homónima, con torre de defensa de planta cuadrada.

Senyoret des Rafal. Cuevas del período pretalayótico, declaradas Monumento Histórico-Artístico el mismo año que el talayot mencionado más arriba.

Una visita botánica

Plantación Bananera Jumaica-Complejo Ca'n Pep Noguera. Ctra. Porto Colom-Porto Cristo, km. 4'5. Tel. 83 33 55. Horario: en verano, de 9 a 18 horas, y en invierno, de 10 a 16'30 horas. Plantación bananera en plena producción unica en Baleares acompañada de 25.000 metros cuadrados de jardín tropical con raras especies de plantas, bosquecillos de bambú, esterlicias, cascadas, estanques, pavos reales, cisnes, aves exóticas...

Además, un Bar Tropical con degustaciones típicas, y el **Restaurante Ca'n Pep Noguera**.

CALAS DE MALLORCA

De interés

Médico: Romaguera, 191. Tel. 83 38 21.
Estanco y prensa: Romaguera, s/n.
Farmacia: Tel. 83 36 18.
Picadero Club Maritim. Tel. 83 37 96.
Taxis: Tel. 83 32 72.
Autocares Manacor: Tels. 55 24 91/55 07 30.
Guardería Infantil: Tel. 83 39 00.

Calas de Mallorca abarca la zona comprendida entre Cala Magraner y Domingos Petit; comenzada a urbanizarse en 1963, tres años después fue declarada Centro de Interés Turístico Nacional. En verano es un hormigero de turistas -principalmente alemanes e ingleses-, y en invierno un desierto. Comprende las playas de Cala Virgil, Cala Bota, Soldat, Setril, Cala Romaguera, Cala Antena, Domingos Grans, Domingos Petits, etc.

Exotic Parque. Tel. 55 56 40. Abierto de 10'00 a 19'00. Unos 50.000 metros cuadrados que albergan unos seiscientos animales pertenecientes a unas 105 especies. Cactus, plantas, y aves exóticas (flamencos, garzas, cacatúas...). Cafetería, aseos, instalaciones recreativas, etc.

Comida para llevar

Restaurante -Grill El Chino. Tel. 83 37 29. Abierto hasta las doce de la noche, se encuentra en el centro comercial, frente al hotel Samoa.

Dormir

Existen unas diez mil plazas hoteleras, utilizadas en su mayor parte por alemanes e ingleses (los cuales, por otra parte, no pueden ni verse).

En todos los hoteles encontrarás buena ubicación, piscina, y muchos extranjeros; en invierno, casi todos cerrados (los hoteles, no los guiris).

Tres estrellas

Hotel América. Cala Domingos. Tel. 83 37 10. Inmediato al mar, junto al club marítimo y el tobogán acuático.

Apartamentos Calas Park. Cala Romagera, s/n. Tel. 83 38 38. Frente al mar, junto al centro comercial Las Palmeras.

Hotel Maria Eugénia. Cala Romaguera, s/n. Tel. 83 33 77. Buenos servicios e instalaciones modernas.

Hotel Samoa. Formentor, s/n. Tel. 83 33 00. De características similares a sus compañeros, está un poco más alejado del agua. Abierto de mayo a octubre.

Hotel Balmoral. Cala Antena, s/n. Tel. 83 36 59. Junto a él, un centro comercial. Perteneciente a la Cadena Sol.

Hotel Mastines. Cala Antena, s/n. Tel. 83 36 76. Muy próximo al agua; pertenece a la Cadena Sol, con lo que ello implica en cuestiones de calidad y servicio.

Dos estrellas

Apartamentos Topaz. Aucanada, s/n. Tel. 83 39 66. Bastante alejados del agua; por lo demás, están bien.

Apartamentos Malaga I. Sa Mola, s/n. Tel. 83 35 58. Contiguos a los Aptos. Topaz.

Hotel Valparaiso. Zona F. 30. Tel. 83 30 34. Abierto de mayo a octubre. No es muy céntrico.

CALA MURADA

Playa de unos 110 metros de longitud y cien de fondo; arena fina, bar, restaurante, hamacas, sombrillas, y velomares. Cerca de ella, la Cova d'en Poi.

Autoservicio Casa Pepe. Chalet 554. Tel. 83 38 06.

Bar Perelló. Su terraza frente al mar ya merece la pena; además, tapas, menús, platos a la carta, y los domingos, paella. Abren a las siete y media de la mañana.

Dormir

Un hotel de tres estrellas, un hostal de dos, una ciudad de vacaciones de una, y un edificio de apartamentos:

Hotel Cala Murada *** Urb. Cala Murada, s/n. Tel. 83 38 00.

Hostal Valparaiso ** Solar F-30. Tel. 83 30 34.

CV Club Playa Tropicana * Es Domingos, s/n. Tel. 83 30 17.

A. Los Pinos * ZL-103. Tel. 83 36 23.

CALA VARQUES

Playa virgen, esto es, sin ningún tipo de servicios (bares o hamacas), y sin acceso directo. Se llega en barca o andando desde una cercana posesión fortificada con torre de defensa.

De fina arena, tiene unos cien metros de longitud, y una diminuta calita utilizada por los que buscan intimidad.

En pleno mes de agosto, mientras que en Calas de Mallorca se agrupan miles de turistas, en Cala Varques no llegan a estar medio centenar de personas.

De características similares, Cala Falcó (cerca de esta, la Cova del Pirata, de unos 800 metros, y la Cova des Pont, de más de mil), la minúscula Cala Sequer, Cala Magraner (destrozada por las torrentadas de 1989 sólo tiene cantos rodados), Cala Virgili (de fina arena), Cala Pilota (grava y arena)...

COMARCA DEL MIGJORN

Municipios de Llucmajor, Campos, Felanitx, Santanyi, y Ses Salines.

El Migjorn es el viento del sur y el Xaloc el viento del suroeste...

La cumbre más alta de la comarca, el Puig de San Salvador (510 m), sobre el que se encuentra el santuario homónimo, con hospedería y restaurante; desde ésta elevación se domina una amplia extensión de la isla.

Comarca llana y básicamente seca; Así, Ses Salines y Llucmajor son los municipios más áridos de la isla, con un promedio de lluvias que nunca excede ni de los 300 mm ni de 35 días de lluvia al año...

En Campos, el municipio más llano, se encuentra una de las principales albuferas de la isla (Es Salobrar), y uno de los tramos de playa más apreciados, Es trenc; por contra, es una zona con pocos alojamientos.

MUNICIPIO DE LLUCMAJOR

Teléfonos y direcciones de interés

Ayuntamiento: Tel. 66 25 50.
Policía Local: Tel. 66 17 63.

Llucmajor, con sus 325 km. cuadrados, es el municipio más extenso de la isla; cuarenta y dos kilómetros de costa que se extienden desde S'Arenal hasta S'Estanyol. Alfonso XIII le concedió el título de ciudad.

Del latín Lucum Maiorem (bosque mayor), le queda el nombre; buen sitio para comprar cerámica, licores, *cosas* de olivo, calzado, cristalería, etc. Famosos son tres productos elaborados con almendra: *gató d'ametlla, gelat d'ametlla,* y *tambó d'ametlla.*

La visita a la ciudad

Iglesia Parroquial de San Miguel En 1259 se levantó la primera iglesia; un siglo después se edificó otra iglesia, derribada posteriormente, y ubicada en el mismo lugar que la actual, comenzada a construirse en 1781 y finalizada en 1853. De fachada neoclásica y elevado campanario, albergó los restos de Jaime III, muerto en la batalla de Llucmajor.

Convento de San Buenaventura. De finales del XVII, tiene un belén digno de verse.

Casa Consistorial. Construida bajo la dirección del arquitecto Joaquín Pavía, que también había participado en la remodelación de la fachada de la Catedral, se inauguró en 1884. Destacan su gran reloj y la campana.

Monumento a Jaime III. ...LLucmajor, donde el Rey Jaime perdió el reino y la vida...

S'Espigolera. Monumento en memoria de Maria Antonia Salvá, poetisa llucmajorense.

Molí d'en Gaspar. Construido en 1870, en 1974 se rehabilitó como museo, albergando piezas de la historia reciente del municipio.

Desde Llucmajor, mirando hacia el norte, puede verse el macizo de Randa, de unos quinientos metros de altura, con sus tres montes: Randa, Cura, y Gràcia. Bajo éste último, la ermita de Ntra. Señora de Gràcia, de orígenes fechados en el siglo XV, y cuyos parajes, según la tradición, fueron frecuentados por Ramón LLul. Desde este monte, que te comentamos más ampliamente en las páginas referidas a Algaida (la colina marca la frontera entre los dos municipios), puedes ver LLucmajor, Palma, Porreres, Campos, Santanyi, la montaña, el mar...

El Santuario de Gràcia, resguardado bajo un monumental peñasco donde las cabras hacen inverosímiles equilibrios, merece verse.

Las Fires (Es Firó, Sa Darrera Fira, Mostra..)

Comienzan la última semana de septiembre y duran casi tres semanas... San Miquel, patrón del Municipio, se lo merece. La primera Fira se celebró en 1546, por concesión de Carlos V.

En 1996 se celebrará la XVII **Mostra Llucmayorera**; como en las anteriores, reunirá en la Plaza de Rufino Carpena muestras de maquinaria, artesanía, ganado, etc.

Exposiciones, pasacalles, concentraciónes de automóviles antiguos, y en fin, cada año algo más que el anterior.

Tampoco falta animación musical: durante las últimas Fires, se inició la I Mostra de Música Jove Contemporánia bautizada con el nombre de Llucmarock.

Bares y restaurantes

Unos cuantos en la Plaza de Espanya, tradicionales y tranquilos; de los más interesantes, el que sirve de sede a la Sociedad de Cazadores.

Cafetería San Francisco. San Francisco, 51. Aquí se reune, cada miércoles a las ocho, el Grup Muntanyisme Llucmajor y planean sus excursiones, abiertas a todo el que quiera participar.

Golf de Son Antelm

Hace pocos años la finca era un excelente coto de caza, y la costumbre es la costumbre: por entre los greens corretean abundantes conejos, tórtolas, palomas torcaces, mirlos, ocas, etc. Todo un completo muestrario de fauna de pelo y pluma que aquí se encuentra más seguro que en los alrededores y que no molesta a los golfistas, con lo que todos quedan contentos.

Dormir

Los alojamientos se concentran en la costa, fundamentalmente en El Arenal; en el interior, una hospedería y unas cuantas casas de turismo rural.

Santuario de Ntra. Señora de Grácia. Información y reservas: Tel. 66 06 79. Con unas diez plazas de capacidad.

Agroturismo La Verana. Ctra. Militar Cabo Blanco, km 32. Son Sega. Tel. 77 03 36. A 11 km de LLuchmajor y a 8 de la playa de Es Trenc se encuentra esta casa con piscina y amplio jardín. Dispone de cuatro habitaciones dobles, todas ellas con cuarto de baño y calefacción. Una doble por unas 12.000 al día y una individual por unas 8.000 (desayuno incluido). Comida o cena por 2.000.

Agroturismo Son Galileu. Ctra. Vieja de Cala Pi, km 6. Tel. 66 01 15. Tradicional casa situada a seis km de Llucmajor y a 7 de la playa. La casa dispone de dos habitaciones dobles, cocina, salón con TV y cuarto de baño. Elaboración propia de quesos y embutidos. Una doble por 10.000, y el desayuno por 500. **Agroturismo Son Cortera Vell**. Ctra. Llucmajor-S'Estanyol, km 7'4. Tel. 66 09 83. Amplia casa tradicional ubicada en una finca de 100 hectáreas que dispone de dos unidades independientes; en cada una, dos habitaciones dobles, baño, cocina, sala de estar, etc. Piscina, barbacoa, bicicletas... Precio por apartamento de cuatro plazas: alrededor de 18.000. **Agroturismo Sa Bassa Plana**. Ctra. Cala Blava-Cabo Blanco, km 25. Tel. 66 23 33. Se encuentra esta casa en un coto de caza de 175 hectáreas; ciervos, perdices, faisanes, conejos... Piscina, sauna, tenis, barbacoa, bicicletas, etc. Dispone de tres habitaciones dobles, contando todas ellas con cuarto de baño y aire acondicionado. Sobre los precios conviene consultar, ya que varían demasiado a lo loco. **Agroturismo Son Sama**. Ctra. Llucmajor-Porreres, km 3'5. Tel. 83 95 13. A unos tres km de LLucmajor se encuentra esta bonita casa que cuenta con piscina y caballos. Dispone de siete habitaciones dobles, seis de ellas con cuarto de baño propio. Una doble por 12.000 y una individual por 7.500 (precios por día incluyendo el desayuno); se cena por unas 2.000. **Agroturismo Sa Bassa Crua**. El Arenal. Camino de Sa Torre. Tel. 74 12 55. Dispone esta casa de tres habitaciones dobles. Precios a consultar.

Artesanía y compras

Ganivetería Ordinas. Es Vall, 128. Tel. 66 05 80. El Mestre Artesá Ordinas fabrica fabulosos cuchillos, *trinchets*, *ganivets*, etc.
Sa Teulera. Campos, 80. Tel. 66 01 76. Cerámica artesanal.
Destilerías Vidal. San Francesc, s/n. Tel. 66 01 78. Desde 1951 elaboran las famosas hierbas, el no ménos conocido Palo Ripoll, y un licor de níspero; en la fábrica no suelen despachar al publico: si quieres sus productos,deberás adquirirlos en una tienda.
Hierbas Oliver. Carrer Esplai, s/n. Tel. 66 00 98. Otra famosa destilería del municipio: hierbas, palo, anís, brandy, caña vieja, caña dulce y seca, aguardientes...

Excursiones desde Llucmajor

Andando, puedes ir hasta las Piquetes de Es Pélag, por ejemplo.

En Coche, al Santuario de Grácia, a Cabo Blanco, a S'Estalella, y sobre todo, a Capocorb Vell.

Capocorb Vell (poblado talayótico). Ctra. Arenal-Cabo Blanco, km. 23. Tel. 66 16 22.

Desde Palma, tomando la autopista Palma-S'Arenal; a unos 13 km. es preciso desviarse hacia S'Arenal por la salida 5, que conduce a una rotonda, y desde allí seguir la ctra. Cala Blava-Cap Blanc, y una vez pasada la desviación de Cala Pí, encontrarás la entrada del poblado. Unas cuantas banderas europeas te anunciarán que has llegado.

Si partes de Llucmajor, en la vía de circunvalación cogerás el camino de Cap Blanc, y a unos 12'5 kilómetros llegarás a un cruce; el poblado está a unos 300 metros después del cruce. Al ser un camino asfaltado, no tiene código de carreteras, y por eso no te ofrecemos el mismo.

Se empezó a excavar en la primera década del siglo, pero la memoria de las investigaciones nunca fue publicada (Spain is Diferent). Declarado Monumento Histórico Artístico en 1931, y considerado como único en el mediterráneo occidental, y uno de los mas importantes y extensos de la Mallorca, el conjunto está formado por tres talayots circulares, dos cuadrados, y varias construcciones periféricas.

Curiosidades:

-En uno de los talayots cuadrados, aparecen increíblemente conservadas algunas vigas de madera.

-El índice pluviométrico mas bajo de la isla está aquí (¿lo sabían sus constructores?).

-Aquí se encontraron -entre otras cosas-, cerámica hecha sin torno, una figura de bronce en forma de cuerno de toro rematada con cabeza del mismo animal, puntas de lanza, punzones, etc.

En la entrada, un monumento a José Corominas, que dirigió las excavaciones bajo el patronato de Luis Pericat; tras él, vinieron el francés Watelin y el alemán Mayr.

Otros yacimientos arqueológicos en Llucmajor

Son Hereu, Son Cardell, S'Aguila, las necrópolis de Son Taixequet, Son Cresta, y Son Pieres, etc.

S'ARENAL

O.I.T.: Pça. María Cristina Tel. 66 00 50
Policía Municipal: San Cristófol, 45. Tel. 26 35 52.
Correos: C/ Quarter, 27.
Biblioteca Municipal: Calle Berga, 66.

En El Arenal, a veces, el nombre de una calle no significa nada para muchos; la costumbre, -bastante práctica- al hablar de un lugar, es mencionar el número de balneario a cuya altura se encuentra; hay quince y su numeración comienza de derecha a izquierda, esto es, el 15 (cerca de Cala Estancia) es el más próximo a Palma, y el 1 (Mc Donald's) el más alejado.
Zona de explotación turística intensiva, su paisaje urbano varía mucho de invierno a verano.

Visitas de ocio

La Porciúncula (Museo Arqueológico y Etnológico). C/ Pare Bartomeu Salvá (a la altura del balneario 7). Cerámicas antiguas, etc.

Aquacity. Autovía Palma-Arenal, salida 13. Tel. 49 07 04. Parque acuático con fantásticas diversiones: Blak Hole, Lago Hidroterápico, Twin Twister (cuatro largos tubos enrollados como una cuerda, y tu bajando por el interior...), etc. Su lago hidroterápico está en el Guiness. En su interior, el Restaurante Es Pins (menús de 2.500 a 5.000).

Aula de la Mar. Tel. 26 40 19. Situada en el antiguo edificio del Club Naútico del Arenal, está orientada a fines didácticos de los escolares: acuarios, maquetas, libros y programas de ordenador relacionados con el medio marino.

Golf Maredo. Frente al balneario 4. Tel. 74 33 34. Mini-Golf (tres pistas de 18 hoyos), cafetería y restaurante; por todas las instalaciones, animales prehistóricos de cartón piedra confeccionados por falleros valencianos. Para los niños de seis a doce años, y para la tercera edad, hay tarifas reducidas.
En el restaurante-Grill, carne argentina traida en avión, y platos adaptados a cualquier bolsillo.

Tenis Arenal. Costa i Llobera, 1 (Son Verí). Tel. 44 02 10. Piscinas, tenis, bowling, paddle tenis, petanca, sauna, squash, de todo; tambien hay bar y restaurante, y ofrecen clases de tenis y natación todo el año.

Bares y restaurantes

Se cuentan por centenares, aunque en El Arenal es difícil comer bien; en estos temas, lo único interesante del Arenal son sus excelentes y caras cervezas alemanas consumidas en cantidades industriales por los veraneantes germánicos; las encontrarás, principalmente, en la llamada *Calle del Jamón*.

Hannen Fab. Miguel Pellista, 6. Tel. 26 60 01. Cerveza, salchichas, codillo...

Alborada. Ctra. Militar, 269. Tel. 26 07 25. Cocina gallega. Recomendable.

Ca'n Verdera Nou. Mar Negra, 6. Tel. 26 41 41. Cocina mallorquina, grill, cordero, etc.

O'Polpo. Singladura, 21. Tel. 74 38 07. Situado en los bajos del Hotel Miraflores, su nombre ya te da una pista: cocina gallega.

Y en la calle Cannnes (a la altura del Balneario 2), frente a la parada del autobús nº 15, un muy agradable bar-restaurante: Sol.

Dormir

Tres pensiones

Las encontrarás en:
Berlín, 9. Tel. 26 27 51.
Ctra. Militar, 249. Tel. 26 64 24.
Ctra. Militar, 246. Tel. 26 35 10.

Tres Hostales

Hostal Costa Blanca. Ctra. militar, 248. Tel. 26 76 21.
Hostal Playa Sol. Ctra. Militar, 244. Tel. 49 21 02.
Hostal Xapala. Amilcar, 5. Tel. 49 01 07.

Tres hoteles medios

Hotel Cupido. Marbella, 32. Tel. 26 43 00. Playa de Palma-El Arenal. Por su relación calidad-precio es uno de los mejores hoteles de la isla. Al lado de la playa. Todos los servicios y la magnífica dirección del Sr. Murillo. Muy recomendable.

Hotel Sol Riviera. Avda. Nacional, s/n. Tel. 26 06 60. Muy bien situado, con restaurante más que mediano.

Hotel Tal. Mª Antonia Salvá, 44. Tel. 26 40 00. Moderno, céntrico, y con buen restaurante.

Hotel Acapulco. Avda. Nacional, 10. Tel. 26 18 00. Inmediato al mar.

Tres hoteles de cuatro estrellas

Hotel Garonda. Ctra. Arenal, s/n. Tel. 26 22 00. Todas las comodidades y un bar-cafetería famoso: **Tamarindo**.

Hotel Delta. Ctra. Cabo Blanco, km. 5. Tel. 74 10 00. No está propiamente en el Arenal, sino en el camino hacia Bahía. Utilizado fundamentalmente por cicloturistas (taller de bicis, menús para bicicleteros, etc.).

Hotel Riu Grande. Misión de San Diego, 4. Tel. 26 63 00. Buen servicio y buenas instalaciones; como todos los de la zona, impersonal.

Casa de Colonias La Porciúncula. Bartomeu Salvá, 20. Tels. 26 00 02/26 20 47. Dos modalidades de alojamiento: habitaciones individuales o dobles (150 plazas) y dormitorios comunes (70 plazas); hay que llevar saco de dormir.

Compras

Euroboutique. Crta. del Arenal s/n. Tel. 26 68 99. La recomendamos porque venden ropa de moda a muy buen precio. A destacar, igualmente el amable trato de Isabel Alonso.

S'ESTANYOL DES MIGJORN

Al principio, la zona se llamaba Son Fideu, y mas tarde, los encharcamientos de agua le dieron el actual nombre (Estany =estanque).

Situado a 18 kilómetros de Llucmajor, entre Sa Rápita y Vallgornera, y limítrofe con una área natural protegida constituye uno de los puntos calientes de las protestas ecologistas a raiz de la ampliación del puerto deportivo; aunque la Ley de Espacios Naturales prohibe este tipo de construcciones en las inmediaciones de una A.N.E.I. (Área Natural de Especial Interés), el tema mueve dinero y las obras continúan viento en popa a toda vela, por buscar un símil marinero.

A los habitantes del pueblo tampoco les gusta demasiado la idea, ya que éste es uno de los pocos sitios tranquilos (incluso en verano) que quedan por la zona.

Cerca, una playa, es Racó de S'Arena, y también muy cerca, a unos metros, Sa Rápita, con su natural y naturista playa de Es Trenc, apreciada por Inés Sastre; Sa Rápita pertenece a Campos del Port, y en las páginas referentes a éste, daremos cumplida información de ella (de la playa, no de Inés).

El 25 de Julio, Sant Jaume, patrón de la localidad, nos obsequia con bailes, verbenas, etc.

Tienes un bar en Vía Mediterránea, y el restaurante del Club Naútico.

S'ESTALELLA

S'Estalella, posesión situada en el término de Llucmajor, entre las fincas Son Avall, es Pas, Guiamará y Vallgornera, aparece consignada documentalmente en 1256 como propiedad de Francesc d'Estalella, de quien toma su nombre. En la actualidad ocupa una superficie de 410 cuarteradas y toda ella se halla enclavada en una **A.N.E.I.** (Área Natural de Especial Interés) conocida como Marina de Llucmajor.

Técnicamente, nuestro biólogo de cabecera, Joan Manuel Espinosa, la define como *un ecosistema singular formado por una interfase mar-tierra con diversos ecotramos y climax local*.

S'Estalella fue elegida oficiosamente hace un par de décadas como futura ubicación de una nueva central térmica que llevaría aparejada la necesidad añadida de la construcción de un puerto de carga y descarga de combustible, decisión que no ha sido aceptada con agrado por diversos colectivos y personas, entre los que se encuentran los actuales propietarios de la finca.

En la década de los 70 se consiguió la aprobación de un Plan Parcial de urbanización de la finca impulsado únicamente a efectos de dificultar económicamente una posible expropiación de la finca y posteriormente (90') se hicieron las oportunas diligencias para que quedase incluida dentro de la A.N.E.I. nº 25.

Actualmente se prosiguen los intentos de obstruir legalmente el proyecto de construcción de la central térmica. Si pasas por aquí, podrás ver una atalaya bastante bien conservada.

MUNICIPIO DE CAMPOS DEL PORT

Campos, Sa Rápita, y Es Trenc-Es Salobrar.

CAMPOS DEL PORT

De interés

Central de Reservas de Agroturismo del Municipio de Campos: C/ Convent, s/n. Tel y Fax.: 65 29 31.
Ayuntamiento: Pza. Mayor, 1. Tel. 65 27 67.
Centro de Salud: C/Nuño Sanz/ Canova. Tel. 65 21 78.
Policía Municipal: Plaza Mayor, 1. Tel. 65 21 43.
Una revista de información municipal: **Ressó.**

Llegar

En coche, por la C-717. Los autocares de línea regular que llegan hasta aquí parten desde Palma frente a la Cafetería Alcalá, en la Avda. Alejandro Roselló, 32 (Tel. 46 96 14). El horario es variable según la época del año.

El núcleo de población se encuentra a 22 metros sobre el nivel del mar, y la altura mayor del municipio no supera la cota 100; así, veras en Campos a muchas personas, incluso de avanzada edad, que utilizan la bicicleta como vehículo (no hay cuestas). Este parque bicicleteril sólo es superado en número por el del municipio de Formentera, en las Pitiusas.

En Campos se producen cereales, almendras, champiñones, hortalizas, alcaparras, patatas, etc. La población cuenta también con una sifonería y una fábrica de productos lácteos.

En Campos encontrarás uno de los mejores tramos playeros de la isla: Es Trenc-Es Salobrar-Sa Rápita.

Iglesia Parroquial. De factura renacentista, fue remodelada durante el siglo pasado. Una nave con siete capillas laterales que guarda en su interior un retablo gótico del siglo XV (Nuestra Señora de Gracia), y un Santo Cristo de la Paciencia atribuido a Murillo.

Museo Parroquial. Inaugurado en 1993, contiene lienzos de Murillo, Borrer, Nadal, etc; además, imaginería y ornamentos litúrgicos.

Antiguo hospital. Del siglo XV, su oratorio es posterior. **Convento de los Mínimos**. Levantado en el siglo XVII, su iglesia está dedicada a San Francisco de Paula. De portal barroco, actualmente se utiliza como cuartel de la Benemérita, aunque se piensa en su traslado.

Ayuntamiento. De fachada del siglo XVI, sus inmediaciones son un punto neurálgico de la población; junto a el, la plaza de la antigua pescadería, y algunos buenos bares ("granjas"):

Granja La Torre, y **Granja Ses Voltes**, y junto a ellas, la Heladería-Pastelería **Pomar**.

Para terminar la visita...

Can Cosmet, de ventanas renacentistas, y las antiguas torres de defensa de **Can Dameto** y **Can Brages**, las casas de Son Lladó y Son Camet

Comer

Restaurante Sa Canova. Tel. 65 02 10. Situado en la ronda de la estación, un menú del día sale por dos mil. Cocina mallorquina.

Es Pla de Campos. Petra, 10. Tel. 65 11 10. Cocina mallorquina de la de verdad, vino del pais, etc.

Por las afueras

Oratorio de Sant Joan de la Font Santa. Contiguo al balneario, cuya reseña tienes más abajo. Ambos se encuentran dentro del Área Natural de Especial Interés Es Trenc-Es Salobrar.

Ermita de San Blai. Lo que ves es del siglo XVI. Tranquilo lugar.

Yacimientos arqueológicos. Cuevas artificiales, necrópolis pretalayóticas de Son Toni Amer, poblados talayóticos de Son Catlar, Sa Vinyola, Son Perot...

Fiestas

El 9 de enero, Sant Juliá, celebración estrictamente religiosa.

Del 7 al 15 de agosto, la Mare de Déu d'Agost, con actos culturales, deportivos, y fundamentalmente, festivos.

En Enero, por Sant Antoni, Foguerons, hogueras y pitanza en las calles.

A principios de Febrero, Romería a la Ermita de San Blai.

Por Pascua de Resurrección, la procesión de l'Encontre.

El tercer jueves de Octubre, Feria anual.

Ganadera, con Concurso Nacional de Raza Frisona, el segundo domingo de mayo.

Todos los jueves y sábados, mercado payés, con todo tipo de verduras y productos del campo.

Bar Ses Voltes. Uno de los más conocidos en el pueblo. **Restaurante Cazadores**. Ctra. Campos-Sa Rápita, km. 6'5. Tel. 64 03 70. Ambiente cinegético, cocina mallorquina, y dirección familiar. Rambién preparan comida para llevar.

Restaurante El Pórtico. Ctra. Campos-Colonia de Sant Jordi. Tel. 65 61 08. Cocina francesa e italiana en un antiguo caserón. Las banderas de su fachada hacen difícil que pase desapercibido; además, dos curiosas esculturas sentadas cómodamente en uno de sus muros.

Pastelería Ca'n Lluis. Plaza Mayor, 18. Aquí te puedes comprar la merienda; pastelería variada, centros de mantequilla y hojaldre...

Una excursión a pié

Llegarse hasta Es Salobrar, o hasta las Salinas de Llevant.

Alojamientos

Turismo rural/agroturismo

Finca Es Torrent. Tony y Eulalia. Tel. 65 09 57. Un camino rural que parte de la Ctra. Campos-Sa Rápita lleva hasta esta bonita casa rodeada de un expléndido jardín y ubicada a unos seis kilómetros de Sa Rápita. Dispone de tres habitaciones dobles, una individual, y dos baños. Piscina, y servicio de desayuno, comida y cena. No es barato.

Finca Can Canals. Margalida y María. Tel. 64 07 57. Situada a dos kilómetros de las playas de Es Trenc y Ses Covetes, y dedicada a explotación agrícola y ganadera, se accede a la finca por un camino rural que parte del km. 8 de la Ctra. Campos-Sa Rápita. Dispone de cuatro habitaciones dobles con baño y entrada independiente, y servicio de cocina a disposición del cliente. Piscina, jardín, naranjos, y bonitos caminos donde andar o pedalear. precios a consultar.

Es Figueral. Miquel y María. Tel y Fax. 18 10 23 Un camino que parte del km. 42 de la Ctra. Campos Santanyi lleva hasta la finca, ubicada a unos cuatro km. de Campos y 10 km. de la playa de Es Trenc. Grandes palmeras, torre, piscina, cuadra, cría de animales, etc. Cuenta con cuatro suites con entrada independiente y baño.

Agroturismo Es Palmer. Ctra. Campos-Colonia de Sant Jordi. Tel. 64 90 23. A 250 metros del Parque Natural de Es Trenc se encuentra esta finca que dispone de unas diez habitaciones dobles. En todas las habitaciones, cuarto de baño, nevera, y TV vía satélite. Piscina. Habitación doble por día: 12.000. Habitación individual por día: 9.900. En ambos casos el precio incluye el desayuno; la cena, por unas 2.500. También ofrecen combinaciones especiales para Nochebuena y Nochevieja.

Estación Termal de Sant Joan de la Font Santa. Ctra. de Campos a la Colonia de Sant Jordi, km. 8.3. Tel. 65 50 16. 07638 CAMPOS. El hotel abre de mayo a octubre. Dicen los historiadores que sus aguas ya eran conocidas en época romana; al menos, un Atlas editado en Holanda en 1638 afirma que estas aguas pueden considerarse como las más saludables de España, e incluso de Europa. En todo caso, la estación termal se inauguró en 1845, y conserva la tranquilidad de pasadas épocas. Son aguas clorurado sódicas, termales y radioactivas, con una temperatura de emergencia de 38º, e indicadas para reumatismos, artritis, artrosis, ciática, lumbago, eczemas, etc. En el balneario disponen también de instalaciones de baños, duchas, masajes, etc. Abren del 1 de abril al 31 de octubre, de 9 a 11 horas.

SA RÁPITA

Al principio sólo habia una torre de defensa del siglo XVI; a principios de este siglo aparecieron algunas casas, y al final, en los setenta, un Club Náutico. La torre, conocida como Torre de Son Durí, sigue ahí.

Al este, el Arenal de Sa Rápita (1.100 metros), Ses Covetes (300 metros), la playa de Es Trenc (3.500 metros), y el islote de Sa Gavina; y a lo largo de estas playas, cinco chiringuitos. También verás a trechos, frente a la playa, la **Línea Tamarit**, nidos de ametralladoras construidos a principios de la segunda guerra mundial en previsión, primero de una posible invasión italiana, y después, por si los aliados intentaban tomar la isla (en aquellos años Franco no las tenía todas consigo).

Ses Covetes recibe este nombre por haberse hallado en sus inmediaciones cuevas artificiales excavadas con fines funerarios; de las inmediaciones de ésta población salió gran parte de los sillares utilizados para la construcción de las murallas de Palma.

Comer

Club Naútico Sa Rápita. Port, s/n. Tel. 64 00 01. Casi quinientos amarres, los servicios comunes a un puerto deportivo, y además, cajero automático, supermercado, bar, y restaurante con pescado recien cogido.

Restaurante Ca'n Pep. Miramar, 16. Tel. 64 01 02. Mariscos, pescados, y carnes con precios acordes.

ES TRENC-ES SALOBRAR

Espacio natural protegido donde se encuentra la segunda marisma de la isla (la primera es la Albufera de Alcúdia); aquí, decenas de especies de aves migratorias hacen sus paradas. 1.492 hectáreas de Área Natural de Especial Interés, con arenales, salinas, pinos, sabinas, y variadísima fauna de pluma (ya van contabilizadas 171 especies).

Frente al islote de Sa Gavina, un yacimiento púnico; por lo visto, era sucursal de la factoría de Na Guardis, en la Colonia de Sant Jordi; ambas servían para controlar la produccíon de sal y para comerciar con los indígenas.

MUNICIPIO DE FELANITX

Felanitx, Portocolom, Cas Concos, S'Horta

FELANITX

De interés

Ayuntamiento: Tel. 58 00 51/58 22 00.

Policia Municipal. Tel. 58 02 16.
Autocares Caldentey (comunican con Palma y otras poblaciones) Tel. 58 01 53.

Parece que el nombre del pueblo proviene del latín *fenalicius*, palabra que con la que se designa la gramínea conocida en mallorquín como fenás (cerrillo) y similar al lino o cáñamo. Así pues, ¿fabricaban aquí este tejido los romanos?

Municipio en fin, que tiene sus lugares más interesantes fuera de la población: San Salvador, Santueri, la costa...

A visitar

Iglesia de Sant Miquel. De estilo gótico, se levantó entre 1550 y 1600. Su inmensa nave lateral (44 mtres de largo, 13 de ancho, y 17 de altura) fue ampliada a mediados del XIX de una curiosa manera: en lugar de levantar el techo, rebajaron el suelo (!). Destacan su capilla del Roser, la talla de la Inmaculada de su retablo neogótico, la de Sant Miquel, los vitralas que representan a los cuatro evangelistas, la pila bautismal de piedra de Santanyí, la custodia del siglo XVIII, etc.

La Timba: una lápida recuerda un triste suceso: en 1844, un muro de contención conocido como Sa Timba, y destinado a dar soporte a la iglesia, se derrumbó y murieron 414 personas.

En Mayo, la interesante **Fira de Maig**, con exhibición de doma de caballos, concurso de esquilado, etc. Y si no puedes esperar, un centro hípico:

Escola d'Equitació Son Menut. 3ª Volta 3040 (Camí de Son Negre). Tel. 58 29 20. Alquiler de caballos y ponys, excursiones de horas, días o semanas con alojamiento en hospederías, etc.

Cafés y restaurantes

Bar-Cafetería Alhambra. Plaza de España, 6.
Café Can Coll. Bellpuig, 33.
Celler-Bodega Can Tía. Pou Vila, 5.
Pasteles en Horts, 31 y en Miquel Bordoy, 22.

Artesanía

Un interesante taller de violeros (fabricantes de violines) es el que regentan Andreu Fiol y Saulo Dantas.

También son renombradas las industrias del vidrio, en Sa Cista, 15, y en Sales, 18.

Otras compras felanitxeras pueden ser el vino (Convent, 17) o las clásicas gerretas (cerámica) en Santa Llucía 10, o en Sant Agustí, 50.

El castillo de Santueri. Castillo roquero al que se llega por un camino asfaltado que parte de la carretera Felanitx-Cas Concos (C-714). Destacan su magnífica torre del homenaje, redonda y con aspilleras y modillones, y dos torres de base cuadrada. Quizás llegues antes de que se terminen de caer una de las murallas y un torreón; desde 1811 es de propiedad privada y la pequeña tarifa que pagas por entrar se destina a obras de restauración.

En sus alrededores aparecieron restos pretalayóticos, algunos de sus muros son romanos, y el resto es árabe.

Otro paraje desde el que se domina visualmente una amplia extensión.

Ermita de San Salvador. En el km. 1'300 de la PM-401 (Felanitx-Portocolom) comienza la carretera que te lleva hasta San Salvador (PM-401-1). Situada sobre el monte homónimo de 509 metros de altitud, ya consta su existencia en 1348, aunque casi todo lo que ves es del siglo XVIII. En la ermita, exvotos, un retablo del siglo XIV, panorámica de toda la zona de Calas de Mallorca, y un agradable y nada caro restaurante, además de la hospedería.

Monumento a Cristo Rey. Cercano al monasterio, se levantó en 1934 y tiene treinta y siete metros de altura.

Desde el monumento a Cristo Rey parte un camino -desde el que se disfruta de excelentes vistas-, que lleva hasta el castillo de Santueri.

Alojamientos

El alojamiento, como en otros municipios, se concentra en la costa; aquí van algunos alojamientos de interior:

Hospedería de Sant Salvador. Tel. 82 72 82. Dispone de doce habitaciones con capacidades que varían entre las tres y ocho plazas; permanece abierta todo el año, y sus precios son baratos: 750 por persona el primer día, y 600 a partir del segundo.

Turismo Rural Sa Pletassa. Camino Viejo de S'Horta. Cala Marsal. Tel. 83 70 69. Dispone esta casa de unos nueve dormitorios con capacidad para 28 clientes. Una doble por unas 20.000 al día, y una individual por 15.000. (en ambos casos se incluye el desayuno). Cenar, por unas 1.200.

Turismo Rural Sa Posada D'Aumalia. Camino de Son Prohens, 1027. Tel. 58 26 57. Bonita instalación situada a unos cuatro km de Felanitx. Tienen piscina, solarium y pista de tenis, y disponen de catorce habitaciones dobles; en todas las habitaciones, cuarto de baño, teléfono, televisión, calefacción e hilo musical. En algunas ocasiones se realizan conciertos de piano. La doble por 19.500 al día y la individual por unas 13.500 (incluye el desayuno); cenar ronda las 2.500.

Turismo Rural Son Mayol. Tel. 58 09 00. A unos 8 km de Felanitx se encuentra esta bonita casa que dispone de piscina y solarium. Cuenta con tres habitaciones dobles, dos cuartos de baño, y cocina. Precios, nada baratos, a consultar.

S'Alba. Caixeta Postal nº 83. 07200 Felanitx. Tel. y Fax. 82 72 99. A unos dos km de Felanitx, y rodeada de almendros y algarrobos, se encuentra esta casita que tiene buenos precios y no tiene ningún tipo de barrera arquitectónica, ya que su titular despliega toda su actividad desde una silla de ruedas. La casa se alquila al completo y dispone de dos habitaciones dobles, un baño, salón-comedor con chimenea, cocina americana, porche, barbacoa, y caseta para perro. De junio a septiembre, 10.000 al día por toda la casa; el resto del año, 7.500. Estos precios incluyen todos los gastos de mantenimiento de la casa, calefacción, agua, gas, y limpieza y cambio semanal de lencería de ropa y baño.

PORTOCOLOM

Puerto muy concurrido durante el siglo pasado, en gran parte debido a las exportaciones de vino felanitxer dirigidas a tierras gabachas, y según los historiadores, llegó a verse una fila de más de quinientos carros cargados de vino esperando el embarque. Y en este mismo puerto, hacia 1922, funcionaba una escuela de aviación, con su hidro y todo... Hoy, es lugar turístico y de veraneo, pero aún conserva un toque tranquilo y pesquero.

Bares y restaurantes

Variada y amplia oferta; te citamos un agradable bar, y un restaurante reputado, y con razón, de los mejores de la isla.

Bar **Es Tamarells** (Los Tamarindos): al final del paseo del puerto, en dirección norte, verás unas persianas amarillas, y acercándote, verás los tamarindos. Bar de toda la vida, con encanto y sabor, y además, con una terraza desde la que dominas (al menos visualmente) la situación.

Restaurante Sa Sinia. Pescadors, 5. Tel. 82 43 23. Arroces y pescados. Ya te hemos comentado que la opinión general lo presenta como de los mejores de la isla, o el mejor, para algunos. De precios más ajustados, cerca de Portocolom, el ya recomendado restaurante de la hospedería del Monasterio de Sant salvador.

Alojamientos

Hostal Residencia César. Llaut, s/n. Tel. 82 53 02. No está mal.

Hostal Porto Colom. Cristófol Colom, 5. Tel. 82 53 23. Más céntrico, imposible. Bueno.

Hotel Cala Marsal. Cala Marçal, s/n. Tel. 82 52 25. Se encuentra junto a la Cala homónima, al sur de Porto Colóm. Bien situado, con piscina, y nada caro. Cala Marçal tiene unos 80 metros de longitud por 130 de fondo, con finísima arena, servicios playeros, duchas, chuiringuitos, etc.

Hotel Las Palomas. Assumpció, 14. Tel. 82 51 50. Precios medios y buen servicio.

CAS CONCOS

Cas Concos des Cavaller es el nombre de ésta pequeña aglomeración de casas. En la calle Metge Obrador, la iglesia y un bar, y quizás cuando lleges, un hotel rural: **Son Vent.**

El 10 de septiembre es la fiesta de este pequeño llogaret, con misa solemne y bendición de "els panets de Sant Nicolau"

S'HORTA

Pequeña población sitada al sur del municipio, casi fronteriza con el de Santanyí. Iglesia del siglo XVIII.

Un bar en la Plaza de San Isidre, pastelería en la calle Rectoría, y un buen restaurante en Volta Sexta, 41: **Sa Farinera.**

Hacia mediados de mayo, las fiestas de primavera, que se celebran todos los fines de semana hasta mediados de agosto con curiosas actividades: escalada al campanario, paellas multitudinarias, exposiciones de vestidos de novia, carreras de minimotos, verbenas, etc.

Cercana a S'Horta, la **Barbacoa La Ponderosa** (Tel. 83 70 34), dedicada fundamentalmente a celebraciones colectivas.

MUNICIPIO DE SANTANYÍ

Santanyí, Calonge, Cala D'Or, Portopetro, Cala Egos, Cala Figuera, Llombards, Cala Marmols, Cala Mondragó, y Alquería Blanca.

SANTANYÍ

Ayuntamiento. Tel. 65 30 02.

Del latín Santi Agnini, según consta en documentos del siglo XIII, en este municipio se encuentra el punto de la isla situado más al sur: Punta Salines.

Conviene visitar el Santuario de la Consolación, la Porta Murada (restos de muralla), la costa, etc. De compras, la cerámica y algunos bordados.

Iglesia de San Andrés. Reformada en el siglo XVIII, guarda un interesante y notable órgano construido por Jordi Bosch. Al construir la iglesia se tuvo el acierto de conservar la gótica ya existente, que verás adosada a ésta.Junto a la iglesia, una casa-palacio con interesante patio.

Santuario de la Consolació. Ubicado a unos kilómetros al norte de Santanyi, es de forma un tanto extraña, ya que la entrada no da al presbiterio, sino al coro. En el interior, el barroco retablo de Santa Escolástica, las figuras de Sant Domingo y Sant Roc, etc Para terminar, puedes ver, en el brocal de la cisterna, un tema solar y serpentario grabado Dios sabe cuando.

CALONGE

Pequeña localidad de interior cuyo nombre viene del latín

Colonium; Iglesia neo-romántica de principios de siglo, y una casa de colonias. En las cercanías de Calonge tuvo lugar, el 16 de junio de 1715, una batalla entre las tropas de Felipe V, que desembarcaron en Cala Llonga, y las tropas isleñas; eran los últimos coletazos de la Guerra de Sucesión.

Casa de Colonias de Son Perdut. Calonge. Tel. 72 60 18. Ciento veinte plazas distribuidas en dos casas (80 y 40). Dos porches para comedor, bar, espacio de reuniones, barbacoa, piscina, pista de tenis, dos zonas de duchas, etc. Abre todo el año y también tiene terreno de acampada.

CALA D'OR

Oficina de Información Turística: Avda. Cala Llonga (07660-Santanyí). Tel. 65 74 63. Fax. 16 30 07.

Golf Vall d'Or. Ctra. Porto Colom-Cala d'Or, km. 7'7. 07669 S'Horta Tel. 83 70 68. Fax. 83 72 99.

Bautizada como Cala d'Hort por el ibicenco Josep Costa Ferrer, iniciador de la urbanización en los años treinta, y reconvertida en Cala D'Or por los vecinos, antes se llamaba Caló de ses Dones. El nombre de sus calles también tiene su explicación, como el mismo Costa Ferrer explicaba:

"Por mi amor a Ibiza, que es la isla que me vió nacer y por el parecido de la costa del levante mallorquín con las calas y pinares de la isla hermana, bauticé las calles y avenidas de Cala D'Or con los nombres de las pequeñas islas del archipiélago ebusitano: Tagomago, Formentera, Conejera, Murada, etc."

Cala Gran, Cala Esmeralda, Cala Petita, Caló des Pou, y Cala Llonga, Cala Ferrera, Cala Serena, forman el conjunto conocido como Cala D'Or. Cerca de ellas; Cala Egos.

Cala Ferrera: Setenta metros de longitud por unos cincuenta de anchura, arena fina, casetas-vestuario, velomares, bar...

Cala Esmeralda: Veinte metros escasos de playa, pero agradables cada uno de ellos.

Cala Gran: La más extensa de la zona: cuarenta metros de longitud, pero unos cien de fondo...

Cala D'Or: Veinte metros de larga y treinta de ancha...

Bares y restaurantes

Casa Regional de Andalucía. Es un bar donde te clavarán.

Restaurante Cala Llonga. Cala Llonga. Tel. 65 80 36. No es barato, pero dan bien de comer.

Sa Barraca. Avda. de Bélgica, 4. Tel. 65 79 78. Cocina mallorquina, y alguna curiosa especialidad, como cordero a la miel. Precios medios.

Zaida. Avda. Cala Llonga, 309. Tel. 64 33 25. Cocina internacional con especialidad en pescados y mariscos. Ni caro ni barato.

Port Petit. Avda. Cala LLonga. Tel. 64 30 39. Excelentes pescados y cuidado servicio.

Una visita cultural

Es Fortí. Ubicado junto a Punta Citerea, junto a Cala LLonga, se levantó en 1730, fue reconstruido en 1770 y, en 1832 aparecía dotado de cuatro cañones, lo que da muestra de la importancia que llegó a tener esta fortificación militar que también hacía el servicio de señalizaciones marítimas. Aquí se alojaba la tropa encargada de velar por la seguridad de la zona sureste de la isla.

La construcción -de piedra- se compone de una planta cuadrangular en la que las paredes orientadas al mar fueron reforzadas para prevenir los impactos de un supuesto ataque de artillería naval; en el interior de la puerta principal, una placa conmemorativa dedicada a Pep Costa Ferrer, centinela de Es Fortí y fundador de Cala D'Or.

Entrada gratuita (se acepta un donativo de 100 pta. para labores de mantenimiento).

Alojamientos

Hostal Residencia San Francisco. Avda.Tagomago, 6. Tel. 65 70 72. Situado en zona muy céntrica, no está frente al mar.

Hostal Residencia Mistral. Boulevard, 7. Tel. 65 72 30. Cercano al anterior.

Hotel Cala D'Or. Avda. de Bélgica, s/n. Tel. 65 72 49. Uno de los clásicos de la zona; inmediato a la playa. Cuatro estrellas.

Hotel Tucán. Boulevard, 4. Tel. 65 72 00. Muy bien situado, con buenas vistas, y cercano a Cala Gran. Tres estrellas.

PORTO PETRO

Situado entre Cala d'Or y Mondragó, y flanqueado por las puntas de Sa Torre y Es Frontet, constituye un lugar de veraneo tradicional, famoso por el pescado de sus restaurantes. Localidad turística que conserva su aire marinero, semeja una ría; la cala de Porto Petro se remifica en siete caletas...

Cuenta con menos de doscientos habitantes de derecho, un hostal, seis bares y restaurantes, y cuatro o cinco tiendas.

Ocio y visitas

Cruceros Llevant. Cristóbal Colón, 61. Tel. 65 70 12. Excursiones marítimas a la zona sureste y a Cabrera. Todos los domingos parten a las 9'30 y retornan a las 5'30.

Real Club Naútico de Portopetro. Tel. 65 76 57. Unos doscientos amarres. Inaugurado en 1971.

Torre de defensa. Construida en 1616 para protegerse de los ataques berberiscos, está en ruinas.

Iglesia de la Mare de Déu del Carme. Concluido en 1954, de blanco ibicenco, destacan en este templo la estatua de la Virgen del Carmen, la talla del Sant Crist, y el bajorrelieve de Sant Pere y Sant Joan de la fachada.

Alojamientos

Hostal Nereida. Cristófor Colóm, 34. Tel. 65 72 23. Agradable y tranquilo. De asequibles precios.

Ciudad de Vacaciones Club Mediterraneé. Tel. 65 91 97. Abre de abril a noviembre este elitista club fundado en 1961. Bungalows de una estrella, tres restaurantes, piscina, etc.

CALA EGOS

Pequeño núcleo turístico cercano a Cala D'Or, utilizado fundamentalmente por alemanes e ingleses.

Una diminuta pero encantadora playa de unos veinte metros de longitud por unos treinta de anchura, de fina arena, y sembrada de hamacas, sombrillas y velomares, amén del chiringuito pertinente.

Comer

En Cala Egos no se come bien; hay varios bares y restaurantes, pero los turistas están por el tema sol/playa, y no le dan mucha importancia a la comida.

En todo caso, para picar, la Cafetería Es Bolero, y para comer, el restaurante de los Apartamentos Parquemar.

Alojamientos

Hotel Skorpios. Cala Egos. Tel. 65 76 00 Muy cercano a la playa y a las pistas de tenis. Tres estrellas.

Hotel Corfú. Cala Egos. Tel. 65 72 50. Próximo al anterior e igualmente bien situado. Tres estrellas.

Apartamentos Es Bolero. Parc de la Mar, 4. Tel. 65 74 53. Con dos llaves de categoría, y excelente servicio; inmediatos a ellos, la agradable cafetería Es Bolero, y una disco.

Apartamentos Parque Mar. Parc de la Mar, s/n. Tels. 65 72 32 / 65 90 00. Tres llaves de categoría. Complejo que cuenta con espléndidos jardines y un buen restaurante.

CALA FIGUERA

También conocida como Port de Santanyí, en otros tiempos, o simplemente como Sa Cala, entre los santanyinenses, la cala se bifurca en dos calones, Caló d'en Boira, y Caló d'en Busquets, efectos ambos de la desembocadura de sendos torrentes.

Muy frecuentada en verano, y vacía en invierno.

Junto a ella, Cala Santanyí, playa de unos ochenta metros de longitud por noventa de fondo, y al lado, Cala Llombards, de sesenta metros de longitud.

En Cala Santanyí tienes un buen alojamiento, el **Hostal Residencia Palmaria** (Tel. 65 32 97).

Un buen restaurante en Cala Figuera

La Marina. Virgen del Carmen, 64. Tel. 64 50 52. Restaurante familiar con cocina mallorquina y pesca propia.

Tres hostales y tres hoteles

Hostal Mar i Cel. Grec, 6. Tel. 64 50 57.

Hostal Ventura. Bernareggi, 17. Tel. 64 51 02.
Hostal Restaurante Ca'n Jordi. Virgen del Carmen, 58. Tel. 64 50 35.
Hotel Cala Figuera. Tomarinar, 30. Tel. 64 52 51.
Hotel Rocamar. Juan Sebastián Elcano, 34. Tel. 64 51 25.
Hotel Villa Sirena. Virgen del Carmen, 37. Tel. 54 53 03.

LLOMBARDS

Pequeña población de interesante arquitectura popular, que sirve como punto de partida para emprender el camino hacia las calas cercanas; la edificación mas antigua del pueblo, Son Amer, con capilla y torre de defensa.

Un par de bares: **Son Amer**, y **Sa Torre**.

CALA MARMOLS

Una pequeña cala encajonada en la desembocadura del Torrente dels Marmols, a la que no es fácil acceder; puedes llegar bien desde el Cabo de Ses Salines, o bien desde las casas de El Rafal des Porcs (cercanas a LLombards).

Al igual que en otras pequeñas calas de la isla, la dificultad de acceso (en muchos casos el último tramo hay que hacerlo a pié) y la ausencia de señalización, las convierten en pequeños tesoros disfrutables sólo para los *iniciados*.

Muy cerca, en Cala Figuereta, un poblado prehistórico, sa Talaia Grossa, aún sin estudiar. Y también muy cerca, S'Almunia y Es Caló des Moro; cercanas a Llombards, para llegar a ellas necesitarás dejar el coche a medio km. A la primera accederás a través de unas escaleras, y a la segunda, descendiendo por un sendero.

CALA MONDRAGÓ

Con una superficie de 785 hectáreas, la zona de Mondragó fue declarada Área Natural de Especial Interés en 1990, y Parque Natural en 1992; en su interior, se encuentra Cala Mondragó, una playa que bien merece tu visita.

El Parque limita una gran variedad de ecositemas: playa, costa rocosa, dunas, estanques, garrigas, pinares, cultivos...

Sitios de especial interés son el estanque de l'Amarador y el de les Fonts de n'Alís, de variada flora y fauna, o algunas muestras de arquitectura popular como barracas de piedra, paredes secas, casetas costeras, o las canteras del Cap del Moro y de l'Estret del Temps.

La ensenada de Mondragó está formada por dos pequeñas calas que ya te hemos mencionado: Caló d'en Garrot (Sa Font de N'Alis), y S'Almarador. En total, unos 220 metros de longitud por 77 de fondo, con arena bastante fina.

Sobre Mondragó, queda un conocido libro de poemas de Josep María Llompart: *Poemes de Mondragó.*

ALQUERÍA BLANCA

Se encuentra esta pequeña población entre Santanyí y Porto Petro, tendida en la ladera del *Puig de Consolació.*

Un par de bares, un par de oficinas bancarias, una pastelería (Pza. General Franco), y un restaurante muy conocido: **Es Clot**, en el nº17 de la calle Convento (Tel. 65 34 04).

Visitar

Torre d'en Timoner. Edificada hacia 1.700, cuadrada, con ventanas renacentistas, y ladronera.

La Iglesia. Terminada en 1853.

Cova de Sa Madona. Situada al sur del núcleo urbano, en ella se encontraron piezas de bronce, de vidrio, restos del período talayótico, objetos de la época romana...

Molí des Pujol. Antiguo molino harinero de planta cuadrada y torre circular bastante bien conservado.

MUNICIPIO DE SES SALINES

Ses Salines y Colonia de Sant Jordi

SES SALINES

Ayuntamiento: Tel. 64 91 17.
Policía Local: Tel. 64 93 11.
Centro Sanitario: Sitjar, 30. Tel. 64 91 70.

En este municipio se encuentran las playas y los tramos de costa más vírgenes de la isla, las salinas, Cabrera al fondo, etc. Debido a las mencionadas salinas, es una de las zonas de la isla con mayor tradición histórica: fenicios, griegos, romanos, árabes...

En el municipio se encuentra el poblado prehistórico de Sa Talaia Joana, los talayots de Na Mera, Es Mitjá Gran, Els Antigors, la factoría púnica de Na Guardis, etc.

De calles rectas y espaciosas, Ses salines tiene unas cuantas cosas dignas de ver.

Los jueves por la mañana, en la Plaza Mayor (frente al ayuntamiento), mercado tradicional y mercadillo.

Cerca de la salinera, la Torre de S'Estany.

Iglesia de Sant Bartomeu. Levantada a finales del XVIII, se la puede echar una ojeada. Junto a la iglesia, la Torre de Ca'n Barbará.

Compras

Únicamente una tienda de interés:

Antiguitas. Cursach, 14. Tel. 56 71 46. Muebles antiguos, láminas, etc; según quien te atienda, a veces son ligeramente antipáticos.

BotaniCactus. Ctra. de Ses Salines a Santanyi. Tel. 64 94 94. La PM-610 te lleva hasta este interesante lugar; sus propietarios afirman que es *el jardín botánico más grande de Europa y primero de Baleares*, afirmación curiosa cuando menos. En sus 150.000 metros cuadrados se reunen más de 15.000 ejemplares distribuidos en unas 1.000 especies. Dividido en jardín húmedo (50.000 metros), desierto de cactus (40.000. m), jardín de flora autóctona mallorquina (25.000. m), lago navegable, te resultará interesante de visitar.

Pula. Da nombre a una posesión en la que se encuentra un molino bastante bien restaurado, a un buen restaurante (s'Era de Pula), y a un conjunto de yacimientos talayóticos situados en las inmediaciones de la posesión.

Restaurantes

Ca Na María Vela. Gabriel Paredes, s/n. Tel. 64 91 21. Mariscadas, parrilladas, entrecots, etc. No es caro.

Restaurante Can Manolo. Recomendable.

Grill Cana María Vella. Gabriel Paredes. Tel. 64 91 21. Especialidad en carnes a la brasa, paellas, emparrilladas de pescado, zarzuelas, y arroces.

Una excursión a pie

Pasear hasta el Cabo de Ses Salines, o hasta el *Estany de Sal*.

Alojamiento

Como ya te comentamos, en esta zona de la comarca, al igual que en Campos, apenas hay algún establecimiento hotelero; únicamente, las casas de turismo rural que te mencionamos.

Turismo rural Es Turó. Tel. 64 95 31. Agradable instalación con piscina, que además tiene un bonito jardín y una interesante colección de aperos y herramientas. Dispone de diez habitaciones dobles con cuarto de baño, calefacción y TV en cada una. La casa se encuentra a unos 2'5 km. de Ses Salines. Una doble por unas 16.000, y una individual por 10.000 (en ambos casos está incluido el desayuno); la cena, por 2.500.

Agroturismo S'Hort des Turó. Ctra. Ses Salines-Colonia de Sant Jordi km 2'5. Tel. 64 95 75. Se encuentra esta casa a 2'5 km del pueblo, y cuenta con piscina, solarium, y antena parabólica. Dispone de tres dobles y una triple; en todas, cuarto de baño y nevera. Una doble por unas 20.000 y una individual por 6.600 (en ambos casos se incluye el desayuno); cenar, por algo menos de dos mil.

COLÓNIA DE SANT JORDI

De interés

Oficina de Información Turística: Doctor Barraquer, 5 (07638 Ses Salines). Tel. 65 60 73. Fax. 65 64 47.

Ayuntamiento: Tel. 64 91 17.

Policía Municipal: 64 93 11.

Asistencia médica: 65 54 37.

Taxis en Gabriel Roca y Alejandro Farnesio.

Alquiler de **bicicletas** en la Avda. Primavera y en la calle Estrella de mar.

Alquiler de **caballos** frente a Sa Bassa des Cabot.

En su día fue punto de encuentro de los contrabandistas de tabaco, y hoy, lugar de veraneo; los historiadores afirman que el núcleo surgió a partir del cementerio de una población romana llamada Palmaria ubicada en la zona de Es Palmer... Ahora, y sobre todo en verano, se parece a cualquier cosa excepto a un camposanto.

Un visitante ilustre: Carlos V, que llegó a la Colónia el 12 de octubre de 1541 con su escuadra; al día siguiente, se fue a Palma.

Tres son las playas principales de la zona: Es Caragol -con setecientos metros de longitud y diez de fondo-, Es Dolc (880 por 23), y Ses Roquetes (330 por 36). únicamente la segunda tiene prestaciones playeras (bar, sombrillas, velomares, primeros auxilios, etc), lo cual no significa que sea la más recomendable, sino más bien lo contrario: Es Caragol y Ses Roquetes suelen ser más tranquilas.

Te quedan también Cala Galiota, Es Carbó, y Es Coto, sin olvidar Es Trenc y Ses Covetes, ya en el municipio de Campos.

Además de las playas, puedes ver las salinas (entre el Molí de sa Sal y la Avda. Primavera), e informarte sobre Cabrera en la Oficina de Información del Parque Nacional Marítimo Terrestre de Cabrera que se encuentra en el puerto pesquero de la Colonia de Sant Jordi.

Visitar

Molí de Sa Vall. Molino harinero cercano a la playa de Ses Roquetes; desde Ses Salines una carretera te conduce hasta el.

Talaia Joana. Ruina talayótica muy cercana a Ses Salines.

Oratorio de Sant Blai. En la carretera de Campos a la Colonia de Sant Jordi.

Na Guardis. A partir de 1979 se hicieron excavaciones en este islote, comprobándose que en su momento fue una importante factoría púnica (siglo IV a. C.) que se abandonó hacia el 120, cuando la conquista de la isla por los romanos. Se encontraron cerámicas, un horno para fundir metales, etc.

Y además

El horno de cal de Sa Vall, la sínia (acequia) d'en Sampol, el islote de Na Guardis...

Los miércoles por la tarde, en la calle Mayor (junto a la iglesia), mercado tradicional.

Beber y comer

Restaurante La Lonja. Primavera, 11. Tel. 65 52 27. Situado junto al varadero, ofrece pescados, marisco, y arroz; precios medios.

Pep Serra. Gabriel Roca, 87. Tel. 65 53 99. Fundamentalmente, pescado fresco .

El Puerto. Calle Puerto, 13. Tel. 65 50 83. Bar, restaurante, pizzería, etc.

Marisol. Gabriel Roca, 65. Tel. 65 50 70. Guisos de marisco, pescados, arroz, etc. Precios razonables.

Complejo Los Pinos. Primavera, 11. Tel. 65 53 30. Sala de fiestas, cafetería, restaurante, billares, videojuegos, etc.

Alojamientos

Como ya te comentamos en la introducción de los municipios de ésta comarca, el alojamiento en esta zona es escaso, lo que produce inconvenientes o ventajas, según se mire: de las segundas, menos masificación turística y más sosiego.

Casa de Colonias de las Monjas Franciscanas. Puntassa, 3. Tel. 65 36 99. Abierta durante todo el año, tiene una capacidad de 35 plazas en un dormitorio común; duchas, comedor, sala, cocina, y patio. La playa está a cien metros.

Casa de Colonias Sant Jordi. Colonia de Sant Jordi. Tel. 66 60 95. Otra instalación similar en la misma población.

Pensiones y hostales

Pensión Corberana. Santa Teresa de Jesús, 34. Tel. 65 53 79. Cercana al parque.

Pensión Sengeisen. Paseo de La Rosa, 16. Tel. 65 53 47. Cercana al hotel Cabrera.

Hostal Es Turó. Gabriel Roca, 28. Tel. 65 50 57. Junto a la playa de Es Port.

Hostal Doris. Estanys, 56. Tel. 65 51 47.

Hostal Playa. Major, 25. Tel. 65 52 56. Dispone de bar y restaurante.

Hoteles

Hotel Marqués de Palmer. Pza. Molí de Sa Sal, s/n. Tel. 65 51 00. Estratégicamente situado. Tres estrellas y buen servicio.

Hotel Sur Mallorca. Cristófol Colón, s/n. Tel. 65 52 00. Perteneciente a la cadena Sol, con lo que el tema implica en cuestiones de calidad, prestaciones, y servicios.

Hotel Don León. Sol, s/n. Tel. 65 52 39. De similares características.

Hotel Es Coto. Primavera, 8. Tel. 65 50 25. Como el anterior.

FIESTAS

(Índices cronológico y alfabético)

De las más interesantes, -o en palabras cultas-, de las de mayor entidad y prestancia, te damos cumplida información al hablar de la población en donde se celebran; aquí únicamente te ofrecemos dos repertorios:

El primero es el de las fiestas oficiales o laborales publicadas en el Boletín Oficial de la Comunidad Autónoma y ordenadas por entidad de población esto es, una lista que básicamente (entre otras cosas) te sirve para saber no sólo donde hay fiesta, sino también para conocer donde te encontrarás todo cerrado en una determinada fecha.

El segundo es una lista similar, algo más amplia, y en la que se relacionan todo tipo de actividades festivo-religiosas ordenadas cronológicamente.

FIESTAS LABORALES

De ámbito general en la Comunidad Autónoma

6 de Enero: Epifanía del Señor.
13 de Abril: Jueves Santo.
14 de Abril: Viernes Santo.
1 de Mayo: Fiesta del Trabajo.
25 de Julio: Santiago Apostol.
15 de Agosto: Asunción de la Virgen.
12 de Octubre: Fiesta Nacional.
1 de Noviembre: Todos los Santos.
6 de Diciembre: Día de la Constitución.
8 de Diciembre: La Inmaculada Concepción.
25 de Diciembre: Navidad.
26 de Diciembre: Segunda Fiesta de Navidad.

Locales

La divisíon comarcal de la isla no es pacífica; los geógrafos e historiadores no se ponen de acuerdo, y a veces, superponen comarca sobre mancomunidad de municipios, etc.

Esta es la división que hemos adoptado y que sirve como esquema general para el resto de las páginas que tienes entre las manos.

MUNICIPIO DE PALMA

Palma:
20 Enero (Sant Sebastiá).-
17 Abril (Segona Festa de Pascua).-

COMARCA DE LA TRAMUNTANA

Calviá:
17 Abril (2ª Fiesta de Pascua).
24 Junio (San Juan Bautista).
Es Capdellá:
17 Abril (2ª Fiesta de Pascua).
17 Julio (Lunes siguiente al Carmen).
Andratx:
17 Abril (Lunes de Pascua).
29 Junio (San Pedro).
S'Arracó:
17 Abril (Lunes de Pascua).
28 Agosto (Sant Agustí).
Puerto de Andratx:
17 Abril (Lunes de Pascua).
15-16 Julio (Virgen del Carmen).
Estellencs:
17 Abril (2ª Fiesta de Pascua).
29 de Agosto (San Juan Bautista).
Puigpunyent:
17 Abril (2ª Fiesta de Pascua).
16 Agosto (San Roc).
Galilea:
17 Abril (2ª Fiesta de Pascua).
8 Septiembre (Festividad Ntra. Señora).

Banyalbufar:

20 Enero (S. Sebastiá).

8 Septiembre (Festividad Ntra. Señora).

Esporles:

17 Abril (Lunes de Pascua).

29 Junio (San Pedro).

Valldemossa:

17 Abril (Lunes de Pascua).

28 Julio (Santa Catalina Tomás).

Deiá:

17 Abril (2ª Fiesta de Pascua).

24 Junio (San Juan Bautista).

Bunyola:

17 Abril (2ª Fiesta de Pascua).

21 Septiembre (Sant Mateu).

Sóller:

15 Mayo (Es Firó).

24 Agosto (Sant Bartomeu).

Fornalutx:

17 Abril (Lunes de Pascua).

8 Septiembre (Festividad Ntra. Señora).

Escorca:

29 Junio (San Pedro).

10 Agosto (Sant Llorenç).

Pollença:

17 Enero (Sant Antoni).

2 Agosto (Nostra Sra. dels Angels).

COMARCA DEL RAIGUER

Campanet:

18 Abril (Romería de Sant Miquel).

29 Septiembre (Festa de Sant Miquel).

Búger:

29 Junio (San Pedro).

30 Junio (Sant Marçal).

Selva:

3 Mayo (La Creu).

10 Agosto (Sant Llorenç).

Caimari:

17 Abril (2ª Fiesta de Pascua).

16 Noviembre (Dijous Bo).

Moscari:
> 17 Abril (2ª Fiesta de Pascua).
> 16 Noviembre (Dijous Bo).

Biniamar:
> 17 Abril (2ª Fiesta de Pascua).
> 23 Septiembre (Santa Tecla).

Inca:
> 17 Abril (Lunes de Pascua).
> 24 Julio.

Mancor de la Vall:
> 17 Abril (Romería a Santa Lucía).
> 16 Noviembre (Dijous Bo).

Lloseta:
> 19 Abril (Romería del Cocó).
> 8 Septiembre (Festividad Ntra. Señora).

Alaró:
> 17 Abril (2ª Fiesta de Pascua).
> 16 Agosto (San Roc).

Binissalem:
> 17 Abril (Lunes de Pascua).
> 22 Septiembre (Viernes anterior a la Festa d'es Vermar).

Consell:
> 17 Enero (Sant Antoni).
> 24 Agosto (Sant Bartomeu).

Sta. María del Camí:
> 17 Abril (Lunes de Pascua).
> 20 Julio (Santa Margalida).

Marratxí:
> 17 Abril (2ª Fiesta de Pascua).
> 30 Junio (Sant Marçal).

Alcúdia:
> 29 Junio (Sant Pere).
> 26 Julio (Sant Crist).

Sa Pobla:
> 17 Enero (Sant Antoni).
> 18 Abril (Romería de Crestax).

COMARCA DEL PLA

Santa Eugénia:
> 17 Abril (Dilluns de Pasqua).
> 7 Agosto (Festes Patronals).

Muro:

      17 Enero (Sant Antoni).

      24 Junio (Sant Joan Baptista).

Santa Margalida:

      20 Julio (Santa Margalida).

      4 Septiembre (Festa de la Beata).

Llubí:

      18 Abril (Festa de l'Ermita).

      1 Agosto (Sant Feliu).

María de la Salut:

      17 Enero (Sant Antoni).

      8 Septiembre (Mare de Déu).

Ariany:

      17 Enero (Sant Antoni).

      28 Agosto (2ª Fiesta Patronal).

Petra:

      17 Enero (Sant Antoni).

      21 Julio (Santa Praxedis).

Sineu:

      17 Enero (Sant Antoni).

      25 Abril (Sant Març).

Costix:

      20 Enero (Sant Sebastiá).

      8 Septiembre (Mare de Déu de Costix).

Sencelles:

      27 Febrero (Beata Sor Francinaina Cirer).

      29 Junio (Sant Pere).

Lloret de Vistalegre:

      7 y 8 de Agosto (Santo Domingo).

Sant Joan:

      17 Abril (2ª Fiesta de Pascua).

      29 Agosto (Festes Patronals d'Estiu).

Vilafranca de Bonany:

      17 Enero (Sant Antoni).

      4 Diciembre (Santa Bárbara).

Porreres:

      17 Abril (2ª Fiesta de Pascua).

      16 Agosto (San Roc).

Montuiri:

      5 Abril (Romería al Puig de Sant Miquel).

      24 Agosto (Sant Bartomeu).

Algaida:

16 Enero (Sant Honorat).

26 Julio (Santa Aina).

Randa:

16 Enero (Sant Honorat).

26 Julio (Santa Aina).

Pina:

17 Enero (Sant Antoni).

26 Septiembre (Sant Cosme i Sant Damiá).

COMARCA DE LLEVANT

Artá:

17 Enero (Sant Antoni).

17 Abril (Lunes Santo).

Colónia de Sant Pere:

17 Enero (Sant Antoni).

29 Junio (Sant Pere).

Capdepera:

17 Enero (Sant Antoni).

24 Agosto (Sant Bartomeu).

Son Servera:

17 Enero (Sant Antoni).

24 Junio (San Juan Bautista).

Sant Llorenç:

10 Agosto (Sant Llorenç).

8 Septiembre (Mare de Déu Trobada).

Son Carrió:

17 Enero (Sant Antoni).

8 Mayo (Sant Miquel).

Manacor:

17 Enero (Sant Antoni).

17 Abril (Lunes Santo).

COMARCA DEL MIGJORN

Llucmajor:

29 Septiembre (Sant Miquel).

16 Octubre (Es Firó).

2° domingo de Agosto (Santa Cándida).

S'Arenal:
    10 de Julio (San Cristóbal).
Campos:
    9 Enero (Sant Julia i Santa Bassilisa).
    19 Octubre (Sa Fira).
Felanitx:
    20 Julio (Santa Margalida).
    28 Agosto (Sant Agustí).
Portocolom:
    20 Julio (Santa Margalida).
    28 Agosto (Sant Agustí).
S'Horta:
    15 Mayo (Sant Isidre).
    5 Junio (Pentecostés).
Ca's Concos:
    20 Julio (Santa Margalida).
    28 Agosto (Sant Agustí).
Santanyí:
    17 Enero (Sant Antoni).
    30 Noviembre.
Cala Figuera:
    17 Enero (Sant Antoni).
    30 Noviembre.
S'Alquería Blanca:
    17 Enero (Sant Antoni).
    17 Abril (Lunes Santo).
Cala d'Or:
    17 Enero (Sant Antoni).
    17 Abril (Lunes Santo).
Llombards:
    17 Enero (Sant Antoni).
    8 Agosto.
Calonge:
    17 Enero (Sant Antoni).
    29 Septiembre.
Ses Salines:
    17 Enero (Sant Antoni).
    24 Agosto (Sant Bartomeu).
Colonia de Sant Jordi:
    17 Enero (Sant Antoni).
    17 Abril (Lunes Santo).

ENERO

Día 5

En **Palma**, la Cabalgata de los Reyes Magos: suelen llegar por la tarde y en barco al puerto acompañados de pirotécnia; desembarcan y se dirigen hacia el Ayuntamiento para recibir el saludo de las autoridades para, a continuación, recorrer las calles principales de la ciudad entre el jolgorio y admiración de su diminuto público.

Día 16

En **Sa Pobla, Artá, Costix, Manacor y Sant Joan,** la Revetla de Sant Antoni Abat: Tradicional fiesta cuyos orígenes en algunos pueblos se remonta al siglo XIV. La víspera del Santo se encienden grandes hogueras (foguerons) en las calles, se baila, se canta, se toca la zambomba y se degustan las sabrosas espinagades (empanadas de anguila).

Día 17

En **Palma, Costix, Manacor, Sant Joan, Sa Pobla y Petra**, las Beneïdes de Sant Antoni: Cabalgatas para poner bajo la protección del Santo a todo tipo de animales: ganado de tiro, trotones, animales domésticos, etc.

En **Pollença**, el Pi de Sant Antoni, a la salida del pueblo los jóvenes cortan un pino, le quitan las ramas y lo "plantan" frente a la iglesia con un regalo en su extremo; para no facilitar demasiado la escala, se enjabona el pino; divertido.

Día 19

En **Palma y Costix** se celebra la Revetla de Sant Sebastiá, bastante similar a la de Sant Antoni Abat.

Día 20

En **Pollença**, la fiesta de Sant Sebastiá: Procesión en la que es paseado un Estendard con la imagen del Santo, flanqueado por los Cavallets: dos jóvenes danzantes caballeros en caballo de cartón.

FEBRERO

Día 26

En **Palma, Playa de Palma y Palma Nova-Magaluf**,

Fiestas de Carnaval con diversos festejos a lo largo de toda la Bahía de Palma; destaca el desfile de carrozas conocido como Sa Rua

ABRIL

Días 13 y 14

En **Palma**, el Jueves y Viernes Santo, con origenes que se remontan al siglo XVI; en la iglesia del antiguo Hospital General se venera al Cristo Crucificado, conocido popularmente como La Sang. El Jueves, su imagen es paseada por las calles y el viernes, en la procesión denominada del Silencio o Santo Entierro, se procede a su sepultura en la Iglesia de Nuestra Señora del Socorro.

Día 14

En **Sineu**, la procesión del Viernes Santo, con un solemne descendimiento de Jesús en la barriada del Calvari; Santo Rosario, Sermón del Descendimiento, y por último, procesión con la reliquia de la Vera Cruz.

En **Pollença**, el Viernes Santo Davallament; Declarada de interés turístico, su origen se remonta a la edad media. Por la noche, los habitantes, cubiertos con una típica capa y alumbrados con antorchas, asisten a la bajada del Cristo Yacente desde el oratorio del Calvario hasta la Parroquia de Nuestra Señora de los Ángeles.

Día 23

En **Palma**, la Pancaritat o Festa del Angel; Denominada así por su identificación con la festividad del Santo Custodio de Mallorca, importante celebración durante los siglos XV y XVI. En la actualidad se conserva la bendición del pan para los necesitados, que congrega gran número de gente en los bosques del Castillo de Bellver.

MAYO

Día 15

En **Sóller**, Ses Valentes Dones, donde se rememora la victoria obtenida en 1561 contra el almirante turco Otxalí, que había desembarcado con unos 1.700 hombres. Francisca y Catalina Casanovas se portaron como leonas en la defensa, y todos los años se rememora la hazaña con un simulacro del desembarco sarraceno y la posterior lucha. Muy divertido.

JUNIO

Día 13

En **Artá**, Sant Antoni de Juny, fiesta ligada al convento de los franciscanos, fundado en 1581; danzas de Cavallets, jóvenes ataviados con caballos de cartón.

Día 18

En **Pollença**, el Corpus Christi, con la celebración en la plaza de la iglesia del ancestral Ball de les Águiles y la antigua danza de Joan Pelós.

Día 24

En **Muro**, las Festes de Sant Joan, con orígenes que se remontan al siglo XIII; Revetla, verbenas, toros, funciones teatrales...

En **Sant Joan**, la Festa del Sol que Balla, con feria de maquinaria agrícola, productos del campo, animales, perros de caza, plantas, flores, el Tondre amb Estidores (esquileo), etc.

Día 29

En **Palma** y en el **Puerto de Alcúdia**, las Fiestas Patronales de San Pedro, con homenaje a los pescadores y procesión marítimo-terrestre.

Día 30

En **Marratxí**, la Romería de Sant Marçal, patrono de la localidad y abogado de los dolores reumáticos, con verbena y exposición y mercadillo de productos de arcilla, entre los que destacan los siurells; es también costumbre adquirir un pequeño Sant Marçal (10 cm) y bendecirlo en la iglesia.

JULIO

Día 2

En **Alcúdia**, Romería a la Virgen de la Victoria: se celebra en el Santuario de la Victoria, a unos seis km. de la ciudad; en el Puig de la Victoria se reunen los vecinos para celebrar Corregudes de Joies i Balls de Jotas i Boleros.

Día 16

En el **Puerto de Andratx, Cala Ratjada, Puerto de Pollença y Cala Bona, Cala Figuera, Es Capdellá, Coll d'en Rabassa, Portocolom, Portocristo, Ruberts, Rafal Vell, Son Ferriol, y Puerto de Sóller**, las Fiestas de la Virgen del Carmen -patrona de marinos y pescadores- con procesiones marítimas en el interior del puerto y la bahía, fuegos artificiales, torradas, etc.

Día 20

Festividad de Santa Margarita, fiestas en Felanitx (*cavallets*, *xeremiers*, teatro y música), en Santa Margalida (verbenas, actos populares, *ball de bot*, y pirotécnia), y en Santa María (verbenas, *ball de bot*, y castillo de fuegos artificiales).

Día 21

En Petra, Santa Práxedis, fiestas de una semana de duración con verbena, dimonis, xeremiers, conciertos, y pirotécnia.

Día 25

Fiestas de Sant Jaume en S'Estanyol des Migjorn (*revetla*, trofeo de vela, y otros actos populares), en Establiments (fiestas de verano), en Alcúdia (toros, verbenas, conciertos, fuegos artificiales, etc.), en Muro (verbenas, carreras del Cós, xeremiers...), en Sa Pobla (verbena, ball de bot, exposiciones, teatro, etc), en Santanyí (dimonis, verbenas, y fuegos artificiales), en Algaida (danzas de cossiers, verbena, teatro, ball de bot, y pirotécnia.), en Binissalem (actos tradicionales y fuegos artificiales), en el Port des Canonge (actividades típicas y cenas en la calle), en Calvía (multitud de actividades), en Portocolom (un poco de todo y cena popular), y en Moscari (Festa del Fadrí).

Día 28

En Valldemossa, el Carro Triunfal, cabalgata con orígenes en el siglo pasado; cada año, una niña distinta representa a la santa en su infancia, y otras compañeras forman su corte. La comitiva recorre las calles al son de las coplas de Sor Tomasseta, única santa mallorquina; todas las carrozas son de tracción animal, y en Vilafranca de Bonany, Festes de la Beata, con actos de todo tipo y la Carrera del Cós.

Día 30

En Inca, San Abdon y Sant Senén, con numerosos actos

deportivos, culturales, y musicales, además de espectáculo taurino.

AGOSTO

Día 1

En Llubí, Sant Feliú, fiestas de una semana de duración, con verbenas, revetla, actos variados, y pirotécnia.

Día 2

En Pollença, la Fiesta de Nuestra Señora de los Ángeles, con pasacalles, procesión de la Mare de Déu dels Angels, pirotécnia, y el simulacro de Moros y Cristianos, en conmemoración de de las gestas de Joan Más contra los turcos en 1550.

En Son Serra de Marina, la Mare de Déu, con actos deportivos, partido de fútbol entre solteros y casados, etc.

En el Port de Valldemossa, la Mare de Déu, con actos variados.

En la Costa d'en Blanes, la Mare de Déu, con revetla; organizan sus fiestas junto con los adyacentes Bendinat y Portals Nous.

En Cala D'Or, la Mare de Déu, fiestas variadas con premios a las barcas mejor engalanadas.

Segundo domingo de agosto

Santa Cándida, en Llucmajor, con revetla en la plaza y actos variados.

Día 10

En Selva, las Fiestas Patronales de San Lorenzo, patrón de la villa desde su fundación en el siglo XVI; actividades variadas y siempre, la actuación de Aires de Muntanya, grupo folclórico fundado en 1930 y perfecto exponente de bailes y trajes típicos de la isla.

Del 12 al 20 de agosto

Fiestas en los barrios palmesanos de Son Espanyolet y Son Cotoneret (zona del Pueblo Español).

Día 16

Festividad de Sant Roc, con fiestas en Porreres (torrada popular, verbenas, y pirotécnia), Cala Ratjada (destaca en ellas su castillo de fuegos artificiales), S'Alquería Blanca (xeremías y refrescos para todos en la plaza del pueblo), Alaró (desfile de carrozas, verbena, teatro, pirotécnia, etc).

Día 19

En los barrios palmesanos de Sant Magí y Es Jonquet, fiestas de Santa Catalina, con actividades variadas.

Día 20

En el barrio palmesano de Es Secar de la Real, Sant Bernat, con romería, cena popular, revetla, etc.

Días 23 y 24

En Montuiri, las Fiestas Patronales de San Bartolomé, con las actividades comunes (verbena, pirotécnia...) y además, las danzas de Els Cossiers, de antiquísimo origen: seis danzantes, una Dama, y el Dimoni, que pierde *casi* siempre. Las fiestas duran una semana.

Día 24

En Capdepera, fiestas en honor a San Bartomeu, con carreras de caballos trotones en la finca rústica Es Cavaller, y las actividades festivas usuales.

En Consell, Sant Bartomeu, con actividades culturales, musicales, y fin de fiesta con revetla.

También en Sóller celebran Sant Bartoméu, con numerosos actos y revetla, tood ello en la Plaza dela Constitución.

En Ses Salines, Sant Bartomeu, con dimonis, revetla, y velada teatral.

En el barrio palmesano de Son Rapinya, Sant Bartomeu, con teatro, cine al aire libre, y espectáculos musicales.

Del 24 al 27 de Agosto

Fiestas de San Agustín, en el barrio de San Agustín (Palma-Calviá).

Día 28

En Felanitx, San Agustín, con la antigua danza medieval de Es Cavallets y otras actividades (Cadeneta, Rotlo, toros, verbena, etc). De las mejores fiestas de la isla.

Día 29

En Sant Joan, fiestas patronales con pasacalles de Dimonis,

cabezudos, Xeremíes, verbenas, y concursos como el de tiro con honda y Sant Joan Degollat, con revetla, ball de bot, y actividades festivas.

Último fin de semana de agosto

En Ariany, fiestas de la Mare de Déu d'Ariany, con ball de bot, concursos, fuegos artificiales, etc.

SEPTIEMBRE

Día 3

Fiestas de la Mare de Déu de Setembre en Banyalbufar (nutrido programa de actos en el que destaca el concierto de la Lira Esporlerense), Costix (revetla, actos deportivos, y la menjada de botifarrones), en Galilea (juegos populares, música, cena popular de trempó, y calles engalanadas de paperí), y en los palmesanos barrios de Son Sardina, Son Oliva y Son Ferriol (fiestas de verano).

En Santa Margalida, la procesión de la Beata Santa Catalina Thomás, declarada de interés turístico, (la fiesta, no la Beata), con desfile de carrozas, pirotécnia, bengalas, y jóvenes ataviados con trajes típicos portando jarras de barro que les son arrebatados por el Dimoni para arrojarlos a los pies de Catalina.

Día 10

En Cas Concos des Cavaller, pequeño llogaret de Santanyí, Sant Nicolau, con dimonis, caperrots, revetla, y actos dedicados a los niños.

Segundo sábado de septiembre

En Vilafranca de Bonany, la Festa del Meló, con concurso de melones y degustación gratuita. Dice la fama que los mejores melones de la isla se producen en esta población.

Día 21

En Bunyola, las Fiestas de San Mateo, con Revetla, bailes regionales, y concierto de la Coral Polifónica de Bunyola.

Día 24

En Binissalem, la Festa del Vermar (vendimia), con misa, concursos de racimos de uva, llegada de Vermadors y Xeremiers, elección de la Vermadera Major, verbenas, pirotécnia...

OCTUBRE

Día 1

En Sant Joan, la Torrada D'es Botifarró, con pruebas de habilidad para motos, coches y tractores; al finalizar éstas, Berenada de Botifarró i Llonganissa, foguerons, y bailes típicos.

Día 21

En Palma, rememoración de la llegada de la Beateta con una cabalgata similar a la de Valldemossa en la que participan carrozas provenientes de toda la isla.

NOVIEMBRE

Día 30

En Santanyi, la Festa D'es Patró Sant Andreu, con actividades culturales, fiestas, verbenas, etc.

DICIEMBRE

Día 31

En Palma, la Festa de L'Estandard, con la que se conmemora el aniversario de la conquista cristiana de la ciudad por Jaime I el 31 de Diciembre de 1229; actos religiosos, audiciones musicales, y danzas típicas.

MERCADILLOS SEMANALES

MUNICIPIO DE PALMA

Palma: Sábados mañana

COMARCA DE LA TRAMUNTANA

Calviá: Lunes mañana
Andratx: Miércoles mañana
Valldemossa: Domingos mañana
Bunyola: Sábados mañana
Sóller: Sábados mañana
Pollença: Domingos mañana
Port de Pollença: Miércoles mañana

COMARCA DEL RAIGUER

Campanet: Martes mañana
Búger: Sábados mañana
Selva: Miércoles mañana
Caimari: Lunes mañana
Inca: Jueves mañana
Mancor de la Vall: Sábados mañana
Lloseta: Sábados mañana
Alaró: Viernes tarde
Binissalem: Viernes mañana
Consell: Jueves mañana
Santa María del Camí: Domingos mañana
Sa Cabaneta (Marratxí): Viernes mañana
Pórtol (Marratxí): Miércoles mañana
Pont d'Inca (Marratxí): Viernes mañana
Alcúdia: Martes y domingos mañanas
Sa Pobla: Domingos mañana

COMARCA DEL PLA

Muro: Domingos mañana
Santa Margalida: Martes y sábados mañana
Ca'n Picafort: Martes tarde y viernes mañana
Llubí: Martes mañana
María de la Salut: Viernes mañana
Ariany: Jueves mañana
Santa Eugenia: Viernes mañana
Petra: Miércoles mañana
Sineu: Miércoles mañana
Costix: Sábados mañana
Sencelles: Miércoles mañana
Lloret de Vista Alegre: Lunes mañana
Sant Joan: Jueves mañana
Vilafranca de Bonany: Miércoles mañana
Porreres: Martes mañana
Montuiri: Lunes mañana
Algaida: Viernes mañana

COMARCA DE LLEVANT

Artá: Martes mañana

Capdepera: Miércoles mañana
Cala Ratjada: Sábados mañana
Son Servera: Viernes mañana
Sant Llorenc des Cardassar: Jueves mañana
Manacor: Lunes mañana
Porto Cristo (Manacor): Domingos mañana

COMARCA DEL MIGJORN

Llucmajor: Miércoles y domingos mañana
Arenal: Jueves mañana
Campos: Jueves y sábados mañana
Felanitx: Domingos mañana
Santanyí: Miércoles y sábados mañana
Ses Salines: Jueves mañana
Colonia de Sant Jordi: Miércoles mañana

ÍNDICE

EL PAÍS

MUNICIPIO DE PALMA

COMARCA DE LA TRAMUNTANA

COMARCA DE LLEVANT

FIESTAS
(Índices cronológico y alfabético)

CARTOGRAFÍA

ÍNDICE DE LUGARES TURÍSTICOS